INGRID BETANCOURT

DU MÊME AUTEUR

Parents, sauvez vos enfants... et l'école avec !, avec Yves Dalmau, Albin Michel, 2008.
Les Nouveaux Rois mages, Hors Collection, 2008.
Fac, le grand merdier, Anne Carrière, 2007.
L'Abbé Pierre, une vie, Édition 1, 2006.
Sœur Emmanuelle, la biographie, Anne Carrière/Robert Laffont, 2006.
Un bébé, s'il vous plaît ! Démons et merveilles de la procreation assistée, Anne Carrière, 2004.
Les Guérisons miraculeuses, enquête sur un phénomène inexpliqué, Plon, 2002.
Sœur Emmanuelle, secrets de vie, Anne Carrière, 2000.
Caligula, avec Paul-Jean Franceschini, France Loisirs, 2000.
Poison et Volupté, avec Paul-Jean Franceschini, Pygmalion, 1999.
Les Dames du Palatin, avec Paul-Jean Franceschini, Pygmalion, 1999.
Les Mystères de Rome, Plon, 1997.
Abbé Pierre. Mes images de bonheur, de misère et d'amour, Fixot, 1994.
Sœur Emmanuelle, l'amour plus fort que la mort, Fixot, 1993.
Bob Denard, le roi de fortune, Édition° 1, 1992.
L'Abbé Pierre, 40 ans d'amour, Édition° 1, 1992.
L'Abbé Pierre, l'insurgé de Dieu, Édition° 1/Stock, 1989.

PIERRE LUNEL

INGRID BETANCOURT
LE COURAGE ET LA FOI

l'Archipel

Crédits photos : 1 : AFP. 2a : Luis Acosta/AFP. 2b : AFP. 2c : Claudio Santana/AFP. 3a : Rodrigo Arangua/AFP. 3b : Mauricio Duenas/AFP. 3c : Juan Barreto/AFP. 4a : Léon Neal/AFP. 4b : Nelson Almeida/AFP. 5a : Rodrigo Arangua/AFP. 5c : Rodrigo Arangua/AFP. 6a : François Durand/Getty Images/AFP. 6b : Mahdi Fedouach/AFP. 7a : François Guillot/AFP. 7b : Pascal Perrot/AFP. 8. Rodrigo Arangua/AFP.

www.editionsarchipel.com

Si vous souhaitez recevoir notre catalogue et être tenu au courant de nos publications, envoyez vos nom et adresse, en citant ce livre, aux Éditions de l'Archipel,
34, rue des Bourdonnais 75001 Paris.
Et, pour le Canada, à
Édipresse Inc., 945, avenue Beaumont,
Montréal, Québec, H3N 1W3.

ISBN 978-2-8098-0114-9

À la mémoire de l'Abbé Pierre,
conscience parmi les consciences

Aux cent ans de sœur Emmanuelle,
l'amour plus fort que la mort.
Yalla !

Avant-propos

Depuis mon premier ouvrage, *L'Abbé Pierre, l'insurgé de Dieu*, je me suis fait le biographe des grandes âmes et des consciences de notre époque troublée, convaincu que nos concitoyens ont besoin de vrais exemples.

Également persuadé que les gens déboussolés peuvent repartir d'un bon pied grâce au récit de vies stimulantes – à condition, bien sûr, de s'en inspirer et d'en suivre le chemin –, je me suis consacré à explorer les aventures de ces héros du bien, vitaminant mon âme par la même occasion. Car j'ai toujours cru que ces vies exemplaires réussissent la prouesse de doper les forces de chaque être humain. Un grand médecin new-yorkais me confiait récemment avoir constaté la démultiplication des cellules immunitaires dans la salive de ses jeunes internes après le visionnage d'un film sur Mère Teresa... Ce constat me séduisait.

Lorsque, un peu inconscient, j'ai mis mes pas dans ceux d'Ingrid Betancourt, j'étais moi-même curieux de savoir ce que donnerait ma plume, rodée à la « cause des saints », confrontée au portrait d'une des femmes les plus charismatiques de notre temps. Prisonnière durant plus de six ans d'une jungle atroce, Ingrid Betancourt, par son invraisemblable courage, est devenue un phare de notre époque, à l'instar du plus célèbre prisonnier « pour l'honneur de l'homme », Nelson Mandela.

J'ignorais, en relevant ce défi, que j'allais entrer dans une tragédie absolue où l'horreur le dispute à l'amour…

1

LIBRE !

« Je suis engagé, depuis quatre mois, par passion (je ne sais pas faire autrement), dans l'écriture d'un livre sur votre fille Ingrid, son combat, son drame (votre drame, devrais-je dire) et le symbole désormais qu'elle représente ; une telle exemplarité est d'une grande force pour notre pauvre monde en déréliction. Je compte me rendre début septembre en Colombie. Vous me feriez une grande joie d'accepter une ou plusieurs rencontres pour approfondir certains points. Avec toute mon admiration pour votre combat. »

Ces quelques lignes, datées du 1er juillet, sont adressées par courrier électronique à Yolanda Pulecio Betancourt. « Mamita Linda », comme l'appelle sa fille Ingrid, aux mains des Forces armées révolutionnaires de Colombie (FARC) depuis le 23 février 2002.

Le lendemain, au petit matin, une simple phrase s'affiche en réponse sur l'écran de mon ordinateur : « *Gracias por su mensaje e interes, con mucho gusto, si Dios quiere, nos veremos en septiembre. Un abrazo. Yolanda Pulecio de Betancourt*[1]. »

---

1. « Merci pour votre message et votre intérêt, c'est avec un grand plaisir, si Dieu le veut, que nous nous verrons en septembre. Cordialement. Yolanda Pulecio de Betancourt. »

Quelques heures plus tard, le téléphone sonnera chez Yolanda, dans une *calle* de Bogotá. Au bout du fil, comme une voix venue du ciel :

— Maman, c'est moi !

— C'est qui ? C'est Astrid ?

— Non, c'est moi, Ingrid !

La suite, on la devine... Des cris de joie, après tant d'années de pleurs et de douleur. « Maman a hurlé, ça a été inouï de bonheur[1] », confiera Ingrid Betancourt un peu plus tard...

2 juillet 2008, 21 h 55

La veille encore, à Londres, Mélanie, la fille d'Ingrid, tenait une conférence de presse au côté de son père Fabrice Delloye, dans l'espoir de mobiliser l'opinion publique anglo-saxonne en faveur des otages. Ils attendaient beaucoup de la rencontre prévue à Caracas le 11 juillet suivant, entre Álvaro Uribe et Hugo Chávez. La veille encore, sur le toit de l'Europe, le jour où la France prenait la présidence de l'Union européenne, une cordée de trois alpinistes français hissait un portrait de l'otage la plus célèbre au monde et plantait dans la neige un drapeau français à côté d'un drapeau colombien.

Ce 2 juillet, à lire les mots de la mère d'Ingrid, à suivre à la trace les initiatives de chacun, du Foreign Office au sommet du mont Blanc, on semble donc résigné à la captivité, qui repousse aux lendemains l'espoir d'un *happy end.* « Ici rien n'est à soi, rien ne dure, l'incertitude et la précarité sont l'unique constante », écrivait Ingrid dans la lettre adressée aux siens à l'automne 2007[2]. Neuf mois plus tard, à des milliers de

1. Citée par *Le Journal du dimanche*, 6 juillet 2008.
2. Ingrid Betancourt, Mélanie et Lorenzo Delloye-Betancourt, *Lettres à maman par-delà l'enfer*, Seuil, 2007, p. 39.

kilomètres de l'enfer andin qui la retient captive, ses proches paraissent vivre suspendus au même rythme.

Et pourtant, ce 2 juillet, à 18 heures, heure locale sur la base militaire de Catam, à quelques battements d'aile de la capitale perchée à 2 600 mètres d'altitude, Ingrid Betancourt, descendue de l'avion en tête des quatorze autres otages libérés avec elle, bondit dans les bras de sa mère. En France, les chaînes de télévision ont interrompu leurs programmes pour une édition spéciale. Pas d'images encore, mais l'attente fiévreuse des plateaux et de leurs invités. Sur LCI, Hervé Marro, le porte-parole du comité de soutien de la Franco-Colombienne, retient son souffle : « C'est tellement splendide si c'est vrai, mais on attend qu'on nous le dise. »

À 21 h 55, c'est chose faite : l'Élysée confirme à l'Agence France-Presse la libération d'Ingrid !

Un plan fixe sur la porte de l'avion officiel qui vient d'atterrir : celle qui depuis 2 321 jours n'a plus étreint sa « *Mamita* chérie », ni Astrica, ni Loli Pop et Mela, ni Fab et Juanqui, est là ! Radieuse, un large sourire aux lèvres, sous le chapeau kaki de l'armée colombienne dont elle est coiffée. Ses cheveux relevés en tresse, à l'indienne, jurent presque avec le treillis du vaillant petit soldat qu'elle est restée.

Au bout de la passerelle, elle étreint longuement sa mère et l'embrasse sur le front. C'est elle maintenant qui, pleine de grâce juvénile malgré les années de privation, soutient cette mère levée tous les matins à l'aube pour l'amour de sa fille. Ses bras se font tendrement protecteurs. À cet instant-là, tout est bien fini. Les deux femmes se dévorent des yeux. On comprend alors. Seuls leurs corps étaient séparés. Par l'âme, elles sont restées liées. « Tous les jours, je me lève en remerciant Dieu de t'avoir », écrivait Ingrid à sa mère il y a quelques mois encore, ajoutant : « Je me nourris chaque jour de l'espoir d'être ensemble, et nous verrons comment Dieu nous montrera la voie. [...] sans toi, je n'aurais pas tenu jusque-là[1]. »

Oui, elle a tenu, comme le chapelet qui ceint son poignet gauche, fabriqué aux premiers jours de sa captivité avec des boutons de veste et du fil de nylon. Elle le montre à Yolanda : aux pires heures de leur existence, comme dans le bonheur des retrouvailles, la foi ne les a jamais quittées. Elles s'agenouillent ensemble pour prier, les yeux clos, éperdues de ferveur. C'est à peine si l'on verra affleurer sur les traits d'Ingrid les souffrances des années passées. On la redoutait affaiblie, brisée par six ans et demi de « mort dans la vie ». Elle est pleine d'une force que l'on croyait disparue.

Le choc des images

À l'instant où s'ouvre la porte de l'avion, on épie sa réapparition. Comment oublier ces mots écrits *de profundis*, un jour d'octobre 2007 ? « *Mamita*, je suis fatiguée, fatiguée de souffrir. J'ai été, ou j'ai tenté d'être forte. Ces six années de captivité, ou presque, m'ont démontré que je ne suis ni aussi résistante ni aussi courageuse, intelligente et forte que je le pensais. J'ai mené beaucoup de batailles, j'ai tenté de m'enfuir à plusieurs reprises, j'ai essayé de garder espoir comme on garde la tête hors de l'eau. Mais aujourd'hui, *Mamita*, je me sens vaincue[2]. »

Depuis le 30 août 2003, date à laquelle les FARC avaient transmis une vidéo à la famille Betancourt, la voix de l'absente s'était tue. On était sans nouvelles d'elle ou presque. Sans preuves matérielles du moins.

1. *Ibid.*, p. 13-14.
2. *Ibid*, p. 15-16.

L'espoir s'est nourri des révélations de John Franck Pinchao, il y a quelques mois. Le sous-lieutenant capturé en novembre 1998 était des soixante et un otages capturés par la guérilla des FARC lors de l'invasion de Mitú, la capitale du département du Vaupés, à la frontière du Brésil. C'est là que, le 16 mai 2007, un hélicoptère de l'armée colombienne l'a retrouvé, harassé après deux semaines de marche dans la jungle. Le petit homme malicieux, qui s'était toujours accommodé tant bien que mal aux vicissitudes de la captivité, disait avoir profité de l'inattention de ses geôliers pour se faire la belle. Reçu le soir même par le président de la République colombienne Álvaro Uribe, flanqué de son ministre de la Défense, Juan Manuel Santos, Pinchao rapportait une nouvelle de taille : il avait été séquestré pendant trois ans avec... Ingrid Betancourt[1]. Dans la conférence de presse qu'il donne le lendemain, bien qu'émacié et flottant dans un costume trop large, il se montre plus loquace encore et donne force détails qui ne peuvent que rassurer les proches d'Ingrid : « Le 28 avril, quelques jours avant son évasion, elle était en bonne santé, même si elle a souffert d'une hépatite à une époque. »

Ingrid est donc vivante ! Mais quelle crédibilité apporter à ce témoignage ? Juan Carlos Lecompte, le mari qu'Ingrid surnomme affectueusement « Juanqui », doit en avoir le cœur net : il veut entendre cette nouvelle réjouissante de la bouche même de Pinchao. Il le rencontre à la sortie de son entretien avec le président colombien. Plus de doute possible ! Lui, le pondéré, le clairvoyant, le fou d'amour qui s'est longtemps défié d'Álvaro Uribe, exulte. Il téléphone aussitôt à Fabrice

1. Une vidéo de l'entretien et de la conférence de presse qui a suivi est disponible sur le site de la télévision colombienne Noticias Uno.

Delloye et à ses enfants : « Pinchao vient réellement de passer deux ans et neuf mois avec Ingrid. Il est plein d'elle, il est rempli d'Ingrid[1]. »

À la fin du mois de décembre suivant, une preuve de vie indiscutable parvient à ses proches, sous la forme d'une lettre manuscrite datée du 24 octobre 2007, écrite « par un matin pluvieux, comme mon âme ». À son ami Michel Peyrard, elle confiera dans l'avion qui la ramène en France : « J'ai terminé vers 15 heures parce qu'Enrique [*Gafas*] était là, qu'il voulait partir. Je crois qu'il m'a donné une heure de plus pour la finir[2]. » Saisi lors de l'arrestation de guérilleros à Bogotá, le courrier est adressé à sa mère, Yolanda Pulecio. Elle y parle de ses enfants et de ceux qu'elle aime, de « cette vie qui n'est pas la vie ». Douze pages d'une écriture régulière et serrée. Douze pages de désespoir et de solitude. Une copie est communiquée par le gouvernement colombien à la famille d'Ingrid en décembre 2007. Aux organes de presse du monde entier aussi, sans l'autorisation de Yolanda Pulecio. Lors d'une visite à Caracas, Yolanda s'en prend aux autorités colombiennes : « Ingrid m'envoie une lettre pour la famille. Non seulement ils ne me donnent pas l'original mais une copie de très mauvaise qualité, mais par-dessus tout ils la divulguent à la presse », déplore-t-elle lors d'un entretien accordé à la télévision publique vénézuélienne VTV. *Mamita* voit rouge. Elle qui est si férocement attachée à la correspondance qu'elle entretient avec sa fille vit la divulgation de ce courrier comme une violation de territoire. Un territoire intime.

1. Cité par Éric Raynaud, *Ingrid Betancourt. Femme courage !*, Éditions Alphée-Jean-Paul Bertrand, 2008, p. 144.
2. Propos recueillis par Michel Peyrard, *Paris-Match*, 9 juillet 2008.

Au choc des mots s'ajoute celui des images. Dans un film d'une vingtaine de secondes, qui fait le tour de la planète en quelques heures, on découvre une Ingrid Betancourt spectrale : assise sur un banc de fortune, elle est très amaigrie, prostrée dans une immobilité silencieuse, le regard bas[1]. On est loin de la détermination farouche de 2003[2]. C'est une pietà sans enfants, qui porte sa croix : « Pendant des années, je n'ai pas pu penser aux enfants parce que je souffrais horriblement de ne pouvoir être avec eux[3]. »

Cet appel au secours est la supplique d'une femme à bout de forces, qui ne veut plus être le jouet des FARC. L'émotion est à son comble face à ces images qui résonnent douloureusement avec les mots couchés sur le papier : « *Mamita*, c'est un moment très dur pour moi. Tout à coup, ils veulent des preuves de vie, et je t'écris, mon âme tendue sur ce papier. Je vais mal physiquement. Je ne mange plus, j'ai perdu l'appétit, mes cheveux tombent en grande quantité. Je n'ai envie de rien. Je crois que la seule bonne chose, c'est ça : n'avoir envie de rien. Car ici, dans cette jungle, l'unique réponse à tout est "non". Mieux vaut donc ne rien vouloir pour demeurer au moins libre de désirs[4]. »

Ingrid Betancourt est en vie... Elle devient surtout le symbole vivant du calvaire des otages. Son état est source de toutes les alarmes et de toutes les craintes, confirmées et même amplifiées lorsque deux de ses anciens compagnons d'infortune, Luis Eladio Perez et Gloria Polanco, recouvrent la liberté le 27 février 2008. Selon eux, Ingrid Betancourt est très malade, en proie

---

1. www.youtube.com/watch?v=NBs_ORoyz7Q&feature=related
2. Le 30 août 2003, une vidéo avait été transmise par les FARC à une chaîne de télévision sud-américaine.
3. *Lettres à maman par-delà l'enfer*, *op. cit.*, p. 22.
4. *Ibid.*, p. 17.

aux brimades quotidiennes et aux mauvais traitements de ses geôliers. C'est certain, sa vie ne tient plus qu'à un fil. « En tant que femme et en tant que mère, je veux envoyer un message à Ingrid Betancourt, qui est restée dans la jungle, très malade. Elle souffre d'une hépatite B récurrente », déclare Gloria Polanco à la radio colombienne Caracol, avant d'ajouter qu'elle est « proche de la fin ». Luis Eladio Perez, qui a vu pour la dernière fois Ingrid Betancourt au mois d'août précédent, confirme ses dires : « Cela blesse mon âme. Elle est très mal, très, très malade. Elle est épuisée, physiquement et moralement », affirme-t-il sur le tarmac de l'aéroport de Caracas.

Ingrid maltraitée, Ingrid enchaînée, Ingrid aux portes de la mort : « Je pense qu'on a quelques semaines, peut-être un ou deux mois, mais pas plus pour la sauver », assure Perez. Comment douter du « soutien », du « protecteur », du « frère », selon les mots d'Ingrid ?

Le lendemain, Mélanie Delloye, interrogée par i>Télé, évoque d'une voix tremblante une « course contre la montre ». La semaine suivante, c'est au fils de l'otage franco-colombienne – son « roi des eaux bleues » – de lancer un appel aux FARC et aux présidents vénézuélien et français. Dans une demi-obscurité, le visage étreint par le chagrin, le jeune homme de dix-neuf ans adresse un appel poignant à sa mère : « Maman, je sais que tu as peu de temps, mais je te demande de tenir le coup le plus longtemps possible car on va te sortir de là, toi et tous les otages[1]. »

Atteinte selon les rumeurs d'hépatite B, de paludisme et de leishmaniose, maladie parasitaire transmise par les moustiques, Ingrid Betancourt serait-elle en train de renoncer à la vie après des années de résistance ?

---

1. Vidéo mise en ligne sur le site de soutien http://www.agirpouringrid.com, 7 mars 2008.

Dans les oubliettes suffocantes de la jungle amazonienne, où la pénombre le dispute à l'humidité, à la merci de geôliers intraitables, fébrile, affaiblie – vertiges et maux de tête succédant aux diarrhées –, Ingrid en serait-elle venue à souhaiter la mort, seule libération possible ? On en viendrait à le croire, à relire les dernières phrases de sa lettre : « Pendant des années, j'ai pensé que tant que je serais en vie, tant que je respirerais, je garderais espoir. Je n'ai plus cette force, il m'est très difficile de continuer à croire, mais je veux que vous sachiez que ce que vous avez accompli pour nous a fait la différence. Nous nous sommes sentis des êtres humains. Merci[1]. » Un merci qui sonne comme un adieu…

On revoit ces images, on réentend ces mots, lorsque celle qui, il y a quelques mois encore, s'avouait « vaincue » et envisageait la mort comme « une option douce », foule le tarmac colombien pour se jeter dans les bras de sa mère. On retient son souffle. On n'ose guetter sur son visage les stigmates de son calvaire. Mais par-delà la peur, la faim, l'épuisement physique et moral, par-delà la maladie, la séparation insupportable d'avec les siens, Ingrid nous revient la tête haute. À croire qu'elle n'aura baissé les yeux qu'une seule fois, dans un geste de défi inouï face à la caméra de ses tortionnaires.

C'est à Michel Peyrard qu'elle confiera le fin mot de l'histoire : « Je savais qu'ils voulaient montrer au monde l'image d'une Ingrid en pleine forme, joyeuse et tranquille. J'avais refusé cette vidéo. J'avais répété à Enrique : "Si ce que tu veux est une preuve de survie, je fais une lettre à maman." Ce jour-là, je sortais tout juste de ma maladie. William Perez, l'infirmier militaire, était en train de me faire récupérer le mouvement.

1. *Lettres à maman par-delà l'enfer*, *op. cit.*, p. 45-46.

J'avais passé la journée avec une intraveineuse dans le bras, comme chaque jour depuis un mois. Je n'avais plus de veines pour me piquer. Je souffrais. Mais c'était le seul moyen de survivre. J'étais en train de partir, dans la descente du corps. À chaque session d'intraveineuse, j'avais des crises d'hypothermie, des spasmes. William m'enroulait dans une couverture et me tenait pour que je ne me fasse pas mal. Enrique, le commandant du camp, est arrivé : "Tu es en pleine forme, tu vas beaucoup mieux, tu as des couleurs. On va faire une vidéo. Tu vas parler à ta famille. — Non, je ne vais pas faire de preuve de survie." Évidemment, ils avaient la possibilité de passer outre et de tourner. Comme je ne voulais pas me prêter à son jeu, j'ai décidé : "Je ne vais pas le regarder, cette vidéo ne dira rien du tout…" »

Une prestation si réussie qu'au vu du résultat les FARC auraient préféré ne pas la faire connaître : « Si elle n'avait pas été interceptée par les services colombiens, on ne l'aurait jamais vue », ajoute Ingrid[1].

William Perez, l'ange de la jungle

William Perez, le sauveur ! L'ange gardien. « Je suis vivante grâce à lui », clame Ingrid aux yeux du monde médusés par tant d'allant quand, sitôt délestée du lourd sac qu'elle porte sur le dos, elle monte prestement à la tribune improvisée sur le tarmac de Catam. Au lendemain de sa libération, Perez livre à la presse la clé du mystère : « Tout le monde a été scandalisé par la photo, mais à ce moment-là elle allait déjà beaucoup mieux. »

Le pire, c'était avant. Deux mois avant le cliché qui a ému l'opinion et figé le drame de la captivité. Quand

1. Propos recueillis par Michel Peyrard, *Paris-Match*, *op. cit.*

Ingrid n'en peut plus de son licol, enchaînée vingt-quatre heures sur vingt-quatre à un arbre. Le refus de s'alimenter est devenu sa dernière arme. Elle en a déjà usé. En février 1996, jeune députée, elle entamait une grève de la faim pour protester contre la corruption du régime d'Ernesto Samper. Dans le salon ovale du Congrès, son mari Juan Carlos la retrouve couchée sur une banquette en bois, enroulée dans une couverture, le nez bouché par la poussière des travaux dans la pièce voisine. « J'ai découvert son côté audacieux, radical et résolu », témoigne-t-il, ajoutant qu'à l'issue de treize jours de combat Ingrid était si affaiblie qu'il avait fallu l'évacuer sur un brancard et la conduire à l'hôpital : « Elle ne s'en est jamais totalement remise et souffre encore de troubles hépatiques qui l'empêchent de boire du café et de l'alcool[1]. »

Douze ans plus tard, dans l'inhumanité de la jungle, elle enjoint aux prisonniers du camp de cesser de manger la pâture infâme qu'on leur sert. Le jeûne provoque un ulcère et des infections intestinales. Peu à peu, elle se déshydrate. Son état de santé se dégrade. D'après William Perez, Ingrid a renoncé à vivre. Ses geôliers s'en moquent. Certains attendent sa mort pour – préviennent-ils – creuser un trou et l'y enterrer. Révolue l'époque où Ingrid, aux dires de Guillermo Angulo, « était mieux traitée que Tirofijo », le vieux et légendaire dirigeant des FARC. Angulo, photographe féru d'orchidées, baptisé « le Maestro », avait rassuré Juan Carlos, venu lui rendre visite en 2002 dans l'appartement qu'il occupait à Bogotá avec sa femme Vanna, d'origine italienne. Lui aussi avait été séquestré par les FARC. On l'avait libéré cinq mois plus tard, après vérification : sa famille ne mentait pas lorsqu'elle affirmait

1. Juan Carlos Lecompte, *Au nom d'Ingrid*, « Folio Documents », Gallimard, 2007, p. 93-94.

ne pas avoir assez d'argent pour payer sa rançon. Le Maestro avait été kidnappé à des fins d'extorsion de fonds, Ingrid à des fins politiques. Mais les conditions de sa captivité ressemblaient peut-être à celles que le Maestro avait connues. Juan Carlos voulait entendre Angulo raconter son expérience, dans l'espoir de se faire une idée plus précise du quotidien d'Ingrid : « En ce moment, [*elle*] est le joyau le plus précieux de leur couronne, leur plus belle pièce. » Juan Carlos pouvait en être sûr. À l'affirmation du Maestro, il avait opiné : « Je suis d'accord avec vous. Ils ne sont pas assez fous pour piétiner leur gagne-pain, mais avec eux on ne sait jamais[1]. »

En octobre 2007, la cote d'Ingrid s'est dévaluée. Mise à prix aux vautours. « Là-bas, personne ne vaut rien, même pas Ingrid. Elle disait vouloir mourir. Elle refusait ce que les FARC avaient fait d'elle », se rappelle Perez. À son désespoir, l'infirmier répond par des encouragements et la somme de « rester forte ». Elle en a le devoir, pour elle et pour tous ceux qui l'aiment. Perez sait de quoi il parle. On l'attend lui aussi, quelque part, depuis que son destin a basculé en mars 1998, lorsque le camp de son unité, la brigade mobile n° 3, situé dans la province du Caqueta, a été encerclé par les FARC. Vingt-quatre heures de combat. À court de munitions, quarante-deux soldats rendent les armes, laissant derrière eux les cadavres de soixante-cinq des leurs. Le coup est rude pour le jeune caporal Perez qui venait d'obtenir une permission. En lieu et place de l'éden familial, il trouve l'enfer carcéral. Dix ans. Presque un tiers de sa vie, passé dans la touffeur de la jungle, où les arbres barrent le ciel. Dix ans pendant lesquels il met à profit la formation d'infirmier qu'il a reçue à l'hôpital militaire de Bogotá. Il n'est pas médecin,

1. *Ibid.*, p. 137.

certes, mais il est doté de connaissances médicales suffisantes pour venir en aide à ses camarades d'infortune. La responsabilité qui pèse sur ses épaules dope ses talents de thérapeute. Il ne tentera jamais de s'évader. Il se sent investi d'une mission qui lui fait oublier son propre drame. Perez n'est pas une force de la nature, mais avec les moyens du bord il combat les infarctus, la leishmaniose, le paludisme. Il distribue le peu de médicaments que lui accordent les FARC, il use de subterfuges pour en obtenir quand les malades ne sont pas en grâce auprès des geôliers. Dans son dispensaire de fortune, le caporal soigne aussi bien les otages que les guérilleros blessés lors d'opérations militaires. Et il veille nuit et jour sur Ingrid. « Sa force, c'était ma force, et ma force c'était sa force, confie le héros de l'ombre. Les choses marchaient ainsi entre nous. »

Les choses ont pourtant mal commencé, quand, en 2004, ces deux-là se retrouvent dans le même camp. Leurs relations sont à peine cordiales. Fraîches même. Lorsque, trois ans plus tard, les FARC décident de mélanger civils et militaires, ils deviennent voisins. À la radio, on évoque l'hypothèse d'un « échange humanitaire ». Betancourt, la politique, est convaincue qu'une négociation entre l'État et la guérilla est nécessaire pour sortir la Colombie de l'impasse et recouvrer la liberté. Perez, le soldat, est persuadé qu'il faut abattre le pouvoir militaire des FARC pour les contraindre à négocier. Et pourtant… Ingrid jette en douce la nourriture que lui distribuent les guérilleros. Elle ne garde que les biscuits. Elle fait l'enfant. William doit la nourrir bouchée par bouchée. Avec tendresse. Avec patience. Il lui donne la becquée. Une cuillère pour Mélanie ; une cuillère pour Lorenzo ; une cuillère pour Yolanda… « Évoquer sa famille lui redonnait toujours des forces, même quand elle ne voulait plus en avoir, se souvient Perez. Il fallait surtout la nourrir avec soin car elle ne pouvait plus rien avaler et vomissait tout ce qu'elle ingurgitait. » Et ça marche ! En quelques semaines, Ingrid reprend du poids et recommence à se tenir debout sans tomber pour aller aux toilettes ou pour se laver.

Le 2 juillet 2008, William Perez est lui aussi réticent à l'idée de monter dans l'hélicoptère avec deux de ses geôliers, pour rejoindre le camp d'Alfonso Cano, le nouveau chef des FARC. Lui aussi hurle de bonheur quand il comprend qu'il vient d'être libéré par un commando des services spéciaux. Il étreint Ingrid assise à ses côtés. Elle pleure de joie dans ses bras. « On a attendu dix ans ! On a attendu dix ans l'armée colombienne », lance-t-il à la caméra des militaires. Sur l'aéroport de Catam, Ingrid interrompra le récit de sa libération, devant un parterre de journalistes, pour rendre un vibrant hommage au militaire infirmier qui l'a sauvée de la mort et, pour ainsi dire, ramassée à la petite cuillère. Celle qui craignait que les mots lui manquent (« J'ai tant attendu ce moment, j'espère que je vais pouvoir parler ») retrouve vite la maîtrise d'elle-même. Et de sa voix, aussi claire que posée, elle raconte presque amusée « l'opération parfaite » des forces spéciales de l'armée colombienne et des services secrets. Un scénario rocambolesque !

UNE LIBÉRATION DIGNE DE HOLLYWOOD

Le matin même, comme tous les autres matins, Ingrid se disait encore, sans y croire vraiment : « Et si c'était aujourd'hui ? » Comme tous les matins, elle avait écouté Radio Caracol : son portrait hissé sur le mont Blanc réjouissait Fabrice, son ex-mari ; Mélanie, sa fille, partait en Chine. Elle avait râlé, en ce jour ordinaire de captivité, lorsque les guérilleros lui avaient intimé l'ordre de faire son paquetage. Quelle a été sa stupéfaction de voir se poser ensuite, en pleine jungle, un hélicoptère ! Elle raconte encore comment, intriguée, elle a vu en descendre des hommes en blanc, vêtus de chemisettes à l'effigie du Che. Les questions l'assaillent. À quoi rime une telle mascarade ? Ça, une organisation humanitaire ? Comment croire en la sincérité d'hommes qui se réclament du leader révolutionnaire le plus emblématique ? À coup sûr, des guérilleros des FARC ! Quelques minutes après le décollage de l'appareil, Cesar, le « despote cruel et humiliant », ainsi qu'elle le dépeint, est au sol. Nu sur le plancher de l'hélicoptère, ligoté, les yeux bandés. Les « humanitaires » tombent les masques, le cauchemar est fini. Ingrid et ses quinze compagnons ont compris que le « miracle » vient de se produire.

À l'origine de la libération d'Ingrid Betancourt, il y a le culot de deux jeunes officiers des services secrets colombiens, l'*inteligencia militar*. Début mai 2008, ces deux trentenaires, à l'identité tout aussi secrète que l'opération qu'ils fomentent, demandent à voir les numéros 1 et 2 de l'armée colombienne, les généraux Padilla et Montoya. Des vieux de la vieille, à qui on ne la fait pas ! Les deux jeunes hommes prétendent connaître un plan imparable pour libérer l'otage franco-colombienne sans tirer un seul coup de feu. Un plan qui reposerait uniquement sur la ruse. Une opération militaire maquillée en mission humanitaire ! La scène se passe à la base de Tolemaida, au sud-ouest de Bogotá. Des semaines durant, les officiers ont visionné les images de la libération de Clara Rojas et Consuelo González, filmées par la chaîne vénézuélienne TeleSUR. Ils se sont aussi fait projeter celles de la libération du sénateur Luis Eladio Perez, survenue quelques semaines plus tard. Ces deux missions sont construites sur le même modèle. Et pour cause ! C'est Hugo Chávez, le président vénézuélien, qui en est à l'origine. Les deux hommes relèvent les invariants des deux opérations : équipe d'humanitaires composée d'une dizaine d'hommes en civil, débarquant d'hélicoptères de la Croix-Rouge. « Les guérilleros dans la jungle ont vu et revu ces images sur Internet », assènent-ils, avant de marquer une pause devant la crédulité de leur auditoire. Et de reprendre avec aplomb : « Si nous réunissons une équipe qui leur ressemble, ils vont mordre à l'hameçon, baisser la garde et laisser monter les otages. Il faut qu'ils croient que Chávez est derrière ce coup[1]. »

Les généraux éclatent de rire et regardent leurs deux jeunes officiers avec une condescendance paternelle : trop de jeux vidéo ou trop d'*aguardiente* ont dû brouiller leur entendement ! Pourtant, passées les premières railleries et venu le temps de la réflexion, ils font le pari de la jeunesse. Banco ! Il y a de l'effronterie dans cette opération, mais, si elle est montée avec méticulosité, elle a des chances de réussir. Et alors, quel triomphe !

Le plus dur reste à faire : convaincre le président. Sacrée gageure. Les derniers mois semblent avoir donné raison à la politique uribiste de la « *mano dura* ». Alternance de lourdes offensives et de frappes chirurgicales, la stratégie militaire s'est déjà révélée payante : en quelques mois, les FARC ont perdu plusieurs de leurs têtes pensantes et les désertions se comptent par centaines. Le démantèlement de la guérilla pèse plus lourd dans la balance politique colombienne que la vie d'Ingrid Betancourt. De plus, Álvaro Uribe et son ministre de la Défense, Juan Manuel Santos, ont beaucoup appris de leurs alliés américain et israélien[1]. Pourquoi

1. Cité par Serge Raffy, « Ingrid Betancourt. Les secrets d'une libération », *Le Nouvel Observateur*, 10 juillet 2008.

tenter une mission si aléatoire ? « Parce qu'à cette période, explique aujourd'hui un conseiller du ministre de la Défense colombien, nous avions récupéré un atout considérable. Un lieutenant d'Alfonso Cano, le successeur de Marulanda, était passé de notre côté. On l'avait retourné. Il était devenu notre courrier auprès de Cesar, le geôlier d'Ingrid. Nous savions exactement où les groupes d'otages, Ingrid, les Américains et les Colombiens se trouvaient. Il nous manquait la taupe. Nous l'avions. C'est là que tout a commencé. »

Uribe n'est pas facile à convaincre. Il ne donne d'abord qu'un feu orange à l'opération, qu'il baptise du nom du son jeu préféré, « Jaque[2] ». Ce n'est pas un blanc-seing, mais les militaires peuvent tout de même préparer leur opération. Tandis que l'on recrute, dans le plus grand secret, des « figurants » pour former un équipage copie conforme de celui de la libération de Clara Rojas, la taupe commence son travail de sape. Pour cela, il lui faut entrer en contact avec « Cesar », le gardien d'Ingrid, afin de jouer les courriers. Pas facile de berner ce guérillero qui a vingt-six ans de fusil, des compétences financières sans faille, ainsi qu'une expertise inégalable dans le domaine des explosifs ! Toutefois, Cesar n'a plus vraiment le vent en poupe. Après l'affaire Emmanuel[3], l'arrestation de son épouse, Nancy

---

1. Depuis la vente d'avions de combat Kfir par l'État hébreu à l'État colombien dans les années 1980, les liens entre les deux pays sont forts. Depuis 2006, le gouvernement colombien a conclu un contrat d'assistance technique et de formation avec les autorités israéliennes. Officiellement, l'armée israélienne n'a cependant pas pris part à l'organisation de l'opération « Jaque ». Fait étrange, le démenti officiel est venu du général de réserve Israël Ziv, le lendemain de son retour de… Bogotá. Simple coïncidence ?
2. « Échecs. »
3. Cesar avait la garde d'Emmanuel, le fils de Clara Rojas. Il l'a remis à un orphelinat sans en informer sa hiérarchie. Nous y reviendrons.

Conde Rubio *alias* « Doris Adriana », a terni son étoile. Cesar n'est plus en odeur de sainteté. Pour se refaire, il compte sur Alfonso Cano, successeur du chef Manuel Marulanda, mort au mois de mars. Il espère ainsi accéder au secrétariat général des FARC...

Grâce à la complicité de sa femme – ou malgré elle –, les services colombiens n'ignorent rien des manigances de Cesar. Haut placée dans la hiérarchie FARC, Doris Adriana est chargée d'acheter du matériel de communication high-tech pour la guérilla. Quelques semaines avant d'être arrêtée, elle se trouvait à Miami, où les services secrets colombiens et américains la surveillaient. Plusieurs de leurs agents, déguisés en commerçants, lui vendaient du matériel piégé. Pendant dix mois, tout ce que dit Cesar est donc écouté par les « grandes oreilles » des services secrets. On apprend qu'il est aigri et qu'il rêve de faire un gros coup pour séduire Cano. Car Cesar est vaniteux. On décide d'en tirer parti pour le piéger, avec un atout de taille dans la manche : un espion ! Sa mission ? Convaincre Cesar que Cano l'apprécie et désire lui confier de nouvelles responsabilités. Au cours du mois de juin, un agent infiltré le rencontre plusieurs fois et gagne sa confiance. Parallèlement, l'armée multiplie les vols de drones chargés d'intercepter les communications radio. Cesar, méfiant, n'utilise ni téléphone ni radio. Tous les guérilleros se rappellent comment Raúl Reyes, leur porte-parole, a perdu la vie[1]. Il est donc obligé de s'en remettre à la taupe pour son courrier. À six reprises.

1. Repéré suite à la localisation géographique d'une communication par téléphone satellitaire, Raúl Reyes et seize autres guérilleros – dont Guillermo Enrique Torres, *alias* « Conrado », autre membre de l'appareil politique des FARC – ont été tués le 1er mars 2008 au cours d'une opération de l'armée en territoire équatorien.

Première visite : la taupe se renseigne discrètement sur la santé des otages et évoque la vague possibilité d'une opération humanitaire, comme cela s'est produit plusieurs fois au cours des derniers mois.

Deuxième visite : la taupe demande à Cesar – qui s'exécute sans méfiance – de regrouper les otages en un seul endroit.

Troisième visite : Cesar se voit demander de déplacer les otages dans une autre zone. Il obtempère de nouveau. Au siège des services secrets colombiens, on commence à respirer. Si l'homme a des soupçons, il n'en fait pas montre.

Quatrième visite : la taupe rapporte les nouveaux ordres de Cano : il faut encore déplacer les otages dans une zone moins sauvage, proche d'une clairière, afin de faciliter une éventuelle opération humanitaire. Cesar obéit scrupuleusement. Pour le flatter, la taupe lui assure qu'Alfonso Cano est très content de son travail et lui fait miroiter une promotion.

Cinquième visite : « Ça y est, c'est bon. » La taupe jure à Cesar que Cano souhaite maintenant regrouper les otages vers la région de Pradera et Florida, dans le cadre d'un accord humanitaire. Deux hélicoptères d'une ONG proche de Chávez, grimés en appareils de la Croix-Rouge, viendront très vite les chercher. Pour Cesar, c'est une évidence de plus : les FARC n'ont eu de cesse de réclamer ces deux villes stratégiques au gouvernement colombien. Choix judicieux, donc, qui renforce la crédibilité du stratagème. Comment Cesar pourrait-il se douter qu'on le berne, à l'heure où les communications entre les fronts FARC ont été rendues impossibles ? Le vaniteux guérillero est aux anges : la taupe lui a juré que Cano entend faire de lui son bras droit. Le piège est tendu à bloc. La fébrilité gagne l'état-major colombien. Álvaro Uribe donne enfin son feu vert, même s'il sait qu'il risque gros. Mais sa passion du poker l'emporte : il s'est décidé à tenter le grand bluff.

Sixième et dernière visite : le 2 juillet, deux hélicoptères russes repeints à la hâte de rouge et blanc décollent en direction du groupe de Cesar. À bord, neuf hommes de la prétendue ONG et deux pilotes. Nulle arme, de peur d'éveiller les soupçons. Avant le départ, tous ont prié – âme colombienne oblige. Ingrid et ses quatorze compagnons d'infortune sont libérés sans un coup de feu. Cesar est fait prisonnier.

Le triomphe des deux jeunes officiers est aussi celui du président Uribe. C'est la victoire de la ruse et de l'intelligence. Sans conteste, une mission brillante. La rumeur colportée par la presse suisse, selon laquelle le gouvernement colombien aurait largement graissé la patte des guérilleros, fait pschitt[1]... Les partisans comme les opposants d'Álvaro Uribe – au premier rang desquels figura un temps Ingrid Betancourt – applaudissent à son succès. Le président colombien sort de sa réserve habituelle. Dans une envolée lyrique, il compare la libération des quinze otages aux « plus grandes épopées ». Quelques jours plus tard, la chaîne de télévision RCN annonce que le réalisateur colombien Simon Brand compte tourner un film sur l'opération militaire qui a permis la libération de la Franco-Colombienne...

1. La rumeur qu'une rançon de 20 millions de dollars aurait été versée à la guérilla est partie de l'ambassadeur des FARC en Suisse. Ligne de défense classique : les guérilleros préfèrent évoquer une trahison plutôt que d'avouer une défaite... D'autre part, le gouvernement colombien n'a jamais caché avoir grassement rétribué ses informateurs. Juan Manuel Santos, le ministre de la Défense, en rit encore : 20 millions de dollars, ce n'était pas cher payé pour Ingrid Betancourt, joyau de la couronne FARC !

« Une orgie de baisers »

C'est en leader, pour son premier discours de femme libre, qu'Ingrid Betancourt prend la parole sur l'aéroport de Catam. Dans cette Amérique latine si pieuse, elle remercie Dieu – en espagnol et en français –, ainsi que ceux qui l'ont accompagnée dans ses prières pendant toutes ces années. Sans oublier l'armée de sa patrie, ni Álvaro Uribe, son président. Ingrid la Colombienne, fière d'être un « soldat de son pays », salue aussi cette France qui « coule dans ses veines ». À Carla Bruni-Sarkozy qu'elle a eue au téléphone une heure après sa libération – probablement une idée de son président de mari –, Ingrid Betancourt a confié qu'elle savait tout de l'engagement et du soutien des Français durant sa captivité. Et qu'elle voulait venir à Paris le plus vite possible pour les en remercier.

En France, les communiqués affluent dans les salles de rédaction. Les politiques de tous bords se pressent aux micros des journalistes. Les comités de soutien exultent. C'est une vague généralisée de bonheur. On va pouvoir décrocher le portrait d'Ingrid des grilles des jardins et des façades des immeubles, qui rappelaient son absence.

Reste une image furtive, la plus importante sans doute de ce retour à la liberté. En retrait des caméras massées devant elle, Ingrid Betancourt est au téléphone. Soudain, ses yeux s'embuent. Elle sourit. Au bout du fil, prêts à la rejoindre, on imagine Mélanie et Lorenzo parlant avec leur mère pour la première fois depuis six ans et demi. Il est 23 h 30 à Paris. Nicolas Sarkozy a annoncé le départ imminent d'un avion de la République française pour la Colombie, avec à son bord la famille Betancourt au grand complet, accompagnée de Bernard Kouchner. Le ministre des Affaires étrangères est là tout à son aise. S'il n'a tiré aucune gloire de la libération des infirmières bulgares, sans cesse spolié des succès qui auraient pu lui revenir, il redevient là le « grand » Kouchner, celui des boat-people et de l'« île de lumière », le fervent humanitaire tel qu'on l'aime.

Le lendemain, l'émotion est à son paroxysme lorsque Mélanie et Lorenzo Delloye, à bord de l'Airbus présidentiel, atterrissent à l'aéroport de Bogotá. Des mains s'écrasent au hublot, ultime obstacle avant de voler dans les bras de maman. On arrime une passerelle. Ingrid court sur le tarmac, monte les marches à toute vitesse. La porte s'ouvre, elle se jette dans les bras de son fils Lorenzo, puis enlace Mélanie, sa fille. Ils se sont tant battus pour ce moment-là, ils lui ont tant manqué, là-bas, dans l'interminable nuit amazonienne. 2 323 jours qu'ils attendaient tous cet instant. Comment ne pas croire à un rêve éveillé ? Ingrid avait laissé des adolescents de treize et seize ans, elle retrouve un jeune homme et une jeune femme de dix-neuf et vingt-deux ans. De l'enfance, Lorenzo a conservé une fossette rieuse. Mélanie est devenue une femme. Une femme qui ressemble à s'y méprendre à sa mère. Elle porte la ceinture que celle-ci a tissée dans la jungle. Le trio s'engouffre dans l'avion pour « une orgie de baisers », loin des caméras, comme le dira plus tard Ingrid : « Je ne sais plus ce que je leur ai dit à ce moment-là, ce qu'ils m'ont dit. J'ai pleuré. Je leur ai dit qu'ils étaient beaux, je les ai prévenus que j'allais être maintenant comme du chewing-gum, collée à eux. »

Les journalistes, Bernard Kouchner et les officiels ont quitté l'Airbus français. Des minutes de bonheur plus tard, c'est Stanislas, le neveu d'Ingrid, qui descend le premier les marches de la passerelle. Yolanda est à son bras. Suivent Anastacia et Astrid, sa mère. Enfin Ingrid, entourée de ses enfants, paraît. Une Vierge en gloire. Elle embrasse la main de Mélanie, nouée à la sienne, sans lâcher celle de Lorenzo. « J'imagine que c'est comme ça le paradis, dit Ingrid. Je remercie Dieu pour ce moment si beau. Ce sont mes enfants, mes petits enfants, ma fierté, ma raison de vivre, ma lumière, mes étoiles, et c'est pour eux que je suis restée en vie, que j'ai eu envie de sortir de cette jungle. » Impossible de réprimer ses larmes, même devant des caméras, même sous les flashs des photographes, qui immortalisent cette explosion de tendresse. « Je suis très fière d'eux, ils ont lutté seuls, grandi seuls. Ils ont livré une bataille très belle. Ils ont puisé les forces dans le secret de leur âme. »

Il est 11 heures à Bogotá lorsque Ingrid et sa famille quittent l'aéroport. Dans quelques heures, ce sera l'avion pour Paris.

« Ma douce France »

Quinze longues heures de vol. Quinze heures pendant lesquelles on peine à trouver le sommeil. Mélanie et Lorenzo s'accrochent à leur mère, la pressent de questions. Mais la tourmente médiatique l'emporte déjà. « Je voudrais la voir seul et je n'y arrive pas », confie Lorenzo lors du vol retour.

Dans la nuit, lui prend l'envie de parler. De ces six années et demie à vivre un mauvais rêve. Elle réveille Michel Peyrard. Le grand reporter qui l'attendait sur le perron de l'ambassade de France à Bogotá est du voyage. Ils s'étaient rencontrés en février 2001. Peyrard était en reportage en Colombie. En France, *La Rage au cœur* venait de paraître[1]. Ensemble, ils avaient parcouru le pays, de Bogotá à Mompos, des faubourgs populeux jusqu'à cette maudite route de San Vicente

1. Ingrid Betancourt, *La Rage au cœur*, XO Éditions, 2001.

del Caguán où, quelques mois plus tard, Ingrid Betancourt allait être kidnappée par ces mêmes guérilleros qui les accueillaient alors. Retrouver Ingrid devint l'une de ses missions de reporter. « Sur les traces d'Ingrid », diffusé le 11 octobre 2007 dans l'émission « Envoyé spécial », a été très suivi. « Nous nous étions revus à Paris, écrit Peyrard. Elle fut un soutien efficace pour ma famille, en octobre 2001, alors que j'étais détenu en Afghanistan par les talibans. En dépit de multiples voyages dans la jungle de Colombie, durant ces six ans et quatre mois, je n'avais jamais eu l'occasion de la remercier. Aujourd'hui, c'est fait[1]. »

En France, ces six années de mobilisation ont fait d'Ingrid Betancourt une icône. Sur la base militaire de Villacoublay, au sud-ouest de Paris, les journalistes l'attendent de pied ferme. Une centaine. Quand, à 15 h 55, l'Airbus présidentiel A319 pointe à l'horizon, ils sont là depuis deux heures à patienter sous la chaleur écrasante de juillet commençant. Arrivés en rangs serrés à l'aéroport, ils n'ont été autorisés à fouler la piste qu'après une dizaine de contrôles militaires et policiers, de la base au tarmac. Un parcours du combattant, en l'honneur de celle qui a survécu.

À 15 h 59, face au carré réservé à la presse, l'avion se pose sur la piste. On transpire derrière les imposantes barrières disposées près de la salle d'honneur Charles-Renard, on joue un peu des coudes, on veut être à l'avant-scène pour surprendre les premiers pas d'Ingrid Betancourt sur le sol français. Passée de la nuit de la jungle à la lumière des flashs et des caméras, elle est accueillie comme une diva. Mieux : avec les honneurs dus à un chef d'État. Ne manque que le tapis rouge.

Le protocole est en place. Sa descente de passerelle, seule, pour rejoindre le président, a été savamment

1. M. Peyrard, *Paris-Match*, *op. cit.*

mise en scène. Nicolas Sarkozy et son épouse Carla Bruni, qui se tenaient par la main à la porte de la salle d'honneur, traversent le tarmac d'un même pas. L'habitacle s'ouvre. Ingrid Betancourt descend l'escalier et étreint le président, sous les applaudissements des comités de soutien. Carla Sarkozy, elle, lui caresse longuement et chaleureusement le bras gauche, sans lâcher son mari. On se parle, on se sourit dans le secret, au grand dam des journalistes. Enfin, le président de la République prend la parole et, s'adressant à Ingrid : « C'est toute la France qui est heureuse et vous admire. » Il l'accueille presque comme on reçoit des amis sur le perron de sa maison : « On vous a commandé le soleil, on ne pouvait pas faire autrement. »

Ingrid Betancourt se rapproche des objectifs. Pour la première fois en France, depuis trop longtemps… « Je rêve de vivre ce moment depuis sept ans. Je vous dois tout. Je regarde cet homme extraordinaire et je vois la France à travers lui. […] Il faut profiter du bonheur incroyable qui est le nôtre. […] La France, c'est chez moi. Vous êtes ma famille. Je porte pour vous le remerciement de tous les Colombiens. […] Le miracle s'est produit. Je remercie le ciel, mon Dieu… » Et l'ex-otage de revenir sur les conditions de sa « libération surréaliste » : « Cette opération extraordinaire, impeccable, est aussi le produit de votre lutte. Elle est le fruit de la réflexion commune de la France et de la Colombie. Vous m'avez sauvé la vie… » La conclusion de son discours, à la rhétorique parfaite, nous laisse pantois d'émotion : « Là-bas, j'ai toujours pleuré de douleur et d'indignation. Aujourd'hui, je pleure de joie. » Nous aussi, avec elle !

Puis le cortège tourne les talons et s'engouffre dans le salon d'honneur ; un journaliste de *Libération* préférera écrire, non sans ironie : « … puis monte dans les voitures qui doivent conduire ce convoi très exceptionnel dans les salons de l'Élysée pour la suite du Ingrid Tour[1] ». Là, sous les ors de l'Élysée, une somptueuse réception attend la Franco-Colombienne. Depuis 15 h 30, à l'entrée principale de la rue du Faubourg-Saint-Honoré, se presse une foule dense et bigarrée, aux couleurs de l'événement. Des fidèles des comités de soutien, des journalistes, des photographes, des caméramans, des *people*. Adélaïde de Clermont-Tonnerre, qui couvre l'événement pour l'hebdomadaire *Point de vue*, n'en croit pas ses yeux : « Dans la cour d'honneur, les professionnels se disputent les zones d'ombre et le mur des zooms et des caméras se construit en quelques minutes. Nous sommes en pleine tour de Babel. J'entends de l'allemand, du polonais, de l'anglais, du suédois et bien sûr de l'espagnol teinté de toutes les couleurs de l'Amérique latine[2] . »

Le palais présidentiel se change en salle des fêtes. Les militants arborent des T-shirts jaunes à l'effigie de leur martyre. Des « *Libertad ! Libertad !* » retentissent sous les lustres gigantesques et les plafonds peints. Le gotha est là, présent à l'appel, du comique au philosophe, en passant par la chanteuse de variétés et le présentateur de télévision. Hélène Ségara, Liane Foly, Raphaël Mezrahi, mais aussi Jean-Pierre Elkabbach, Alain Decaux, André Glucksmann… Tout le monde guette la star du jour. Elle est encore à Villacoublay. « Ça y est, ils nous l'ont encore enlevée ! », s'exclame Laurent Baffie pour détendre l'atmosphère. Sur un écran, on regarde le cortège s'engouffrer dans les voitures officielles et quitter la base militaire.

Une vingtaine de minutes plus tard, une clameur s'élève, suivie d'un tonnerre d'applaudissements et de cris de liesse. Le clan Betancourt est arrivé, sa reine en

---

1. Philippe Brochen, « En attendant Ingrid », *Libération*, 4 juillet 2008.
2. *Point de vue*, 9 juillet 2008.

tête. Nicolas Sarkozy, Carla Bruni, Rama Yade et Bernard Kouchner se tiennent derrière elle, en retrait, pour laisser déferler la crue d'émotion. On s'embrasse, on rit, on pleure, on ne se lâche plus.

Sur l'estrade, enfin, dans une vision hallucinée, le président de la République salue « la famille extraordinaire » de l'ex-otage et « le courage, l'intelligence, la dignité, la gentillesse » de ses enfants : « Ils ont été déçus un nombre incommensurable de fois, et alors que des immeubles s'abattaient sur eux, dans un champ de ruines, on voyait encore surgir leur petite main, appelant à l'aide pour leur maman[1]. » Il remercie le parterre puis se tourne vers Ingrid, pour une déclaration d'amour : « Après six ans et cinq mois, revenir comme ça, avec un tel sourire, ce n'est pas rien. Vous avez dit à tous que vous aimiez la France ; je crois, Ingrid Betancourt, qu'elle vous aime plus encore. »

Silence religieux. Ingrid joue de son public, parle lentement, détache les syllabes des mots qu'elle jette : « Je vous dois la vie, je vous dois tout. » Encore et toujours. Les mêmes phrases, égrenées au fil de ses allocutions, depuis qu'elle est revenue à la vraie vie.

Un quart d'heure durant, elle va encore tenir en haleine son auditoire, l'amuser, l'émouvoir, le surprendre. C'est lui qu'elle prend aujourd'hui en otage, par son aisance. On s'étonne. Avait-elle préparé son discours ? « J'ai rêvé de ce moment chaque minute de ma détention, répond-elle, j'ai rêvé chaque phrase. » Un rêve devenu aujourd'hui réalité. Rêve dont le mérite revient à Bogotá, mais Ingrid Betancourt, une fois de plus, ne manque pas de remercier aussi la France, le Venezuela, l'Équateur. « C'est notre meilleure ambassadrice », assure-t-on à l'Élysée.

---

1. *Ibid.*

Au cocktail servi par une armée disciplinée en habit et gants blancs, elle préférera le salon Marigny, en face de l'Élysée, pour une conférence de presse. La première d'une longue série…

LA FOLLE SEMAINE D'INGRID

Depuis le mercredi de sa libération surprise, Ingrid Betancourt enchaîne à un rythme infernal déclarations, interviews et visites de remerciement. Elle dispose d'un véhicule officiel précédé de deux motards. Entre deux courtes nuits, elle multiplie les interviews au Raphaël, le palace de l'avenue Kléber, à deux pas de l'Arc de Triomphe, où la famille s'est installée quelques nuits, puis au Fouquet's. Le vendredi soir, deux jours à peine après sa libération, elle est l'invitée du journal télévisé de Claire Chazal, sur TF1. Le dimanche, elle déjeune avec son ami Dominique de Villepin. Le mardi suivant, elle reçoit une ovation debout des sénateurs. Les députés l'accueillent à leur tour mercredi. L'ex-président Jacques Chirac l'attend avec impatience. Les télés américaines la veulent, CNN et son animateur vedette Larry King trépignent. Elle est partout. Son menton, étiré par un large sourire, fait la une des journaux, de *Gala* au *Pèlerin*, en passant par *Elle* et *Le Figaro Magazine*. On frôle l'overdose médiatique. L'opinion publique va-t-elle se lasser ? « Ingrid dans la jungle, à l'Élysée, à Lourdes, au Vatican… À quand Ingrid sur le Tour de France ? », ironise un internaute sur yahoo questions/réponses.

« Je suis épuisée », lâche Ingrid Betancourt en pleine nuit. Ses traits tirés et son teint pâle en témoignent. Elle dort peu, répond longuement aux journalistes, avec une hauteur qui laisse sans voix. Le vendredi 11 juillet, à l'antenne d'Europe 1, elle se dit « au bout du rouleau » et exprime le souhait de se mettre « un peu en retrait » : « Je crois que ça va être ma dernière interview, il faut vraiment que j'arrête, je le sens. » Ingrid Betancourt assistera-t-elle au défilé du 14 Juillet, auquel le chef de l'État l'a conviée ? Absente des tribunes, elle sera de la traditionnelle garden-party donnée dans les jardins de l'Élysée. Devant quatre mille cinq cents invités, le président lui remet les insignes de chevalier de la Légion d'honneur, pour sa dignité, sa droiture, sa fierté et son courage, tout au long de ses « six ans et cinq mois de captivité aux mains de tortionnaires moyenâgeux ». Comme il semble loin le temps où, dans l'enfer vert, Ingrid célébrait à sa manière la fête nationale, vêtue de bleu-blanc-rouge. Coiffée d'un chignon haut, les épaules au vent sous une robe violette piquée d'une broche figurant la colombe de la paix, elle s'exclame d'une voix émue, un imposant bouquet de roses dans les bras : « Habillée en femme, je redeviens peu à peu moi-même. » Derrière ces fleurs, elle ressemble à une *prima donna*...

Pourtant, en dépit de sa longue captivité et de cette soudaine débauche d'énergie, son état physique est jugé plutôt rassurant. Le médecin-chef de la présidence française, Christophe Fernandez, présent dans l'avion du retour, a été le premier à le dire. Les résultats de ses examens médicaux, pratiqués à l'hôpital du Val-de-Grâce le samedi suivant, l'ont confirmé. Mais elle doit « absolument se reposer » selon Astrid Betancourt, sa sœur, qui l'accompagnait ce jour-là, car elle n'est pas à l'abri d'un « contrecoup psychologique ». Ingrid elle-même confie le lendemain avoir été rattrapée par un instant d'« angoisse » : « J'ai pris une douche chaude pour me relaxer et mon fils, qui tournait autour de moi comme une abeille, a par mégarde éteint la lumière. Je me suis retrouvée dans la salle de bains, sans lumière, dans le noir complet, et j'ai perdu la notion d'où j'étais. Je me suis dit : "Mon Dieu, les FARC sont revenues." J'étais dans le cauchemar. » Mais elle le promet : elle va prendre du repos. En famille. À Lourdes, où sa foi profonde la pousse après le « miracle » de sa libération, avant une retraite de quelques jours à l'écart des médias. Si elle y parvient.

« Dieu m'a sauvée »

Six ans et demi de captivité ont transcendé Ingrid Betancourt. « J'ai tenu grâce à Dieu et parce que vous étiez là », dit-elle la main sur le cœur lors de son allocution à l'Élysée, le 3 juillet. Sur l'aéroport de Catam, son premier geste de femme libre fut un signe de croix ; son premier mot, « miracle » ; sa première phrase, un merci à Dieu et à la Vierge Marie. « Pendant toutes ces années de captivité, j'ai senti la main de Dieu sur moi, confie-t-elle à Michel Peyrard, mais plus encore le jour de ma libération. L'armée colombienne a réalisé une opération extraordinaire... qui n'aurait jamais réussi sans la grâce de Dieu[1]. » « On prie Dieu tout en sachant que ce sont les hommes qui détiennent la solution », confiait à Juan Carlos Lecompte un soldat au sortir de la séquestration[2]. Ingrid va plus loin que cet adage, placé en tête du livre qu'il a écrit pour elle. Dans la foi, elle a trouvé la force morale de résister à son sort. Une foi empreinte de panthéisme...

Nous sommes en juillet 2001. Ingrid, à la tête de son parti Verde Oxigeno, se lance dans la campagne pour l'élection présidentielle. En Colombie, la tradition veut que tout candidat requière l'approbation et le soutien

---

1. *Paris-Match, op. cit.*
2. J. C. Lecompte, *Au nom d'Ingrid, op. cit.*

d'une personnalité politique plus puissante. Bien souvent, c'est à un ancien président du pays que ce rôle échoit. Mais Ingrid n'a que faire d'être adoubée par une « huile » : « J'aimerais quelque chose de différent, de plus sincère », dit-elle à Juan Carlos[1]. À quels auspices s'en remettre ? Ingrid compte dans son entourage un fidèle partisan, Danilo Villafañe, un Indien Arhuaco qui l'a toujours soutenue dans son combat. « Il existe chez les miens une tradition de ce genre, lui raconte Danilo, consulté par téléphone. Lorsque quelqu'un veut se lancer dans un projet ambitieux, il doit consulter la Terre Mère. Ce rituel est dirigé par un *mamo*[2]. »

Les Arhuacos vivent dans la Sierra Nevada de Santa Marta depuis des siècles. À une cinquantaine de kilomètres de la cordillère des Andes, la Sierra Nevada culmine à 6 000 mètres d'altitude, surplombant la mer des Caraïbes. Un endroit d'« une beauté à couper le souffle », selon Juan Carlos. L'idée ravit Ingrid. Danilo s'en va consulter un prêtre arhuaco, le *mamo* Luca, un vieillard de quatre-vingt-dix ans au teint olivâtre, aux cheveux longs et raides. Comme tous les siens, il ne porte que des vêtements d'étoffe blanche, qu'il tisse lui-même. Le *mamo* ne parle pas l'espagnol, mais il accepte de célébrer la cérémonie, à condition que ce soit dans un lieu sacré de la Sierra Nevada et que seuls les principaux intéressés y participent. Pas d'armes, pas de journalistes. Encore moins de gardes du corps. Les Arhuacos sont soucieux de leur autonomie et de leurs coutumes…

Pour Ingrid et Juan Carlos, l'expédition n'est pourtant pas sans danger. Depuis quelques années, guérilleros et paramilitaires ont installé des campements dans la Sierra. C'est une zone de guerre. Jimmy Naar, un ami de Juan Carlos Lecompte, horticulteur spécialiste des fleurs

1. *Ibid.*, p. 106.
2. *Ibid.*, p. 107.

exotiques, est mort assassiné sous les yeux de son petit garçon, tout près de l'endroit où ils doivent se rendre. Pour les Arhuacos, nulle crainte à avoir : « Laissez-nous faire. Nous savons nous débrouiller. Nous sommes sur le territoire de nos ancêtres. S'il le faut, nous agirons, mais sans armes ni appareils photo[1]. »

Rendez-vous est pris pour le lendemain matin devant la maison indigène de la ville de Santa Marta. À 4 heures, la jeep d'Ingrid et de Juan Carlos se met en route. Ils sont accompagnés de deux chauffeurs et de six indigènes. Par prudence, ils ont collé sur le pare-brise de chaque véhicule un fusil barré d'un trait rouge, indiquant qu'ils ne sont pas armés. À la sortie du petit village de Minca, ils sont arrêtés par les paramilitaires de l'AUC (Autodéfenses unies de Colombie[2]), qui veulent connaître leur destination. Ingrid répond qu'elle se rend à une cérémonie indigène à Duna Winchukua. Les paramilitaires sont stupéfaits. À Duna Winchukua ? Sans escorte, sans armes ? Ingrid insiste pour continuer sa route. Le chef du groupe l'a reconnue : « Heureusement que vous êtes une politicienne honnête... Si je rencontrais n'importe quel autre de vos collègues, je ne le laisserais pas monter, ou plutôt... je ne le laisserais pas redescendre. Enfin... Vous ne devriez pas vous exposer[3]. »

---

1. *Ibid.*, p. 108.
2. Les groupes d'autodéfense ou paramilitaires, alliés des militaires et des trafiquants de drogue dans la lutte contre la guérilla, sont apparus dans les années 1980. Juan Carlos Lecompte les présente comme des commandos armés d'extrême droite implantés sur tout le territoire, commettant des massacres de villageois et des assassinats sélectifs dans les villes : « Ils interviennent sous le prétexte d'une lutte frontale contre la guérilla et jouent sur la lassitude de la population face aux enlèvements et aux atrocités de groupes tels que les FARC. » (*Ibid.*, p. 111)
3. *Ibid.*, p. 110.

Le convoi poursuit son chemin jusqu'à un petit plateau perdu dans la forêt vierge. Il est 6 h 30 quand il arrive à destination. Des bancs de pierre disposés en demi-cercle indiquent qu'on foule une terre vénérable. « La Sierra Nevada est une demeure sacrée et un lieu de paix, psalmodie le *mamo* Luca, traduit par Danilo. Nous faisons partie de la Terre Mère et elle fait partie de nous : nous vivons tout ce qu'elle vit et elle vit tout ce que nous vivons. Pour nous purifier, nous retrouver en elle, nous devons interroger notre mémoire[1]. »

Le prêtre arhuaco demande à Ingrid et à Juan Carlos de revivre la scène la plus lointaine de leur passé. Le silence s'installe, dans un moment de grande paix. On ferme les yeux. Ingrid ne les rouvrira que bien plus tard. Plongée dans ses pensées, oublieuse de ce qu'il se passe autour d'elle, elle n'a pas remarqué la présence des paramilitaires, à une cinquantaine de mètres, armés jusqu'aux dents. C'est Danilo qui leur a barré la route. Après quelques conciliabules, ils se sont retirés et la cérémonie a pu se poursuivre. « Ingrid et les indigènes, très concentrés, mâchaient des feuilles de coca en continuant de prier et de scruter leur passé[2] »,

---

1. *Ibid.*, p. 114.
2. Juan Carlos raconte que les femmes avaient emporté au matin du rituel « de la viande séchée, de la farine de manioc grillée et tous les ingrédients nécessaires au *mambear*, une tradition alimentaire sacrée qui consiste à mâcher des feuilles de coca après les avoir gardées dans la bouche pour les imprégner de chaux et de salive, provoquant une réaction chimique qui apporte un regain d'énergie. Tous avaient accroché à leur ceinture des petites bourses remplies de ces feuilles et pris un *poporo*, composé du *shu* et du *shuguema*. Selon eux, le *shu* est l'élément féminin. C'est une petite calebasse contenant de la chaux obtenue en pilant des coquillages, symbolisant le sperme. Le *shuguema*, qui représente le pénis, est le bâton dont on se sert pour prendre la chaux et la glisser dans la bouche. » (*op. cit.*, p. 108)

témoigne Juan Carlos. Puis le *mamo* Luca a posé sa main sur la tête d'Ingrid : elle devait demander à la nature l'accord de poursuivre sa voie, ambitieuse.

Ce rituel peut faire sourire. De même, s'agenouiller pour remercier Dieu sur le tarmac d'un aéroport. « Ces gestes de foi étonneront peut-être, mais, pour les Colombiens, il n'y a rien de fanatique là-dedans, c'est une foi vécue jusqu'au bout », commente une amie de la famille, Christiane Rancé, traductrice et auteur de la préface du livre de Yolanda Pulecio Betancourt[1].

C'est pendant sa détention qu'Ingrid a approfondi sa foi. Une foi qui brise les chaînes et les frontières. Une foi à la colombienne, qui vaut tous les antidépresseurs que lui administre en cachette l'infirmier de la jungle, William Perez. Rien ne prédestinait le petit caporal, engagé dans l'armée pour subvenir aux besoins de sa famille, à se lier d'amitié avec la militante frondeuse issue de la haute bourgeoisie de la capitale. Rien, hormis peut-être la religion. Pentecôtiste, William Perez organise en détention un groupe de prière, de cantiques et de lecture de la Bible, dans un pays où la Vierge est adorée avec une même dévotion par les prêtres et les tueurs à gages, les flics et les narcotrafiquants. De son côté, pour éviter la descente en enfer, Ingrid Betancourt s'en remet à la grâce de Dieu : « Durant toutes ces années, ce fut un thème de réflexion constant pour moi : j'avais le sentiment que le diable habitait la jungle colombienne. Nous étions dans un système démoniaque. Tous les comportements les plus vils de l'espèce humaine étaient la règle[2]. »

Ce manichéisme peut paraître sommaire. Il est la condition même de sa thérapie, qui repose sur les liens

1. Citée par Laurent Grzybowki, « Bienheureuse Ingrid », *La Vie*, 10 juillet 2008.
2. Cité par M. Peyrard, *Paris-Match*, *op. cit.*

de l'âme et du corps. Sa foi est garante de son intégrité, tant physique que morale : « On ne peut pas survivre dans la jungle, ou alors il faut payer un prix exorbitant : devenir quelqu'un d'autre, quelqu'un qui n'a plus grand-chose d'humain. Dieu, c'est une garantie, la seule manière de se prémunir contre le risque de perdre sa dignité. C'est ce qui te permet de te contrôler[1]. »

Pour se préserver, Ingrid prie. Trois fois par jour. Au début de sa captivité, elle a demandé à ses tortionnaires une Bible, son « seul luxe », qu'elle range sur une tablette, à côté de son sac à dos et de ses vêtements. Dans les versets du Livre saint, elle puise la force de ne pas céder à la haine. Le dialogue de Dieu et de Moïse, au moment de la désobéissance du peuple hébreu, l'amuse. « Chaque jour, je me confie à Dieu, Jésus et la Vierge, écrit-elle à sa mère un jour pluvieux d'octobre. Je recommande mes enfants à Dieu afin que la foi les accompagne toujours et qu'ils ne s'écartent jamais de Lui[2]. » La lecture de la Bible apaise ses inquiétudes et calme ses angoisses : « J'ouvrais souvent les Écritures au hasard, notamment lorsque j'étais inquiète ou angoissée, et je tombais sur une parole qui m'était vraiment destinée, qui me rassurait, me donnait envie de continuer à vivre, à croire, à espérer[3]. »

Son chapelet de lianes tressées, une petite croix suspendue à son bout, est un cordon ombilical qui l'unit à sa mère par le fil invisible de la prière. Un samedi d'août 2003, devant les caméras de ses bourreaux, Ingrid a inventé une forme de communication : « Entrons en contact le samedi, à midi, grâce à un téléphone virtuel très efficace », a-t-elle proposé en montrant le rosaire attaché à son poignet. Depuis, chaque

1. *Ibid.*
2. *La Vie, op. cit.*
3. *Ibid.*

samedi à midi, agenouillée à l'église du Christ-Roi, Yolanda prie en égrenant le chapelet. « Enfin, mon amour, tous, nous ferons ce que tu as demandé : chaque samedi, à midi pile heure colombienne, nous dirons le rosaire avec toi. Ce sera notre rendez-vous intime et privé, écrit Yolanda au terme d'une lettre datée d'un samedi du mois d'août 2003. Un instant de communion que personne, ni les FARC ni le président Uribe, ne pourra nous enlever[1]. »

Très vite, des sympathisants du parti, proches ou inconnus, sont venus se joindre à elle, transformant ses prières en manifestations publiques. « Au bout de quelques semaines, raconte Juan Carlos, Yolanda m'a confié qu'elle préférait que nous accomplissions ce rituel chez elle, en famille, pour mieux nous concentrer et espérer peut-être ainsi entrer en contact avec Ingrid[2]. » Dans son appartement de Bogotá, Yolanda Pulecio a consacré un autel à sa fille. Au pied d'une photo d'Ingrid brûle une bougie. Des cierges et des Vierges à l'Enfant Jésus sont disposés tout autour. La prière unit la famille par-delà les frontières : « Aujourd'hui, à midi, j'ai prié avec Juan Carlos. Nous nous sommes sentis très proches de toi. Nous avons appelé Lorenzo qui a prié de son côté, à la même heure[3] », écrit encore Yolanda le 28 janvier 2004. À l'heure colombienne comme à l'heure française, le rituel est partout le même. Le 10 janvier 2004, Yolanda raconte à Ingrid que, de passage à Paris, elle s'est rendue rue du Bac brûler un cierge à la Vierge miraculeuse : « J'aimais tant lorsque nous y allions ensemble, tu te souviens[4] ? »

1. Yolanda Pulecio Betancourt, *Ingrid ma fille, mon amour*, Robert Laffont, 2006, p. 33.
2. J. C. Lecompte, *Au nom d'Ingrid*, *op. cit.*, p. 269.
3. Y. P. Betancourt, *Ingrid ma fille*, *op. cit.*, p. 48.
4. *Ibid.*, p. 45.

La Vierge… C'est au détour des pages des Évangiles qu'Ingrid a rencontré cette autre mère en souffrance. Elle parle de « coup de foudre » avec Marie, sans pouvoir vraiment l'expliquer : « J'ai juste trouvé qu'elle était belle, très éloignée de l'image d'Épinal que je m'étais faite. J'ai été particulièrement touchée par le récit des noces de Cana. "Faites tout ce qu'Il vous dira." Quelle parole de foi, quelle parole d'abandon ! J'ai compris qu'avec Marie nous étions des alliées et que je pouvais me tourner vers elle. » C'est à ce moment qu'elle entreprend de se confectionner un chapelet. Quinze brins de lianes noués pour égrener un par un les « Je vous salue Marie », en méditant les mystères de la vie de Jésus. Ingrid fait du rosaire une arme de résistance pacifique : « N'étant pas très familière de la chose, je ne savais pas combien de grains je devais tisser. Au lieu des dix traditionnels, j'en ai mis quinze. Il valait mieux que j'en mette plus que pas assez. Maintenant, avec la Vierge, nous sommes inséparables. C'est la raison pour laquelle je vais me rendre très prochainement à Lourdes. II faut que j'aille la retrouver là-bas[1]. »

Lourdes

Quelques jours seulement après son arrivée sur le sol français, Ingrid est allée se recueillir à la basilique du Sacré-Cœur, qui domine Paris du haut de la butte Montmartre. Elle a assisté à une messe nocturne, après être apparue en famille, au côté de Dominique de Villepin, à une messe donnée en l'église Saint-Sulpice. Ce pèlerinage lui tenait à cœur, en vertu d'une promesse faite durant sa captivité : remercier Jésus et la Vierge Marie de lui avoir rendu sa liberté.

1. *La Vie, op. cit.*

Le vendredi suivant, elle se rend à Lourdes, comme elle l'avait annoncé. Bien sûr, elle n'est pas seule. On a préparé son arrivée dans la liesse. La Madone, ce jour-là, c'est elle ! À son arrivée à l'aéroport de Tarbes-Ossun, le préfet l'attend en grande pompe au pied de l'avion, accompagné du maire, du conseil municipal au grand complet et d'une ribambelle d'employés municipaux. François Guinguené a annoncé qu'il l'hébergerait gracieusement, ainsi que sa suite, composée d'une dizaine de très proches – à l'Hôtel de la Grotte, plus précisément, l'un des plus luxueux de la ville, dont le livre d'or se feuillette comme le bottin mondain. Après s'être recueillie seule à la chapelle de l'Adoration, d'où elle ressort les mains jointes à hauteur du visage, Ingrid Betancourt prie aussi en famille, dans une intense émotion, à la grotte de Massabielle, où Bernadette Soubirous a vu la Vierge à dix-huit reprises, du 11 février au 16 juillet 1858. Aux sanctuaires de Notre-Dame de Lourdes, elle remercie avec ferveur la Vierge Marie pour sa libération, au côté de Mgr Jacques Perrier, archevêque de Tarbes et de Lourdes, qui vient de lire la prière de l'Angélus. « Je te supplie, ma Marie chérie, je t'aime tellement, prends soin de ceux qui sont restés derrière moi, ils ont besoin de toi, ils ont besoin de ta force, de ton espérance et de ta lumière », ajoute-t-elle, le visage radieux, un chapelet entre les doigts. Sous une pluie diluvienne, elle récite le « Je vous salue Marie », à l'unisson avec ses proches et les pèlerins massés par milliers devant la grotte. Les yeux fermés ou le regard intensément posé sur la statue de la Vierge, placée à quelques mètres de hauteur, à l'entrée du site. Elle doit ensuite se frayer un chemin à travers la foule, ovationnée et applaudie à plusieurs reprises par les pèlerins. Certains l'embrassent, d'autres la félicitent avec effusion ou l'effleurent de la main, malgré les dizaines de policiers et CRS qui tentent de maintenir un cordon hermétique.

« La femme de foi parle à un vieux fond chrétien, commente Max Gallo, membre de l'Académie française. Sa force spirituelle touche la sensibilité de chacun par la vérité. Les autres libérations d'otages étaient plus laïques. Elles ne faisaient pas resurgir les images traditionnelles d'un ensemble de mythes qui unissent les Français. Je ne suis pas de ceux qui regardent avec dérision ce moment d'unité nationale. Car c'est le meilleur de notre sensibilité qui s'exprime[1]. » Ailleurs, on ironise. Dans son éditorial, Olivier Cabréra, rédacteur en chef adjoint de *VSD*, ne sait plus à quel saint se vouer : « La voici tout à la fois trophée diplomatique, héroïne de télé, oratrice exemplaire et mère courage. Escortée par ses compagnons d'infortune, des soldats et ses proches, la tête ceinte d'une tresse aux allures de modeste couronne, elle évoque même à certains rien de moins que le Christ. On l'a entendu de nos propres oreilles ! » Pour l'éditorialiste, « Jeanne d'Arc au chapelet » est une fiction médiatique, « qui permettrait aux Français d'oublier les bouchons des grands départs et la défaite à l'Euro ». Et Cabréra de conclure : « Partons en vacances en toute quiétude, Santa Ingrid prie pour vous[2]. »

« Quand Ingrid suit les conseils d'une partie de son entourage, elle commet des impairs : elle parle trop dans les médias et pas toujours les bons », me confie, le 11 juillet, Emmanuel Voguet, stratège politique de l'ex-candidate. Elle mêle d'excellentes intuitions politiques à de mauvaises stratégies de communication. Son média-planning est mal pensé. « Quand elle donne une interview au *Courrier picard* avant d'aller à CNN, quand elle fait deux fois Europe 1 et zéro fois France

---

1. Max Gallo, « Elle nous renvoie au meilleur de nous-mêmes », *Le Journal du dimanche*, 6 juillet 2008.
2. *VSD*, 9 juillet 2008.

Inter, qui la soutient pourtant depuis le début, ce n'est pas judicieux », avoue-t-il.

Elle commet aussi des maladresses sur le plan diplomatique. Ainsi le président de l'Assemblée nationale, Bernard Accoyer, apprend-il par une dépêche de l'AFP qu'Ingrid sera reçue par Jacques Chirac à l'heure où elle avait prévu de le rencontrer, ou presque. « Ingrid doit veiller à son image, au risque de voir l'opinion publique se retourner contre elle. On lui reproche trop de ne pas paraître assez avec ses enfants, de ne pas sembler assez fatiguée », prévient Voguet, avant d'ajouter : « En revanche, quand elle prie Dieu, qu'elle choisit de rencontrer le pape et d'aller à Lourdes, ce n'est pas une erreur politique, mais l'expression de sa foi sincère. Ce n'est pas du cinéma. Elle parle aussi à la Colombie. »

Au nom du père

Sur le tarmac de Catam, William Perez est agenouillé à la gauche d'Ingrid, pieusement recueilli sous sa casquette militaire, les mains jointes dans la prière, déliées des menottes qui les entravaient encore quelques heures auparavant. À la vue de ces images, son grand-père, bouleversé, a succombé à un infarctus. Mort d'une trop grande joie. En mai dernier, l'infirmier avait perdu déjà son père, avant même d'avoir pu lui envoyer un dernier signe. C'était alors au tour d'Ingrid Betancourt de le consoler, elle, l'inconsolable...

« Au début de ma captivité, je n'avais pas du tout conscience ni du rosaire ni de la Vierge, confesse Ingrid Betancourt. À la différence de mon père, qui était très pieux et donnait même des conférences sur le sujet, je n'avais aucune dévotion particulière envers Marie. D'ailleurs, dès que papa parlait de religion, on se moquait gentiment de lui. Mais j'ai gardé au fond de moi le souvenir de sa ferveur[1]. »

« Papa » : un mot d'amour. À peine rendue à la liberté, le 2 juillet 2008, Ingrid Betancourt se précipite à l'église de Cristo Rey, au nord de Bogotá, où reposent les cendres de son père. Pour enfin accomplir le deuil : « Je sais qu'il repose en paix, peut-elle maintenant dire. Je sais qu'il sait que je suis vivante[2]. » Malade depuis longtemps déjà, son « Papa Miel » avait sombré dans l'apathie au moment de l'enlèvement de sa fille. Ses problèmes cardiaques s'étaient aggravés. Constamment sous oxygène, il tremblait pour sa fille jour et nuit. Il craignait qu'elle ne sorte pas indemne d'une hypothétique tentative de libération orchestrée par le gouvernement. Ses craintes, exprimées d'une voix très affaiblie, devenaient lancinantes. La fin était si proche, Ingrid était si loin...

Le 23 mars 2002 au matin, un mois jour pour jour après l'enlèvement de sa fille, Yolanda appelle Juan Carlos en urgence. Il faut faire vite, Don Gabriel est à l'agonie. À bout de souffle sans Ingrid. Le médecin de famille leur suggère de l'emmener à l'hôpital et de l'intuber pour prolonger sa vie de quelque temps. Sait-on jamais, si Ingrid revenait ?... Quelques heures plus tard, il avait rendu l'âme, sans réponse à la question qu'il a posée dans son dernier souffle : « Où est Ingrid ? Est-elle revenue ? Va-t-elle encore beaucoup tarder ? »

Ce père « d'une excessive ferveur », selon Juan Carlos, qui allait à la messe tous les jours et affichait sa sympathie pour l'Opus Dei, était tout pour Ingrid : « Elle l'aimait de tout son cœur, comme je n'ai jamais vu quelqu'un aimer son père[3]. » Et c'était réciproque,

---

1. *La Vie, op. cit.*
2. Cité par M. Peyrard, *Paris-Match, op. cit.*
3. J. C. Lecompte, *Au nom d'Ingrid, op. cit.*, p. 68.

comme me l'a confirmé Fabrice Delloye, son premier mari : « Ingrid a été le grand amour de la vie de Gabriel. »

Quatre mois après sa mort, à la mi-juillet 2002, la famille d'Ingrid reçoit de mains anonymes une cassette vidéo dans laquelle la prisonnière de la guérilla marxiste s'adresse à chacun. Elle pleure son père, dont elle a appris la mort par hasard, dans un vieux journal enveloppant des légumes qu'on lui avait apportés : « J'ai pris le journal en me disant : "Chic, quelque chose à lire." Et je vois la photo d'un prêtre, entouré de caméras auprès d'un cercueil. En lisant la légende, j'ai compris avec horreur qu'il s'agissait de l'enterrement de mon père[1]. » Assise à une table, vêtue d'une veste noire, les cheveux tirés, elle porte le deuil. « Des trois cassettes qui nous sont parvenues pendant ces trois années, c'est la seule que nous n'avons pas communiquée aux médias, écrit Juan Carlos Lecompte. Sur les deux autres, diffusées dans tout le pays, Ingrid donne l'image d'une femme forte, d'une militante. Elle propose des solutions pour libérer les otages, parle d'une voix ferme et arbore la même veste noire. Sur cette première vidéo, par contre, nous avons vu une Ingrid effondrée de chagrin[2]. »

« Ma chérie, ton père, que tu aimais tant, n'a pas cessé jusqu'à son dernier souffle de me répéter qu'aucune feuille ne bouge sans la volonté du Seigneur, et que, là-bas, au fin fond de la jungle, tu accomplissais sans doute une page de ton destin[3]. » Ces mots sont datés de juin 2003. Ingrid est aux mains des FARC depuis plus d'un an.

---

1. Cité par M. Peyrard, *Paris-Match*, *op. cit.*
2. *Ibid.*, p. 71-72.
3. Y. P. Betancourt, *Ingrid ma fille...*, *op. cit.*, p. 29.

Selon Fabrice Delloye, qui sait quelle connivence unissait le père et la fille, « Ingrid ne se remet pas de la mort de son père », au point de « développer une sorte de culpabilité en pensant que son enlèvement aurait contribué à accélérer la fin ». Dans la nuit de la jungle, Ingrid se flagelle : « Durant les deux premières années, j'avais cette culpabilité de me dire que j'étais en captivité parce que je devais payer quelque chose. Je pensais que Dieu me punissait pour tous mes péchés. D'ailleurs, pendant un an, je lui en ai voulu parce que papa était mort[1]... » En rêve, elle le revoit malade et se répète qu'il est urgent de consulter un médecin... Puis elle se réveille en sursaut, hurlant : « Papa est mort ! » Un mois durant, elle erre dans le camp, cette seule phrase à la bouche. Lors d'une inspection, on lui enlèvera le scapulaire de son père, qui faisait partie des objets auxquels elle tenait le plus, avec les dessins de ses neveux et un programme de gouvernement en 190 points qu'elle a annoté au fil des années : « Ils m'ont tout pris », écrit-elle à Yolanda[2].

Dans sa prison végétale, parfois, elle redevient la fille de son père, oubliant qu'elle est aussi une mère : « Pendant des années, je n'ai pas pu penser aux enfants, avoue-t-elle à sa mère, parce que la douleur de la mort de papa absorbait toute ma capacité de résistance[3]. » Et quand elle pense à eux, elle imagine son fils « avec une grosse voix d'homme, rauque, comme celle de papa », cette voix qu'elle croira encore entendre en direct de Radio Caracol ou sur le tarmac de Catam, quand Lorenzo, son fils devenu grand, l'appellera pour la première fois depuis bien longtemps...

---

1. *La Vie, op. cit*, p. 10.
2. *Lettres à maman par-delà l'enfer, op. cit.*, p. 22.
3. *Ibid.*

En 1986, en plein été, Gabriel Betancourt avait été opéré d'urgence du cœur. Une opération lourde et risquée pour un homme de soixante-dix ans. À son réveil, bardé de tuyaux, il ébauchait un sourire et murmurait à l'oreille d'Ingrid :

— Tu sais ce qu'ils ont trouvé dans mon cœur ?

— Non. Dis-le-moi.

— Ton nom[1].

Inversement, que trouverait-on dans le cœur d'Ingrid ? Cette rage, bien sûr, qui l'a fait tenir tout ce temps dans la jungle colombienne, à la merci de ses geôliers. Une histoire aussi, peut-être, qu'elle raconte, loin des caméras et des micros qui se tendent : « C'était il y a un peu plus de six ans, quelques jours seulement avant mon enlèvement. J'étais chez mon père, à Bogotá, et je venais de l'informer de ma décision de me rendre à San Vicente, au cœur de la jungle. Je savais, et lui aussi, que ce voyage comportait des risques. Pourtant, il n'a pas cherché à m'en dissuader, estimant qu'il était de mon devoir d'agir selon ma conscience. J'étais assise en face de lui et il y avait sur le mur de sa chambre une peinture du Sacré-Cœur de Jésus. II m'a juste pris la main, a regardé l'image et a dit : “Seigneur, prenez soin pour moi de cette enfant.” » Les années ont passé, sans que jamais Ingrid ne repense à ce moment. Jusqu'au jour où…

« C'était il y a un mois, continue Ingrid. En écoutant la Radio catholique mondiale, je tombe sur une émission consacrée au Sacré-Cœur de Jésus. Il y est question des promesses faites par le Christ à sainte Marguerite-Marie. Le temps de saisir une feuille, je décide de les prendre en note une à une. Et en les relisant, je découvre qu'il y en a deux dont j'avais absolument besoin : “Toucher les cœurs durs” et “Vous soutenir

1. Cité par I. Betancourt, *La Rage au cœur*, *op. cit.*, p. 57.

dans toutes vos entreprises". Dans le premier cas, je me suis dit que le Seigneur pouvait ouvrir le cœur de mes bourreaux. Dans le second, j'espérais qu'Il m'accompagnerait sur le chemin de la liberté. Je me suis alors tournée vers Jésus pour lui dire : "Je ne t'ai jamais rien demandé, mais ça, si tu me fais ce miracle, moi je vais être à toi." Et je lui ai dit : "Si tu me fais signe au cours du mois de juin, mois du Sacré-Cœur de Jésus, je serai à toi. Si tu me donnes la date de ma libération pendant ce mois-ci, je me dévouerai à toi."[1] »

Le 27 juin, un commandant du camp venait demander aux otages de faire leur sac à dos, prétendument pour rencontrer une commission internationale. Dieu le Père avait entendu Ingrid. Le miracle avait eu lieu.

---

1. *La Vie, op. cit*, p. 9.

2

LES HORREURS ET LES JOURS

À l'été 1986, Ingrid Betancourt n'y tient plus. Elle s'ennuie ferme aux Seychelles, où son mari Fabrice est en poste. Sous prétexte de présenter son pays maternel à Mélanie qui vient de naître, elle s'envole pour Bogotá, qu'elle a quitté sept ans auparavant. Elle y rejoint une mère députée et un père au cœur qui flanche. « À partir de ce moment-là, je vais vivre dans l'angoisse constante que papa meure loin de moi[1] », écrit-elle dans *La Rage au cœur.*

« Papa Miel » a entamé la longue descente aux enfers de sa maladie. Plus que jamais, il est digne du surnom que lui ont donné ses deux filles, quand, toutes petites, elles avaient du mal à prononcer son prénom guttural. Ainsi abrégé, il garde sa suavité ensoleillée, à l'image de son sourire, qui aura illuminé la vie d'Ingrid.

Gabriel Betancourt est une personnalité du monde politique colombien. Membre du parti conservateur, il fut deux fois ministre de l'Éducation, avant d'être nommé directeur adjoint de l'Unesco. Il porte le nom de nombreux hommes politiques, dont l'un fut président de la République colombienne[2]. Un nom à consonance francophone. Celui de ses ancêtres normands,

---

1. I. Betancourt, *La Rage au cœur, op. cit.*, p. 58.
2. Le conservateur Belisario Betancur, de 1982 à 1986.

partis au milieu du XVIIe siècle à la conquête du Nouveau Monde, arrivés à bon port en Colombie. C'est là que Gabriel Betancourt meurt le 23 mars 2002 aux environs de 14 heures. Cette fois, il n'y a pas eu de miracle.

L'ARBRE QUI CACHE LA JUNGLE

« J'ai eu un début d'année très rude, écrit Ingrid à un de ses amis, le 11 février 2002. Mon père a failli mourir. En fait, il est mort deux fois et a été réanimé à temps[1]. »

À l'époque, Ingrid bat la campagne… présidentielle. Deux mois plus tard, elle croupit dans la forêt amazonienne, on ne sait où… Dans un geste désespéré, Yolanda et Juan Carlos contactent le représentant des FARC au Mexique. Il faut qu'Ingrid puisse assister aux obsèques de son père. Yolanda supplie Marcos Calarcá de transmettre sa demande au secrétariat général de l'organisation. L'homme le lui promet.

On ne mesure pas encore la cruauté de l'ennemi. En décembre 2003, la guérilla marxiste refusera d'exaucer les dernières volontés du petit Andrés. Il a dix ans et vit ses dernières heures, en phase terminale du cancer dont il est atteint. Avant de mourir, il veut revoir son père, un policier tombé aux mains des FARC. Il a derrière lui quarante-quatre millions de Colombiens, qui implorent la pitié des ravisseurs. Implacables. L'enfant mourra sans un dernier « Je t'aime ». Son père sera abattu alors qu'il tente de s'enfuir pour le rejoindre.

Chez les Betancourt, parce qu'on est rempli de compassion, on croit encore à celle des guérilleros, qui de

1. Cité par Sergio Coronado, *Ingrid*, Fayard, 2008, p. 59.

leur côté veillent avec jalousie sur leur « trésor de guerre ». On repousse la date des obsèques. Mais trois jours plus tard, sans la réponse espérée, on se résout à procéder à l'incinération de Gabriel, en l'absence d'Ingrid – mais également du président Andrés Pastrana, de ses ministres et des dirigeants du parti conservateur, dont Gabriel fut pourtant un membre influent. Comble de l'ironie, le gouvernement a proposé à la famille une veillée funèbre dans l'enceinte du Congrès. Un dernier honneur rendu au père chéri dans ce Congrès qu'Ingrid considérait comme un « nid à rats » ! Seul l'ancien président Julio César Turbay, dont la fille a été enlevée et assassinée quelques années auparavant, est là[1]. Un père qui pleure sa fille pour accompagner la dépouille d'un père privé de la sienne, *de profundis*.

Au lieu de l'hommage de sa famille politique, Gabriel recevra celui de sa famille de cœur. Des centaines de citoyens éplorés battent le parvis de l'église du Christ-Roi. Des petits, des sans-grade se recueillent sur ses bancs. La famille Betancourt, elle, est réunie au grand complet. Juan Carlos Lecompte et Fabrice Del-

1. Après avoir collaboré à l'élection de son père à la présidence de la Colombie, Diane Turbay avait repris son métier de journaliste. Elle a à cœur d'interviewer le leader de la guérilla castriste ELN et de le convaincre de négocier avec le président Gaviria. C'est là que son destin bascule. Le grand patron de la drogue Pablo Escobar a vent de l'affaire. Il décide de monter un guet-apens en faisant passer ses hommes pour des guérilleros de l'ELN. Diane est prise en otage. Escobar compte ainsi faire pression sur le gouvernement et l'empêcher de signer un décret d'expulsion des narcotrafiquants vers les États-Unis. Après moult tergiversations, le président Gaviria refuse de céder à Pablo Escobar et décide d'une opération militaire de sauvetage, contre le gré de la famille. Diane y trouve la mort : elle est abattue par la police de deux balles dans le dos alors que ses ravisseurs l'entraînaient avec eux dans leur fuite. Elle avait quarante ans, l'âge d'Ingrid au moment de son enlèvement…

loye portent le cercueil, une photo de l'otage à la boutonnière. Lorsque Astrid monte en chaire, elle qui est réputée pour son maintien ne peut s'empêcher de retenir ses larmes. Dans une ambiance solennelle, elle fait une déclaration d'amour à son père. Elle est effondrée. C'est son fils Stanislas qui la consolera au pied de la tribune. Les enfants d'Ingrid, Mélanie et Lorenzo, sont présents aussi, venus de Saint-Domingue pour ce dernier adieu à leur grand-père. Juan Carlos est inquiet : « C'était la première fois qu'ils apparaissaient en public depuis l'enlèvement de leur mère. J'ai craint le pire en voyant la presse se jeter sur eux, mais ils ont fait face à la situation et nous ont tous étonnés en répondant calmement aux questions[1]. »

Mélanie et Lorenzo, loin des registres de condoléances, assaillent Adair Lamprea de questions. Le responsable logistique de la campagne présidentielle d'Ingrid Betancourt est le dernier à avoir vu leur *mamita*. Ils veulent tout savoir de ses dernières heures de liberté. « Mélanie m'a écouté sans m'interrompre, raconte Adair. Lorenzo, lui, avait l'air perdu. Comprenait-il, si jeune, la gravité de la situation[2] ? »

Tragédie intime, l'enlèvement d'Ingrid Betancourt est aussi le reflet du drame colombien, avec sa corruption généralisée et sa violence. Un épiphénomène aussi, quand le destin des FARC se confond avec l'histoire troublée de la Colombie contemporaine. Comme le rappelle Jacques Thomet, l'affaire Betancourt ne doit pas « occulter le drame de millions de familles frappées en Colombie par les tueurs à gages, les massacres, les trois mille enlèvements de civils par an jusqu'en 2002, la pauvreté insigne et le déplacement forcé de deux millions de personnes sous la pression des groupes armés[1] ».

1. J. C. Lecompte, *Au nom d'Ingrid*, *op. cit.*, p. 72.
2. Cité par S. Coronado, *Ingrid*, *op. cit.*, p. 60.

Tout ceci est vrai, si ce n'est qu'Ingrid, elle, n'a jamais souhaité être cet arbre qui cache la forêt amazonienne…

Les « frères de souffrance »

L'immense joie qui l'étreint au moment de sa libération n'a pas fait oublier à Ingrid ses compagnons d'infortune, encore aux mains des FARC. Sur l'aéroport de Catam, au terme d'un discours empli d'émotion, elle rend hommage aux otages restés dans la jungle. À tous ceux qui n'en sont pas revenus, aussi. Des sanglots dans la voix, elle évoque les victimes de la guérilla, des Colombiens, des étrangers, des femmes enceintes, des enfants… Servir la Colombie, là où elle est, c'est lutter pour tous les otages, sans discrimination. Un devoir, une obligation morale : « Ce sont mes frères. On m'a aidée à m'en sortir, il faut que j'aide les autres à s'en sortir. C'est une chaîne humaine. Je le dois à tous ces militaires, ces policiers détenus avec moi, qui m'ont aidée, qui m'ont protégée, qui ont été indispensables pendant toutes ces années de captivité[2]. »

Lors de chaque prise de parole, elle rappellera à la mémoire de tous l'existence de ses « frères de souffrance », rééditant sa promesse du 2 juillet 2008. Ce jour-là, elle n'est pas la seule à atterrir sur l'aéroport militaire de Bogotá. Derrière elle, quatorze autres otages des FARC lui emboîtent le pas, tous revenus, comme elle, de l'enfer vert de la captivité. Des otages moins célèbres qu'elle, mais dont les visages résument le drame de la Colombie. Des militaires et des policiers, au service de

1. Jacques Thomet, *Ingrid Betancourt. Histoire de cœur ou raison d'État ?*, Hugodoc, 2006, p. 9.
2. « J'ai enterré mon cauchemar dans la jungle », *Elle*, 12 juillet 2008, p. 12.

leur État, capturés dans l'exercice de leurs fonctions[1]. William Perez, le sauveur de la jungle, est de ceux-là. D'autres, dans l'ombre, sont plus mystérieux...

Les amis américains

Le 3 juillet 2008, la presse américaine réagit à l'opération de libération en Colombie en parlant beaucoup d'Ingrid Betancourt et de John McCain, en voyage dans ce pays au même moment. Un peu seulement des otages américains, lesquels n'avaient guère suscité d'émoi aux États-Unis. Arrivés à bord d'un avion militaire américain peu après minuit, heure locale, à San Antonio, Texas, ils ont quitté la Colombie très peu de temps après leur libération, sans être apparus à Bogotá avec les autres otages. Une libération qui serait passée presque incognito si les flashs des photographes n'avaient pas immortalisé leur descente de l'avion.

Depuis le 13 février 2003, date à laquelle Thomas Howes, pilote professionnel âgé d'une cinquantaine d'années, Mark Gonsalves et Keith Stansell, trente et un et trente-huit ans, tous deux programmateurs informatiques, avaient été enlevés par les FARC, personne n'avait jamais entendu parler d'eux. Ou presque. La mère de Mark Gonsalves, Jo Rosano, était la seule parente des trois hommes à lutter pour leur libération, comme seule une mère sait le faire. Elle s'était même déplacée à Bogotá pour demander audience à Álvaro Uribe.

Si un mois plus tard, en mars 2003, l'opinion américaine s'est émue des déclarations du soldat Lynch,

---

1. Juan Carlos Bermeo, Raimundo Malagón, José Ricardo Marulanda, Erasmo Romero, José Miguel Arteaga, Armando Flores, Julio Buitrago, Armando Castellanos, Vianey Rodríguez, John Jairo Durán.

capturé par les troupes irakiennes, aucun média n'a diffusé la cassette vidéo transmise au gouvernement en guise de preuve de vie, ni ne l'a mentionnée. Aucun discours de George Bush, aucune initiative de l'administration américaine en vue d'une libération ! Et pour cause. Dans la vidéo envoyée par leurs ravisseurs, les trois Américains apparaissent aux côté de « Mono Jojoy », le chef militaire des FARC, qui les accuse d'espionnage.

L'enlèvement de ces trois Américains illustre la « guerre invisible » qui sévit en Colombie, dont Howes, Gonsalves et Stansell sont les soldats de l'ombre, dociles et interchangeables. Cette guerre repose sur la participation de civils sous contrat aux interventions militaires nord-américaines sur tout le globe. Selon Juan Carlos Lecompte, les trois soldats américains « faisaient partie des quatre cents hommes qui avaient été envoyés dans notre pays pour participer au fameux plan Colombie, qui combinait des stratégies de "guerre contre la drogue" et de "guerre contre le terrorisme"[1] ». Au moment de leur enlèvement, l'ambassade des États-Unis a fait savoir dans la plus grande discrétion qu'elle verserait 340 000 dollars à quiconque lui fournirait des renseignements permettant leur libération. Mais au grand jour, elle a gardé le silence sur l'affaire, au motif que les otages avaient signé un contrat avec deux filiales de la Northrop Grumman, l'une des douze entreprises privées au service du département d'État pour la lutte contre la drogue en Colombie[2]. « Ces

1. J. C. Lecompte, *Au nom d'Ingrid*, *op. cit.*, p. 224.
2. « L'une des raisons évidentes pour lesquelles les gouvernements font appel à ces sociétés qui embauchent au coup par coup, c'est qu'en cas d'échec rien ne transparaît » (Peter Singer, *Corporate Warriors*, Cornell Studies, 2003, cité par Juan Carlos Lecompte, *ibid.*, p. 226). Ces hommes sont si « invisibles » que, lorsqu'ils meurent au front – en Irak, par exemple –, leurs noms ne sont même pas portés au bilan des pertes nord-américaines.

hommes étaient des mercenaires, des Rambos agissant sans la moindre couverture institutionnelle, prétend Juan Carlos Lecompte. Or, si la présence de soldats nord-américains sur le territoire colombien est une violation de la règle de souveraineté, celle de mercenaires est encore plus illicite[1]. »

Lorsque Howes, Gonsalves et Stansell arrivent au campement où Ingrid Betancourt est détenue, leur identité ne fait pas de mystère. John Pinchao, l'évadé de l'enfer, les présente comme des « sous-traitants du Pentagone[2] ». Ils ont été capturés un an après Ingrid, presque dans la même région, alors qu'ils effectuaient une mission de reconnaissance antidrogue. Cette mission consistait à repérer des laboratoires clandestins de cocaïne dans la jungle et à enseigner aux militaires colombiens des techniques d'espionnage et des tactiques antiguérilla. Mais aussi à fumiger les plantations de coca. Contrairement à ce qui fut raconté à l'époque, l'avion n'a pas été abattu, il a piqué du nez suite à une avarie matérielle. Thomas Howes l'a bien signalée, mais en retour il a reçu l'ordre de continuer à voler. Résultat, un atterrissage d'urgence sur le ventre, dans une zone contrôlée par la guérilla des FARC...

Thomas Howes est blessé à la tête. Keith Stansell, mal en point, aide les autres passagers à sortir de la carlingue, déjà encerclée par les guérilleros. Un sergent colombien et le quatrième Américain du voyage, qui ont voulu résister, sont exécutés séance tenante. Puis, les guérilleros font déshabiller les autres prisonniers : sait-on jamais, ils pourraient être « bourrés de dispositifs électroniques hypersophistiqués, de puces cachées dans les vêtements », ironisera John Pinchao, à qui les

1. *Ibid.*, p. 225.
2. John Pinchao, *Évadé de l'enfer*, Florent Massot, 2008, p. 167.

Américains raconteront leur enlèvement[1]. La paranoïa des guérilleros n'est pas injustifiée. Dans le Cessna accidenté, ils retrouvent des photographies d'une extrême précision, montrant les plantations de coca dans la région.

Les trois Américains commencent leur long périple dans la jungle, entièrement nus. Habits et bottes en caoutchouc n'arriveront que quelques jours plus tard. Des bottes à la mode colombienne, trop petites pour eux. On en a découpé l'extrémité, si bien que les otages finissent leur marche orteils à l'air, les pieds couverts de blessures. Au campement, les guérilleros les isolent des autres, chacun sur un lit de planches, avec interdiction formelle de se parler.

Lors de ses premières déclarations publiques depuis sa libération par l'armée colombienne, Mark Gonsalves a déclaré que les membres de ce groupe de guérilla n'étaient « pas des révolutionnaires mais des terroristes »... Lui en a réchappé, mais il reste encore aux mains des FARC de nombreux autres otages, moins chanceux. Des *persona grata*, fut un temps...

Le gouverneur et le colonel

Alan Jara Urzola ! Celui qui parvenait à faire oublier aux autres otages « la monotonie de l'enlèvement » et les « encourageait à rêver malgré l'adversité[1] ». L'ancien gouverneur du Meta, ingénieur civil diplômé en ex-URSS, a été enlevé le 15 juillet 2001 alors qu'il se rendait dans la municipalité de Lejanías, en compagnie de la directrice du programme de réinsertion et du coordonnateur des organes des Nations unies, en poste en

1. *Ibid.*, p. 255.
2. *Ibid.*, p. 12.

Colombie. Ils voyageaient dans un véhicule officiel de l'ONU, protégé par l'immunité diplomatique. Un enlèvement perçu comme une attaque contre l'action humanitaire de la communauté internationale et une violation du droit international humanitaire.

À la libération d'Ingrid, Claudia Rugeles, l'épouse d'Alan Jara, s'est rendue à la radio de la province du Meta pour enregistrer le message quotidien qu'elle adresse à son mari dans la jungle. « J'ai été touchée de parler juste après Ingrid, qui a adressé un message à ceux qui restent en captivité, a-t-elle raconté par la suite. J'ai dit à Alan que j'ai confiance, que j'ai de l'espoir, qu'avec l'aide du monde, nous sommes certains que nous le reverrons bientôt[1]. »

Bientôt... Combien de fois la famille du colonel Luis Mendieta s'est-elle répété ce mot ? Des millions de fois depuis son enlèvement, il y a presque dix ans ! « Je vous aime, je vous adore, priez pour moi, je ne sais quand je vous reverrai », avait crié ce haut gradé de l'armée colombienne à sa famille depuis son téléphone portable, quelques minutes avant d'être enlevé par un commando des FARC dans la caserne de Mitu, le 1er novembre 1998. Comme John Pinchao, qui, lui, a réussi à s'évader en avril 2007. Son épouse Maria Teresa, son fils José Luis et sa fille Jenny sont sans nouvelles de lui depuis la deuxième moitié de l'année 2001. Silence si funèbre qu'on le croit mort. Jusqu'au 15 janvier 2008, date à laquelle une lettre du colonel leur parvient, transmise par Consuelo González de Perdomo, enfin libre. Elle avait partagé avec Luis Mendieta plusieurs mois de captivité. Maria Teresa avait lu cette longue lettre sur Radio Caracol, entre les hoquets et les larmes retenus. Les mots poignants du colonel, qui

1. www.avmaroc.com/pdf/comites-betancourt-dossiers-a7675-d.pdf

disaient la maladie et la souffrance, font pleurer quarante-quatre millions de Colombiens.

Après le sauvetage d'Ingrid Betancourt, des Américains Thomas Howes, Mark Gonsalves et Keith Stansell, ainsi que de onze policiers et soldats colombiens, les FARC détenaient encore vingt-quatre otages du groupe dit « politique ». Aux mains de la guérilla restent encore deux personnalités, en plus d'Alan Jara : le parlementaire Oscar Tulio Lizcano, enlevé en 2000, et Sigifredo Lopez, un député de province. Avec Ingrid, nous pensons aussi très fort à ceux qui ne sont pas encore revenus...

Le gouverneur assassiné

Guillermo Gaviria, gouverneur d'Antioquia, et son conseiller pour la paix, l'ancien ministre de la Défense Gilberto Echeverri, ont décidé de s'atteler à la pacification de leur territoire. Né à Medellín le 27 novembre 1962, Guillermo Gaviria est l'aîné de huit enfants d'une famille colombienne en vue. Diplômé de l'université du Colorado, ce brillant garçon obtient à deux reprises la bourse la plus prestigieuse de l'institution ; avant lui, aucun étudiant latino-américain n'avait été pareillement distingué. Sous le gouvernement d'Ernesto Samper, il est directeur général de l'Institut colombien des routes. En 2000, il fait campagne pour « une nouvelle Antioquia ». Le 1er janvier 2001, l'apôtre de la non-violence est élu gouverneur en masse, par six cent mille des six millions de Colombiens que compte la région. Très peuplé, situé au cœur du pays, Antioquia est l'un des départements les plus riches et les plus prospères du pays. Rien à voir avec la jungle isolée du Caquetá, où la misère sert de terreau à l'enrôlement de gamins au sein de la guérilla.

Militants pour la paix dans l'âme, Gaviria et Echeverri organisent, le 17 avril 2002, une marche en faveur de la non-violence, entre Medellín et le bourg de Caicedo, distants de 150 kilomètres. Caicedo vit essentiellement de la culture du café. La région, qui est le théâtre d'une lutte acharnée entre les paramilitaires et les guérilleros, traverse une période troublée. Les FARC y font de fréquentes descentes, attaquent les camions et les entrepôts, pillent les récoltes, laissant les habitants dans le dénuement. Raison de plus pour que le gouverneur s'y rende, malgré les dangers de traverser cette zone sans escorte militaire. Et malgré le triste précédent d'Ingrid Betancourt, qu'on lui rappelle sans cesse pour l'inciter à la prudence.

Mais Gaviria ne veut rien entendre. Son bâton de pèlerin vaut toutes les armes. Foin des mises en garde, la marche aura lieu ! Au moment du départ, les milliers de personnes qui l'attendent aux abords de Medellín pour lui emboîter le pas semblent lui donner raison. Des marcheurs de tous les âges et de tous les milieux sociaux pour cette épopée pacifiste. L'aventure n'est pourtant pas de tout repos. Une véritable épreuve de force. Cinq longs jours de marche, à dormir et à manger au hasard du chemin. Tout le monde n'est pas capable d'effectuer le trajet en entier. « Notre groupe évoluait donc sans arrêt, se souvient Yolanda Pinto, la femme de Gaviria. Certains nous rejoignaient, d'autres se retiraient, mais malgré tous ces va-et-vient, nous n'étions jamais moins de mille. On couchait dans les écoles, sur les matelas gonflables que l'on avait emportés. On prenait nos repas dans des cantines ou on pique-niquait dans les champs[1]. » Qu'importe ! L'ambiance est merveilleuse. « Marcher pour la paix dans

1. Cité par J. C. Lecompte, *Au nom d'Ingrid*, *op. cit.*, p. 199-200.

une campagne dévastée par la guerre, ça rend euphorique[1] », se presse d'ajouter Yolanda Pinto.

Les médias relaient l'événement en suivant la marche pas à pas. Le pays vit à l'unisson des participants. Au bout de cinq jours, à quatre kilomètres à peine de Caicedo, un homme s'approche du gouverneur sur le pont El Vaho. Il se présente comme un émissaire de la guérilla. Son commandant, surnommé « El Paisar », voudrait discuter avec lui. Fidèle à ses préceptes, celui qui préfère les mots aux armes le suit. « El Paisar » l'attend tout près, en haut de la colline. Son conseiller et ami Gilberto Echeverri l'accompagne, ainsi que le prêtre Carlos Eduardo Yepes, chapelain d'Antioquia, et Bernard Lafayette, un pasteur baptiste de nationalité nord-américaine, disciple de Martin Luther King. Au dernier moment, quatre évêques de la région se joignent à eux. Guillermo Gaviria demande à ses partisans et à son épouse de les attendre. Ils ne devraient pas en avoir pour plus de deux heures. On commence à installer le campement près du pont, tandis que l'équipée s'enfonce dans la forêt, en direction de la montagne. Un quart d'heure plus tard, le père Yepes redescend, porteur d'un message : il faut envoyer deux camionnettes pour faciliter l'ascension dans les sentiers. On s'exécute. Yolanda pense même que, s'ils partent en voiture, ils rentreront plus tôt... Ils ne reviendront jamais, à l'exception des quatre évêques et du pasteur nord-américain. Contre leur gré, mis en joue par les guérilleros, sommés de partir au risque de mourir.

Comme Ingrid lors de son enlèvement, Guillermo Gaviria a tenté de raisonner ses ravisseurs. La loyauté et le sens de l'honneur contre le parjure et le manque de parole. À Caicedo, des autocars étaient venus chercher les marcheurs. Ils les ramènent à Medellín dans la soirée,

1. *Ibid.*

déconcertés. De son côté, après avoir marché toute la nuit encadré de ses geôliers, Gaviria s'est muré dans le silence, aux dires du père Yepes, libéré le lendemain.

Les premiers jours on espère, mais contre toute attente, des mois s'écoulent dans l'horrible silence. Des mois avant que les démarches incessantes entreprises par Yolanda Pinto pour entrer en contact avec les guérilleros soient enfin couronnées de succès : elle est autorisée à envoyer des lettres à son mari et à en recevoir de lui. Ce n'est qu'un an plus tard qu'elle pourra lire les premiers mots de son mari, écrits cinq jours seulement après son kidnapping. « Nous nous sommes réveillés au son de la radio, qui donnait des nouvelles sur l'enlèvement et les réactions de diverses personnes. Je confesse que j'y entends la bonne volonté de ceux qui réclament notre libération, mais qui, hélas, n'y aident pas en n'appliquant pas le programme de la Noviolencia[1]. »

Durant ces longs mois aussi, Yolanda ne cesse de supplier l'État colombien. Qu'il ne tente pas une opération de sauvetage, sous peine de mettre en danger les vies de son époux, de Gilberto Echeverri et des soldats détenus avec eux. Et pourtant ! Le 5 mai 2003, à midi, des hélicoptères de l'armée colombienne survolent le campement d'Urrao, au sud-ouest d'Antioquia, à 50 kilomètres à peine de Caicedo… Comment le gouvernement colombien a-t-il appris où se trouvait Guillermo Gaviria ? On raconte que des messages de sa femme auraient été interceptés…

---

1. « *Nos levantó la bulla del radio con noticias sobre el secuestro y las reacciones de diversas personas. Confieso que veo la muy buena voluntad de quienes claman por nuestra liberación, pero lamentablemente no lo hacen en términos de aplicar la Noviolencia.* » (Guillermo Gaviria Correa, *Diaro de un gobernator secuestrado*, Ediciones Numero, 2008, p. 17.)

Ce jour-là, quoi qu'il en soit, les dés sont jetés. Pipés aussi, selon le témoignage de Juan Carlos Lecompte : « Soupçonnant que le commandant Paisa et Yolanda Pinto travaillaient en sous-main à un accord visant à la libération éventuelle du gouverneur d'Antioquia, l'armée a informé le président Uribe que des hélicoptères se trouvaient au-dessus de la région où Guillermo Gaviria était détenu [...]. Le président Uribe s'opposait fermement à tout type d'échange ou de négociation, *a fortiori* s'ils se faisaient à son insu. Malgré l'absence de preuves formelles d'un accord secret entre Yolanda et les FARC, Álvaro Uribe a décidé de précipiter les choses en organisant une opération de sauvetage[1]. »

Un soldat a survécu au massacre. Il a témoigné de la cruauté de la scène. Les FARC avaient ordonné aux otages de s'enfuir, mais à peine s'étaient-ils mis à courir que le commandant donna l'ordre de les abattre. Dans le dos. À bout portant. Les corps du gouverneur Gaviria, de Gilberto Echeverri et de onze soldats seront retrouvés criblés de balles. Quand l'armée arrive vingt minutes plus tard, « El Paisar » et sa colonne se sont évanouis dans la jungle. Les militaires découvrent un spectacle d'horreur : les treize captifs gisent sur le sol. Dix d'entre eux sont morts, trois grièvement atteints, qui survivront à leurs blessures. Guillermo Gaviria, l'apôtre de la non-violence, n'est plus. En conclusion de sa dernière lettre, datée du 15 mars 2003, alors que ses partisans envisageaient une marche commémorative, il rappelait encore à sa femme l'importance de mener à bien une politique pacifiste, quels qu'en soit le prix et le délai.

Cette tragédie a plongé le pays dans l'affliction. « Elle a été perçue comme un revers brutal assené aux

1. *Ibid.*, p. 206.

partisans de la paix et de la conciliation, confie Juan Carlos Lecompte. Une violente atteinte à la Colombie démocratique[1]. » À Bogotá, des milliers de Colombiens assisteront à la veillée funèbre en l'honneur des soldats et plus tard, à Medellín, aux obsèques du gouverneur Gaviria et de l'ancien ministre de la Défense. Cette tuerie condamne les familles des otages à la paralysie. Ils le savent maintenant. La vie de leurs proches ne tient qu'à un fil. Le moindre faux pas peut leur être fatal.

LA JUNGLE EST LEUR ROYAUME

De tous les conflits armés qui ensanglantent le monde, celui qui meurtrit la Colombie vaut en horreur ceux qui opposent l'Inde et le Pakistan, ou encore Israël et les territoires occupés. Cinquante mille morts. Au moins dix mille disparus. Deux à trois millions de personnes déplacées. C'est aussi l'un des plus anciens.

De nombreux facteurs peuvent expliquer la permanence du conflit colombien, notamment la géographie très particulière de ce pays, considérée comme une des plus fidèles alliées de la guérilla. La Colombie est traversé du nord au sud par la cordillère des Andes, qui se divise en trois chaînes de montagnes. Les Llanos – les plaines – et la forêt amazonienne couvrent l'est du pays, tandis que le littoral pacifique est occupé par une forêt tropicale impénétrable, la forêt primitive du Chocó. La population se concentre dans la zone andine, où se trouvent les trois plus grandes villes colombiennes : Bogotá, Medellín et Cali.

1. *Ibid*, p. 207.

Le reste du territoire colombien est difficile d'accès. Dans la jungle, les conditions climatiques sont telles que certains bambous poussent de 55 centimètres en une seule journée ! D'autres plantes leur disputent cette croissance accélérée, ce qui explique la durée très éphémère d'une sente tracée à la machette. Le milieu naturel joue en la faveur des FARC, qui ont plus d'un tour dans leur sac pour brouiller les pistes. Les brumes sont fréquentes, « achevant de rendre fantastique un paysage de folie végétale où s'entremêlent des lianes atteignant parfois 200 mètres de long et 20 centimètres de diamètre, des épiphytes allant de l'orchidée au figuier-étrangleur, des mousses et des fougères dont on ne sait si elles sortent de terre ou si elles dégringolent des arbres[1] ».

Les bataillons des FARC sont estimés à dix-sept mille guérilleros ; leurs otages, des milliers d'hommes et de femmes – entre huit cent cinquante et trois mille, selon les sources. Le nombre de personnes détenues est difficile à recenser. Souvent, les familles des otages se taisent, par honte, par crainte des représailles, ou du fait de leur isolement.

On distingue deux types de victimes : les « otages économiques », que la guérilla serait prête à libérer en échange d'une rançon, et les « otages politiques », placés au cœur d'un chantage à la négociation. On appelle ces derniers les *canjeables*, les « échangeables », terme froid et technique pour signifier qu'ils pourraient être libérés en échange de cinq cents guérilleros prisonniers des geôles colombiennes. Ingrid Betancourt était de ceux-là...

---

1. Xavier Maniguet, *Survivre. Comment vaincre en milieu hostile*, Albin Michel, 1988, p. 285.

Une discipline de fer

Un mouvement politique pour les uns, une organisation armée liée au narcotrafic pour les autres. Une chose est sûre, il s'agit de la plus vieille guérilla au monde. Très organisée. Hiérarchisée aussi, comme le raconte Pascal Drouhaud : « À la tête des FARC, le secrétariat définit les orientations stratégiques. L'état-major central est chargé de coordonner la lutte armée dont l'action au quotidien est confiée aux blocs composés d'un minimum de trois fronts. Ils rassemblent plusieurs colonnes, qui regroupent elles-mêmes quelques compagnies, chacune de ces dernières comptant une cinquantaine d'hommes actifs, répartis au sein de deux guérillas. Celles-ci sont formées de deux escadrons, avec douze hommes chacun. Il s'agit des unités de base des FARC qui doivent alimenter les remous sociaux[1]. »

C'est ainsi qu'à partir de 1982 les FARC ont prospéré, en fondant leur stratégie militaire sur le dédoublement des fronts. Chaque front a donné naissance à un autre, jusqu'à ce que tous les départements colombiens finissent par en être dotés. Le bloc sud, dirigé par Joaquin Gómes, est la structure responsable de l'enlèvement d'Ingrid Betancourt, de Clara Rojas, des soldats nord-américains et des militaires. Il occupe une place stratégique fondamentale dans le dispositif, en couvrant la frontière sud qui longe le Pérou et l'Équateur. C'est une zone de repli. Bordées de reliefs tourmentés et couverts de forêts, ces frontières sont difficiles à surveiller. La zone jouxte les départements de Putumayo, Caquetá et Huila, où la production de drogue n'a cessé de croître dans les années 1990. Des régions où les FARC ont concentré 60 % de leurs forces armées.

1. P. Drouhaud, *FARC. Confessions d'un guérillero*, *op. cit.*

La coopération avec le bloc oriental, dirigé par « Mono Jojoy », est forte.

Dans les camps, les commandants s'enorgueillissent de solides principes, qu'ils inculquent à des guérilleros souvent jeunes. Très jeunes, parfois. Dans le récit de sa captivité, John Pinchao raconte que les otages avaient été remis un temps à Jeiner, qui gardait des prisonniers depuis l'enfance, comme d'autres gardent des bestiaux : « C'était maintenant un jeune homme avec un début de maturité, comme un gros fruit encore vert, qui commandait une petite troupe : des gamins dirigés par un adolescent[1]. » Jeiner et sa petite troupe seront plus tard tués lors d'une attaque de l'armée colombienne. Comme Hugo, âgé de douze ans, « un vrai môme à la tête d'autres mômes[2] », tombé avant lui.

Jeiner a une « associée », Alexandra. En Colombie, les femmes exercent tous les métiers, y compris celui de « guérillera ». Car la guérilla séduit les adolescentes et les jeunes femmes – 30 à 35 % des combattants sont des femmes. Elles y sont traitées d'égal à égal avec les hommes et toute discrimination à leur égard est proscrite. En théorie ! Dans les campements, les « guérilleras » travaillent plus que les hommes. Elles coupent le bois, allument le feu, font la cuisine, creusent des tranchées, construisent des cabanes, pilotent les bateaux. Leur sort est loin d'être enviable. Elles subissent toutes sortes d'injustices et d'humiliations, jusqu'aux violences sexuelles. « Si elles n'ont pas de petit copain ou d'"associé", le mercredi soir elles sont forcées de coucher avec les guérilleros célibataires, raconte John Pinchao. C'est pour ça que beaucoup, même sans être vraiment amoureuses, préfèrent avoir une liaison

1. J. Pinchao, *Évadé de l'enfer*, *op. cit.*, p. 187.
2. *Ibid.*

établie. D'autres, plus malignes, se cherchent des petits copains d'un grade supérieur qui les protègent. Elles sont surnommées les "gradeuses" ; même si elles doivent officiellement respecter les règles comme tout le monde, elles bénéficient de petits privilèges[1]. »

Des règles qui composent une discipline de fer. Les discours sur la situation du pays sont les mêmes pour tous. Ce travail sur la cohésion idéologique du groupe est le fruit du labeur du commandant Jacobo Arenas et de son fameux « téléphone bleu », système de communication au service de la coordination des FARC. Du temps où l'armée colombienne dormait sur ses deux oreilles, tous les commandants devaient se connecter sur les mêmes fréquences radio, plusieurs fois chaque semaine, à une heure déterminée. Des tables rondes permanentes par radios interposées ! Ils y évoquaient les activités de la guérilla, les événements politiques majeurs, mais aussi le moral des troupes. Ce système évitait les spéculations et les rumeurs.

Pour le gouverneur du Nariño, Antonio Navarro Wolf, ancien dirigeant du M-19[2], « les FARC sont la dernière guérilla de la planète à pratiquer, sans pour autant la théoriser, la guerre populaire prolongée. Cette vue à long terme est propre au monde paysan, où le temps ne se mesure pas en heures ou en minutes, mais en semaines et en mois. C'est la durée rurale, celle des déplacements, des récoltes, des saisons. C'est pourquoi le temps de la guerre, comme le temps de la paix, est un temps long[3]. » Une guérilla à l'image de son chef historique…

1. *Ibid.*, p. 203.
2. Organisation rebelle qui a déposé les armes en 1990.
3. Cité par José Natanson, « Dans la jungle des FARC », *Courrier international*, 17 janvier 2008, p. 27.

« Tirofijo », le légendaire

Pedro Antonio Marín. Pseudonyme : Manuel Marulanda Vélez, du nom d'un dirigeant syndical mort en 1951 à Medellín. *Alias* Tirofijo, « celui qui vise juste », ainsi surnommé pour ses prouesses tant guerrières qu'amoureuses. N'a-t-on pas souvent raconté que « l'homme aux mille femmes » avait des dizaines d'enfants dans tout le pays ? On ne prête qu'aux riches...

Né le 13 mai 1928 à Génova, dans la région du Quindío, Marulanda a l'assurance de ceux qui ont débuté tôt dans la vie. Issu du monde rural, il est resté cet homme pragmatique et simple pour qui le respect se gagne aussi sur le terrain. Entré dans le maquis en 1949, il aurait été vu pour la dernière fois se promenant dans les rues d'une ville en... 1963 ! À l'âge de vingt-deux ans, il rejoint un mouvement de guérilla dans la région de Tolima, dirigé par la famille Loaiza, des parents éloignés. Quelques mois avant d'entrer en clandestinité, Marulanda avait été recruté par le gouvernement pour devenir inspecteur des routes ! Il a converti son groupuscule en un mouvement d'autodéfense paysanne. Au fil des années, il gagne la confiance de ses chefs, en vertu de ses qualités d'agitateur. En récompense de son engagement, il est envoyé à Moscou en 1968. Là, il complète sa formation de révolutionnaire et comprend que le pouvoir ne se partage pas. Il a retenu la leçon de l'assassinat du Che, quelques mois auparavant, le 8 octobre 1967, et ne veut pas connaître le même sort.

« Au charisme de Fidel Castro, du Che, de Gaïtan, Marulanda a toujours préféré une image discrète, écrit Pascal Drouhaud. Celle d'un homme doté d'une volonté déterminée. Plutôt qu'en jaguar, il se voyait en renard, animal mythologique des civilisations précolombiennes Tairona et Quimbaya, dont il est le lointain descendant. Il revendique ainsi ses racines et marque son identité pour donner de la crédibilité à la Révolution[1]. » À cette époque, il s'est déjà constitué une garde rapprochée, composée de fidèles tels que Ciro Trujillo Castaño, *alias* « Mayor Ciro », ou Jacobo Prias Alape, *alias* « Charro Negro ». La loyauté entre révolutionnaires est un gage de survie : « Voilà l'une des clés de la longévité de Marulanda : il a appliqué une discipline de fer tout en garantissant par l'anonymat la sécurité de ses cadres dirigeants[2]. » Il a su tisser des amitiés inébranlables en s'entourant d'hommes de confiance, qu'il engage à s'attribuer un pseudonyme et un nom de guerre, en accord avec la personnalité de chacun, un détail physique, un goût particulier. Ainsi l'idéologue Guillermo León Sáenz Vargas, devenu « Alfonso Cano », « El Ciego », l'aveugle, parce que myope ; le porte-parole Luis Edgar Devia Silva, pseudonyme Raúl Reyes, *alias* « Raúl » ; et le chef militaire Luis Suárez, pseudonyme Oscar Riano, *alias* « Mono Jojoy »...

Sur cette base, Marulanda a construit une légende. Si, avec l'âge, il est devenu grincheux, il a conservé son autorité naturelle, alliage subtil de dureté – lisible dans ses yeux noirs – et de rondeur bonhomme. Depuis 2002, il n'a plus donné signe de vie. Dès 2005, la rumeur de sa disparition enfle à Bogotá. Des bruits font même état de dissensions entre ses principaux lieutenants. Le 24 mai 2008, l'armée colombienne annonce sa mort, confirmée par les FARC le lendemain. En réalité, « Tirofijo » serait mort le 26 mars 2008, des suites d'un infarctus. Pendant ce temps, Gerardo Antonio Aguilar, *alias* « César », se faisait berner par les services secrets colombiens. La suite de l'histoire, on la connaît...

1. P. Drouhaud, *FARC. Confessions d'un guérillero*, *op. cit.*
2. *Ibid.*, p. 21.

DANS L'ENFER VERT

« Pas de soleil, pas de ciel. Un plafond vert. Une muraille d'arbres. Plein de bêtes plus épouvantables les unes que les autres. » Ainsi Ingrid Betancourt commence-t-elle, sur les tapis moelleux de l'Élysée, le récit de sa vie quotidienne dans la forêt colombienne. Ces mots en rappellent d'autres, lorsqu'elle décrivait son calvaire à sa mère, dans sa lettre bouleversante de décembre 2007 : « Ici, la jungle est très épaisse, les rayons du soleil y pénètrent difficilement. Mais c'est un désert d'affection, de solidarité, de tendresse[1]. »

La suite de son récit provoque des haut-le-cœur. Derrière elle, horrifiée, Carla Bruni-Sarkozy écarquille les yeux et porte la main à son visage. Comment figurer l'inimaginable, l'inconcevable ? « Pour vous donner une idée de ce que c'était… Lorsque nous devions marcher, je mettais un chapeau jusqu'aux oreilles parce que toutes sortes de choses vous tombent sur la tête : des fourmis qui vous piquent, des bestioles, des tiques, des poux… Je mettais aussi des gants parce que, dans la jungle, tout vous pique. Chaque fois que vous vous raccrochez à quelque chose pour ne pas tomber, ça vous pique. Vous avez mis la main sur une tarentule, sur une épine, sur une feuille qui pique… C'est un monde absolument hostile. Avec des animaux dangereux, dont le plus dangereux était l'homme[2]. »

Celle qui craignait de ne pouvoir tout dire trouve les mots pour dépeindre l'enfer. Le bonheur d'être en vie,

---

1. *Lettres à maman par-delà l'enfer*, *op. cit.*, p. 14.
2. Cité par Alexandre Duyck, « 2 321 jours dans l'enfer vert », *Le Journal du dimanche*, 6 juillet 2008, p. 6.

sûrement, la rend loquace. À demi-mot seulement. En creux, se devine l'indicible d'une vie de six années et demie régie par l'humiliation permanente : « J'ai vécu des situations particulièrement atroces, dont, comment vous dire, le souvenir m'est physiquement désagréable. Je me suis demandé, ces derniers jours, depuis ma libération, pourquoi je n'arrivais pas à en parler, pourquoi je ne voulais pas en parler non plus, de façon précise. Je crois que la pudeur peut l'expliquer, l'orgueil aussi. Parler de ces situations humiliantes que j'ai vécues me salirait encore... Je veux tout laisser derrière. C'est enterré dans la jungle, c'est là qu'il faut que cela reste[1]. » Le mystère demeure. L'anamnèse reste à faire.

Une journée en enfer

Pourtant, à la relecture de la lettre écrite à sa mère, au fil des interviews, aussi, qu'elle donne à *El Tiempo*[2] et à *El País*[3], on peut sans peine reconstituer l'horreur des jours passés dans la forêt amazonienne – et des nuits, qui tombent avant 18 heures.

Au début de sa captivité, Ingrid dort avec une moustiquaire, sur une paillasse de branches et de feuilles, abritée sous une toile de tente « qui fait office de toit et me permet de penser que j'ai une maison[4] ». Mais très vite, elle ne supporte plus ces lits d'infortune, auxquels elle préfère un hamac tendu entre deux piquets. « Il est vrai que, malgré les feuilles de palme, on s'en levait moulu, avec des douleurs dans tout le corps et la

1. « J'ai enterré mon cauchemar dans la jungle », *Elle, op. cit.*, p. 8.
2. www.eltiempo.com/archivo/documento/MAM-3003779
3. www.elpais.com/audios/internacional/Entrevista/Ingrid/Betancourt/Ventana/elpaudint/20080703csrcsrint_10/Aes/
4. *Lettres à maman par-delà l'enfer*, *op. cit.*, p. 19.

colonne vertébrale en compote[1] », reconnaît John Pinchao.

Mark Gonsalves, un des otages américains libérés avec Ingrid, a dessiné dans un cahier le plan de sa maison. Tous les matins, pour se sentir plus proche des siens, il en parcourait du doigt toutes les pièces. Sitôt debout, il se rendait dans la chambre de ses enfants, puis rejoignait la cuisine où il prenait le petit déjeuner avec sa femme, avant d'aller fumer une cigarette dans le jardin. Une carte du Tendre bien difficile à se figurer dans l'enclos des prisonniers, où Ingrid dort et vit. Un périmètre de dix mètres sur dix, délimité par une clôture, de celles que les paysans fabriquent pour parquer les porcs. Le quotidien devient parcours du combattant. Une vie de chien plutôt, au-delà – en deçà ? – de l'humain. « Je n'aurais pas fait subir le traitement que j'ai reçu à un animal, souligne Ingrid. Même pas à une plante[2]. » Des chaînes en guise de laisses, il arrive souvent que les captifs de la jungle passent la nuit attachés à un arbre.

Si la chaleur moite des jours est insupportable, le froid des nuits tropicales l'est tout autant. Ingrid se recroqueville sous la veste qu'elle a pu sauver. Réveil vers 4 ou 5 heures, au lever du jour, après une très mauvaise nuit ou au contraire un sommeil de plomb, dans lequel on fuit un temps les affres du quotidien. Ingrid récite le rosaire. Elle a ensuite droit à un café ou à un bouillon. Puis les prisonniers écoutent à la radio les messages envoyés par leurs proches. Moment précieux.

Il faut ensuite faire la queue pour aller aux toilettes. Après s'être lavé, il faut se rhabiller prestement pour éviter que des insectes ne se glissent dans les vêtements,

1. F. Pinchao, *Évadé de l'enfer*, *op. cit.*, p. 279.
2. Cité par Alexandre Duyck, « 2 321 jours dans l'enfer vert », *Le Journal du dimanche*, *op. cit.*

notamment les *hallanavés*, des fourmis géantes dont les piqûres sont aussi dangereuses que celles du scorpion. Faire vite, très vite, aussi, pour éviter les regards indiscrets. Dans les derniers mois de sa captivité, Ingrid était la seule femme du groupe. Elle refuse de se déshabiller pour faire sa toilette : « On se lavait dans la rivière, dans une sorte d'anse. Les hommes, ça leur prenait dix minutes, mais moi, au bout de vingt-cinq minutes, je n'avais toujours pas fini. Me laver les cheveux tournait au cauchemar. Je me faisais hurler dessus par les gardes qui faisaient tout pour m'humilier[1]. » Au sortir du bain, ses habits sont trempés. Les porter est une torture supplémentaire.

À déjeuner, des lentilles, des haricots ou du riz blanc, le « riz civil ». Ou encore des lentilles revenues dans de l'huile avec des pâtes, ce que les geôliers appellent le « riz guérillero ». La viande est une denrée rare, à moins d'apprécier le serpent ou le ragoût de singe. Ingrid s'y refuse, en souvenir de Cristina, un bébé singe baptisé du nom de la guérillera à laquelle il appartenait en titre. Ingrid l'avait sauvé d'une mort certaine en le badigeonnant d'une poudre antiseptique. À la longue, elle avait fini par l'apprivoiser. Un jour, inquiète de ne pas avoir revu l'animal qu'on lui avait enlevé, elle apprend de la bouche de son gardien que Cristina est morte et qu'elle n'a plus à se faire de souci. Sa dépouille a servi de repas aux chiens du commandant. L'histoire pourrait faire sourire, si elle ne traduisait pas, en biais, l'inhumanité des FARC. « On se disait : "Mais on est vraiment dans *La Planète des singes* !" Ces singes qui possèdent une certaine technologie dans un contexte préhistorique, eh bien, c'était exactement cela, la jungle ! Ces gars [*les FARC*] qui

1. « J'ai enterré mon cauchemar dans la jungle », *Elle, op. cit.*

peuvent arriver un jour avec un ordinateur construisaient leur habitat avec des machettes. Il n'y a pas d'eau, il n'y a pas d'électricité, il n'y a pas de lits, il n'y a rien. Tous les points de repère que l'on a sont perdus. Les codes "humains" aussi disparaissent[1]... »

Le déroulement tragique des jours n'est troublé que lorsque les guérilleros décident de changer de campement. Le survol d'un hélicoptère suffit à précipiter un déménagement d'urgence. Tout doit être toujours prêt pour que l'on puisse partir en courant. Pieds nus, si les gardes en ont décidé ainsi. Alors, il faut faire son paquetage en toute hâte. Les habits, le hamac, la moustiquaire, les effets personnels : surtout, prendre garde à ne rien oublier. Dans la jungle, le peu dont on dispose est précieux. Les gestes les plus banals doivent s'accomplir sous une pression de tous les instants, ce qui exige une concentration extrême et une maîtrise de soi à toute épreuve. « Ces moments sont particulièrement difficiles pour moi, écrit Ingrid à sa mère. Mes mains deviennent moites, mon esprit s'embrume, je finis par faire les choses deux fois plus lentement qu'à la normale[2]. »

Si, à l'approche de l'armée, on n'a pas remballé toutes ses affaires et évacué le périmètre du camp en cinq minutes, les guérilleros tuent les prisonniers. Ils en ont l'ordre : en cas d'affrontement avec les militaires, les premières balles tirées sont pour les otages. Pas question de mettre en péril leur propre vie ! Ingrid le sait, marquée au fer rouge par le massacre d'Urrao : « Leur plan était le suivant : si le camp n'était pas évacué dans les temps, ils nous tuaient, nous laissaient, ils fuyaient et l'armée ramassait nos cadavres. C'est d'ailleurs ce qui est arrivé lors d'affrontements entre

1. *Ibid.*
2. *Lettres à maman par-delà l'enfer*, *op. cit.*, p. 20.

l'armée et des groupes de FARC qui détenaient d'autres otages[1]. »

Mortelles randonnées

« "Marche ! Allez, plus vite !" À ce moment-là, tout est votre ennemi, tout est dangereux, tout est contre vous[2]. » Il n'y a que Dieu pour permettre à Ingrid de continuer à avancer dans la jungle enchevêtrée. Dix à douze heures de marche par jour. Trois cents kilomètres à pied par an. Deux mille kilomètres en six ans et demi de captivité... Ces marches sont un calvaire, comme Ingrid l'écrit à sa mère, en décembre 2007 : « Mon équipement est très lourd et j'arrive à peine à le porter. Parfois, les guérilleros me prennent certaines choses pour en alléger le poids, mais me laissent "les pots", c'est-à-dire ce qui est nécessaire à notre toilette et qui est le plus lourd[3] . »

Les déplacements dans la forêt colombienne sont extrêmement pénibles. Un imbroglio végétal de lianes et d'arbres. L'enracinement des arbres est superficiel et la chute d'un grand solitaire entraîne souvent celle d'autres arbres des strates inférieures, achevant de rendre le voisinage du sol inextricable. On doit marcher au pas pour ne pas trébucher. Il faut contourner des marécages, escalader des troncs, se dégager des mousses, éviter de glisser sur un sol toujours détrempé, couper des lianes et des herbes. Les branches giflent le visage des marcheurs, les ronces arrachent leurs vêtements, les insectes dévorent leur peau. On progresse sans savoir où l'on va, qu'il pleuve ou qu'il vente.

---

1. « J'ai enterré mon cauchemar dans la jungle », *op. cit.*
2. Cité par A. Duyck, « 2 321 jours dans l'enfer vert », *op. cit.*
3. *Lettres à maman par-delà l'enfer*, *op. cit.*, p. 20.

Difficile de s'orienter : en journée, le soleil est caché par la couverture végétale ; la nuit, les étoiles ne sont pas identifiables. Ces périples dans la jungle sont d'autant plus éprouvants que l'atmosphère chaude et humide ne se prête pas aux efforts physiques. En outre, il faut souvent marcher sous la menace des fusils des geôliers. Parfois, les otages sont attachés les uns aux autres par une corde passée autour de la nuque et sous les bras. Que l'un d'entre eux soit tenté de prendre ses jambes à son cou, il étrangle l'autre. Les jours de pluie, il faut se garder de ne pas glisser dans la boue, au risque d'entraîner dans sa chute son « compagnon de chaîne ».

Au début de l'automne 2004, les otages entament une marche de quarante jours. « La longue marche », comme ils l'ont tous désignée, destinée à les conduire plus avant dans la jungle, avant d'être divisés par petits groupes. Ingrid souffre d'hépatite, mais Martín Sombra, le vieux commandant des FARC – qui sera arrêté en février 2008 –, refuse qu'elle soit aidée. Il exige qu'Ingrid marche et porte son lourd équipement. Un calvaire...

Ingrid et les Américains progressent en tête. Au fil des jours, les marches deviennent exténuantes. On se débarrasse de tout ce qui n'est pas indispensable à la survie : matelas, livres, cahiers, habits de rechange, et même les affaires de toilette. Dans la jungle, chaque gramme pèse une tonne. Certains otages sombrent. En faisant de l'exercice, le lieutenant Malagón s'est blessé à une jambe. Il pense pouvoir supporter la douleur, mais sa jambe a enflé. Le colonel Mendieta, lui aussi, est à bout de forces : « Pendant les marches, mes pieds enflèrent. Au début de la maladie, je marchais avec un bâton qui me servait de canne, écrit-il à famille. Les marches se suivaient et je continuais à m'affaiblir, je boitais, ensuite j'ai dû marcher avec des fourches qui faisaient office de béquilles ; quels voyages pénibles, avec les difficultés de la jungle, la pluie, les bestioles, jusqu'à une nuit où je suis arrivé à un endroit et le lendemain, impossible de me lever pour marcher[1]. »

Malagón et Mendieta ne peuvent plus avancer. Ingrid non plus, terrassée par la maladie. Elle est finalement portée sur le dos d'un guérillero. Mais les mouvements brusques de l'homme aggravent son état. Les guérilleros décident alors de la transporter dans un hamac attaché à des bâtons, qui fait office de brancard. Malgré leur habileté à se déplacer dans la jungle, il arrive aux guérilleros de la cogner contre les arbres. Quand il pleut, Ingrid finit la journée trempée de la tête aux pieds. Elle n'avale plus rien, ou presque. Pinchao et le caporal Forero, qui portent l'« intendance », ont l'idée de piocher dans le stock de sucre et de lait condensé pour qu'elle se nourrisse.

Quand enfin, épuisé et affamé, on arrive à un endroit où le bois manque pour établir le campement et construire des latrines, il faut encore se rebeller. Menacer de ne plus porter l'intendance, qui pèse lourd : le riz, les lentilles, les pâtes, l'huile, le lait en poudre, le sucre, le sel, les haricots… Et tant pis si l'on meurt de faim : on est presque mort déjà.

Ingrid, la rebelle de la jungle

À première vue, les conditions de détention d'Ingrid Betancourt ne diffèrent pas de celles des autres otages, qui ont pu témoigner de leur captivité. Les guérillas colombiennes retiennent près de trois mille otages, civils et militaires confondus. Mille neuf cents d'entre eux sont aux mains des FARC.

1. www.agirpouringrid.com/La-bouleversante-lettre-du-Colonel.html

Tous les témoignages d'otages concordent, qu'ils aient réchappé de l'enfer de la jungle ou qu'ils y croupissent encore. Dans les cassettes vidéo envoyées sporadiquement aux familles, des bouches d'ombre clament leur détresse : « On m'oblige à marcher dans la jungle les pieds enchaînés, comme au temps de l'esclavage. C'est très humiliant », dit un soldat filmé. « Depuis que je suis en captivité, la Colombie a connu trois présidents différents. J'étais ici lorsque j'ai appris la mort de mes grands-parents et celle de mes parents. Depuis mon enlèvement, je souffre de savoir que mes enfants grandissent, privés de la tendresse d'un père[1] », témoigne un autre.

À écouter les otages libérés, comment s'empêcher de penser aux supplices endurés par ceux qui sont encore séquestrés ? « On m'a enfermé dans une cage, en pleine jungle, pendant trois ans », raconte l'un. « Nous buvions l'eau de cuisson du riz trois fois par jour. Parfois, quand tout allait bien, on nous faisait manger de la viande de singe », dit un autre. Un troisième raconte qu'il pleuvait toute la journée : « Nous étions trempés. Je rêvais du jour où je pourrais enfin revoir le soleil[2]. »

Du récit de John Pinchao au témoignage de Luis Eladio Perez, paru en mai 2008, en passant par la lettre du colonel Luis Mendieta, les accents tragiques de tels propos rappellent qu'aux mains des FARC tous sont logés à la même enseigne. Autant de déclarations poignantes pour dire la tragédie d'être privé de liberté dans un milieu hostile. Mêmes ingrédients d'une captivité qui tourne au cauchemar. Aussitôt après le rapt, les otages sont transférés dans une zone difficile d'accès, à l'abri de l'observation aérienne et des hélicoptères de

1. Cité par J. C. Lecompte, *Au nom d'Ingrid*, *op. cit.*, p. 180-181.
2. *Ibid.*, p. 182.

l'armée colombienne. Au sud et au sud-est du pays, aux confins de la frontière équatorienne.

Marches interminables, nuits blanches sous des abris de fortune, bains au regard de tous, maladie, promiscuité, tentation d'en finir. Martha Aristizábal, dans un témoignage publié en 2000, raconte : « Quand nous ne marchions pas, ils me maintenaient attachée à un poteau. Je n'ai jamais pu me laver dans l'intimité et je devais faire mes besoins devant eux. Moi qui ne me suis jamais déshabillée devant mes enfants, je devais le faire devant eux[1]. » Ingrid n'est pas Martha. Elle est dotée d'un caractère bien trempé, qui lui permet de faire face à l'adversité. John Pinchao est impressionné par son indignation et ses colères intactes. En captivité, Ingrid, qui refusait tout compromis avec la peur ou le renoncement, même quand ses tortionnaires l'enchaînaient à un arbre pour la punir d'avoir tenté de s'évader, était devenue, racontait-il, un modèle d'obstination et de courage pour les autres détenus. Selon Eladio Perez, son ami de la jungle, « Ingrid était rebelle en liberté, captive elle l'était demeurée[2] ».

« Traitements de faveur »

« Seule femme du groupe, Ingrid n'avait pas la vie facile », confie John Pinchao[3]. Malgré tout, Ingrid parle durement à ses geôliers et n'hésite pas à les affronter. Pour elle, ou par solidarité avec les siens. On lui interdit de s'aventurer trop loin dans la rivière ? Qu'à cela

1. Martha Aristizábal, *Cómo sobrevivir al secuestro*, Intermedio, Bogotá, 2000, cite par Jean-Jacques Kourliandsky, *Ingrid Betancourt. Par-delà les apparences*, Toute Latitude, 2008, p. 49.
2. Luis Eladio Perez, *7 años secuestrado por las FARC*, Aguilar, 2008, p. 139.
3. J. Pinchao, *Évadé de l'enfer*, *op. cit.*, p. 244.

ne tienne, elle nage là où l'eau est profonde. La nourriture est encore pire que d'habitude ? Elle s'unit avec les « politiques » et scande des slogans en chœur : « Nous avons quoi ? Faim ! Nous voulons quoi ? À manger[1] ! » Les chaînes pèsent trop lourd, à son cou comme à celui de ses camarades ? Elle négocie avec le commandant du camp pour qu'on les retire. De guerre lasse devant tant d'opiniâtreté, le geôlier finit par plier.

En retour, les guérilleros traitent Ingrid souvent plus mal que les autres prisonniers. Ils lui font payer sa résistance de mille humiliations. Qu'elle veuille aller aux toilettes la nuit, elle peut s'égosiller en vain : les gardiens ouvriront son cadenas quand il leur chantera. Et s'ils lui éclairent le chemin jusqu'aux latrines, il leur arrive d'éteindre la lampe torche ou d'en dévier le faisceau pour l'empêcher de voir où elle marche. Un soir, Ingrid trébuche sur un tronc d'arbre et s'enfonce une épine à la jointure du genou. Dans la nuit, son cri de douleur réveille tout le campement. « La blessure était assez profonde, se souvient John Pinchao : Ingrid a marché avec difficulté pendant un bon moment, en se déplaçant très lentement pour laisser cicatriser la plaie. Mais elle se rouvrait facilement et il lui a fallu un bon moment pour récupérer complètement[2]. »

Le sous-officier raconte en détail les brimades qu'elle essuyait. À l'approche de la saison des pluies, alors qu'ils redoutent de se retrouver une fois de plus dans la gadoue, les otages décident de constituer des chemins en pierre pour échapper au bourbier. Ils demandent aux gardiens l'autorisation de ramasser des petits cailloux blancs qui abondent sur le lit de la rivière. Sous étroite surveillance, ils remontent les cailloux au campement dans des sacs en toile de jute,

---

1. *Ibid.*, p. 168.
2. *Ibid.*, p. 250.

pour commencer les travaux : « Nous posions d'abord des traverses de bois, puis remplissions les espaces de pierres, raconte Pinchao. Ça commençait à avoir de l'allure. Après quelques jours, Ingrid a voulu aménager son abri et les guérilleros lui ont permis d'aller chercher d'autres pierres. Ils l'ont regardée sans rien dire toute la journée, peiner sous son sac plein à craquer. Le lendemain, ils donnaient l'ordre de lever le camp[1]... »

D'autres regards sont plus gênants : « Il y a de temps en temps des regards d'hommes totalement insupportables. J'ai passé beaucoup de temps à essayer de me protéger », avoue Ingrid au lendemain de sa libération[2]. Pour qu'elle puisse se laver dans la rivière à l'abri des coups d'œil indiscrets, les gardes lui ont bien construit un bâtiment, avec une bâche tendue sur des piquets, mais ils ne l'ont fermé que du côté du campement. Un jour, Ingrid surprend le jeune « Mono Liso » en train de l'épier. Une autre fois, dans le camp de Caño Caribe, une dispute éclate entre « Pata Grande » et Ingrid, parce qu'il a commencé à démonter son abri pour en récupérer les planches et construire un chemin qui permettrait d'aller et venir sans marcher dans la boue. Elle est furieuse. Pourquoi s'en prend-on toujours à elle ? Le gardien, de son côté, hurle qu'il ne peut plus la supporter : « Vous n'avez qu'à aller vous plaindre au gouvernement, si ça vous chante[3] ! » Dans la jungle, les bruits portent loin ; l'altercation parvient aux oreilles de « Gafas ». Après avoir discuté avec Ingrid, il en retire la garde à « Pata Grande » : le guérillero l'avait suivie aux toilettes et avait tenté d'abuser d'elle. Pour s'en débarrasser, elle l'avait giflé. Il s'était vengé sur son abri...

---

1. *Ibid.*, p. 245.
2. « J'ai enterré mon cauchemar dans la jungle », *op. cit.*, p. 10.
3. J. Pinchao, *Évadé de l'enfer*, *op. cit.*, p. 232.

En mars 2008, une note de communication interne à la guérilla est rendue publique par les autorités colombiennes. Destiné à « tous les membres du secrétariat des FARC », ce communiqué aurait été retrouvé dans l'ordinateur de Raúl Reyes, présenté comme l'auteur de ces lignes : « Pour autant que je sache, cette femme [*Ingrid Betancourt*] est d'un tempérament volcanique, elle est grossière et provocatrice avec les guérilleros chargés de s'occuper d'elle. » Reyes accuse également l'otage franco-colombienne de manipuler l'opinion : « Comme elle s'y connaît en images et sémiologie, elle les utilise pour dénigrer les FARC. » Une référence à peine voilée à la dernière vidéo d'Ingrid Betancourt, diffusée le 30 novembre 2007, la montrant à bout de forces. À l'époque, le comité de soutien d'Ingrid n'avait pas douté de l'authenticité de ce document, saluant en ces termes la résistance de l'otage : « Ingrid est une armée à elle toute seule. »

La pire ennemie des FARC ?

« J'étais l'ennemie car je ne faisais pas partie de leur club, prétend Ingrid. Ils me détestaient plus que les autres. Pour eux, sans compter le fait d'être une femme, j'étais le symbole de tout ce qu'ils haïssaient : l'oligarchie, mais aussi le fait d'être française et colombienne. J'avais la possibilité d'accéder à un monde qui leur était interdit, de posséder une culture qui les dépassait, de parler une autre langue qu'eux, d'être allée à l'université. Pour eux, tout cela était un luxe dont, d'ailleurs, ils rêvaient probablement[1]. »

Sans doute y a-t-il à l'origine des tensions entre Ingrid et ses gardiens, « une sorte de lutte de classes »,

1. Cité par M. Peyrard, *Paris-Match*, *op. cit.*

selon Eladio Perez, « tant et si bien que l'enfer de la captivité est devenu encore plus intense pour Ingrid[1] ». Les gardiens se moquent de sa piété, lui refusent la lecture. Elle, de son côté, n'a de cesse de vouloir continuer à apprendre : « Cela fait trois ans que je demande un dictionnaire encyclopédique pour lire quelque chose, apprendre quelque chose, maintenir vive la curiosité intellectuelle. Je continue à espérer qu'au moins par compassion ils m'en procureront un, mais il vaut mieux ne pas y penser[2]. »

Elle écoute la radio, RFI ou la BBC, elle écrit un peu, mais quand les cahiers s'accumulent, elle est obligée d'en brûler certains, trop lourds dans son paquetage. « Eux me traitaient en ennemie, sans jamais le moindre geste de compassion, le moindre respect. Leur discours a été immuable : "Nous sommes l'armée des pauvres. Ce que nous faisons, c'est pour le bien du pays. Dans cette histoire, nous sommes les bons." Ils n'étaient absolument pas au courant de ce que je défendais : ma lutte contre la corruption, pour la justice sociale, tout ce qui est essentiel dans mon action politique. Pour eux, toutes les personnes qui ne militent pas au sein des FARC sont des ennemis[3]. »

Enlever une responsable politique indépendante, qui, de surcroît, a dénoncé la corruption administrative et politique, affronté les partis politiques et affirmé une volonté de dialogue semblait *a priori* incompréhensible. « L'offre politique dans laquelle s'était inscrite Ingrid Betancourt était large : elle incluait à la fois la défense des minorités et la reconnaissance de leur droit devant la justice [...]. Mais il faut comprendre que nous sommes en guerre et que, dans un tel contexte, le

---

1. L. E. Perez, *7 años secuestrado por las FARC*, *op. cit.*, p. 132.
2. *Lettres à maman par-delà l'enfer*, *op. cit.*, p. 17.
3. Cité par M. Peyrard, *Paris-Match*, *op. cit.*, p. 69.

compromis n'existe plus[1]. » Ces mots sont ceux d'un membre des FARC, Esteban Ávila. Cadre du bloc sud établi dans la région de Florencia, il a rejoint très jeune la guérilla marxiste, par conviction politique. Il est né dans le nord-est de la Colombie, le 22 juillet 1957. Comme beaucoup des responsables des FARC, il a longtemps refusé de donner son âge exact. Non par coquetterie, mais par mesure de sécurité, pour mieux brouiller les pistes. En 2007, il a été fait prisonnier par l'armée colombienne dans la région de Quindio, dans le cadre des opérations du plan Patriote[2]. Arrêté à un barrage à l'entrée de Cajamarca, il est aujourd'hui incarcéré à la prison Picalena, près d'Ibagué. Condamné à vingt ans de prison pour terrorisme, il espère faire partie des guérilleros qui seront un jour échangés contre les otages détenus par les FARC. En attendant, il partage sa cellule avec Arnoldo, un faussaire en billets de loterie, et El Pituf, un voleur de téléphones portables.

Esteban peut d'autant mieux parler d'Ingrid qu'il l'a vue arriver au campement quelques jours après son enlèvement. En charge de la coordination de Fabián Ramírez avec l'état-major, il a longtemps obtenu des informations quasi quotidiennes sur Ingrid. Nul n'ignorait son programme politique, grâce à l'infiltration d'hommes dans son parti, diligentés par la guérilla. Le 26 novembre 2001, quand Ingrid inaugure à Bogotá le siège de sa campagne présidentielle, des observateurs se sont faufilés dans la foule rassemblée devant le bâtiment. « Elle se proposait de lutter contre la corruption et affirmait qu'il fallait favoriser une nouvelle pratique

1. P. Drouhaud, *FARC. Confessions d'un guérillero, op. cit.*, p. 132-133.

2. Le plan Patriote désigne l'offensive de l'armée colombienne appuyée par les États-Unis, lancée contre les FARC sous la présidence d'Álvaro Uribe (*cf.* p. 212 *sq*).

politique dans le cadre d'un contrat social rénové. Nous comprenions ce discours, mais, bien sûr, nos expériences et les voies proposées pour arriver à cette transformation n'étaient pas les mêmes[1]. »

D'après Esteban Ávila, Ingrid n'a jamais été considérée comme une menace, au contraire des militaires, dotés d'un solide sens de l'orientation et rompus aux pièges de la jungle. « Les militaires manient les armes. Ils connaissent les dispositifs militaires de la guérilla. Certains sont des experts en arts martiaux. Leurs mains constituent autant de menaces potentielles aux yeux des guérilleros. Ils savent s'en servir comme d'une arme : une main peut couper, étouffer, construire, transformer un environnement hostile[2]. »

Pourtant, Ingrid a très vite appris à connaître les pièges de la forêt. De nuit, elle est capable de distinguer parfaitement les objets, les obstacles et de mesurer les distances. Au terme de plusieurs années de détention, elle a appris à sentir la présence des serpents et à échapper aux hordes de *congas*, ces fourmis au venin assassin, dont la morsure fait doubler un bras en moins de temps qu'il n'en faut pour comprendre qu'on a été piqué. Elle ne se heurte plus, comme aux premiers mois de sa détention, aux branches des arbres qui longent les sentiers. Elle sait différencier les multiples variétés de plantes, celles qui sont épicées et urticantes, celles qui possèdent des vertus curatives. « Parce qu'elle avait appris à se déplacer dans la forêt et à s'accommoder à un mode de vie difficile, nous avions du respect pour cette femme[3] », reconnaît Esteban. Eladio Perez est lui aussi formel. Les guérilleros

---

1. P. Drouhaud, *FARC. Confessions d'un guérillero*, *op. cit.*, p. 123-124.
2. *Ibid.*, p. 167.
3. *Ibid.*, p. 168.

respectaient Ingrid tant pour sa résistance physique que pour son tempérament : « Elle se faisait toujours respecter. Il y eut un officier qui voulut lui toucher les fesses, elle l'a quasiment assommé d'un coup de pied. Elle ne laissait personne lui manquer de respect[1]. »

La jalousie, ce monstre aux yeux verts

« Ingrid Betancourt est une personne qui provoque la jalousie. Une fois, elle m'a raconté que ça faisait partie de son karma depuis le collège et que ça l'avait poursuivie à l'université, dans sa vie professionnelle et même jusque dans la vie politique[2] », se souvient Luis Eladio Perez. Douée, en plus d'être belle, elle a reçu une éducation parfaite qui a lui a permis d'accéder à une position sociale confortable. Son endurance physique force l'admiration de ses geôliers, qu'elle double à la course. Des pompes, des abdominaux – cinq cents par jour – la rendent presque imbattable. « Là-bas, j'ai dû apprendre à vivre comme un homme, confie-t-elle à Michel Peyrard, qui s'étonne de la force de son étreinte quand il la retrouve à son retour à Bogotá[3].

Au sein des FARC, Ingrid agace. Pas seulement les guérilleros, mais les guérilleras, qui ne supportent pas qu'elle reçoive du gardien des crèmes solaires, des onguents pour le visage et le corps ! « Elle demandait tous ces produits pour ne pas se détériorer et se maintenir dans la meilleure forme possible », raconte Luis Eladio[4].

Ingrid s'entend très bien avec « Mono Jojoy ». Ils s'embrassent quand le chef FARC vient en tournée

1. L. E. Perez, *7 años secuestrado por las FARC*, *op. cit.*, p. 122.
2. *Ibid.*, p. 119.
3. Cité par M. Peyrard, *Paris-Match*, *op. cit.*
4. L. E. Perez, *7 años secuestrado por las FARC*, *op. cit.*, p. 121.

d'inspection, elle lui montre les perfectionnements apportés à l'instrument qu'elle a fabriqué pour faire ses exercices physiques. Pour lui faire plaisir, il l'essaie...

Un jour que les otages écoutent « La Luciérnaga », une émission très populaire en Colombie, ils entendent qu'Ingrid serait la maîtresse d'Alfonso Cano ! L'intéressée s'indigne : elle n'a jamais rencontré le chef FARC ! En revanche, elle connaît la présentatrice de l'émission, Alexandra Montoya, que sa mère Yolanda avait recueillie, enfant, dans son « auberge des enfants ».

Une autre rumeur veut qu'Ingrid aurait rejoint la guérilla et qu'on l'aurait filmée un pistolet à la main ! Allégation insensée, bien sûr. Toutefois, si Ingrid réprouve les méthodes des FARC, elle s'efforce, durant sa captivité, de comprendre leurs motivations. « Elle a toujours essayé de comprendre, de convaincre, de s'impliquer, jure Esteban Ávila. Elle voulait prendre toute la mesure de la situation qui la touchait. C'est une femme de conviction et de foi. [...] J'ai toujours été frappé par son amour de la vie, la force qui l'anime. C'est une battante. Elle sait s'obstiner, s'adapter, apprendre de ceux avec qui elle est en contact[1]. »

Dans cet univers rude, où la stratégie de guerre ne laisse aucune place aux sentiments, où la lutte armée oblige chaque guérillero à vivre avec l'idée de la mort pour unique compagne, Ingrid n'aura baissé que très rarement les bras. « Ingrid parle avec nous, réfléchit, se projette malgré tout dans l'avenir, ajoute Esteban. Bien sûr, il y a des hauts et des bas. Certains jours, l'espoir est là, la force et la conviction d'être utile à la Colombie l'animent. D'autres jours, rien ne va. Elle est triste et sans énergie. Le désespoir rôde[2]. »

---

1. P. Drouhaud, *FARC. Confessions d'un guérillero*, *op. cit.*, p. 165 et p. 168.
2. *Ibid.*, p. 167.

La fille de l'air

À chaque nouvelle humiliation, Ingrid nourrit l'espoir de s'évader, malgré les rigueurs de la forêt. Chaque fois, ses tentatives d'évasion manquées lui valent d'être placée sous une surveillance plus étroite encore. L'évasion, une planche de salut ? « Oui, répond Ingrid. C'était ce qui me permettait d'accepter de vivre une semaine de plus. Je me disais : "D'accord, une semaine de plus, mais demain[1]..." »

Ingrid est passée maîtresse en matière d'évasion. Cinq fois ! Mais la jungle est si éprouvante... La première fois, c'était avec Clara Rojas, moins d'un mois après leur enlèvement. La liberté n'a duré que quelques heures. « J'étais partie sans rien du campement, se souvient Ingrid. Après quelques kilomètres, je me suis rendu compte que je ne connaissais rien de la jungle. J'ignorais absolument comment y survivre. J'avais même peur de boire de l'eau de la rivière, c'est te dire mes chances de réussite[2] ! »

Leur deuxième tentative d'évasion, en pleine nuit, a échoué. Les deux femmes se sont perdues dans l'obscurité. Au retour dans le camp, elles se sont disputées, raconte Clara, s'attribuant mutuellement l'échec de leur évasion. Mais Ingrid ne s'avoue pas vaincue pour autant : « À chacune de mes évasions, j'apprenais quelque chose, sur moi, sur la survie, sur ce dont j'avais besoin pour la prochaine fois[3]. »

La tentative d'évasion la plus aboutie fut sans conteste la dernière, avec Luis Eladio Perez. Cette fois,

---

1. Cité par M. Peyrard, *Paris-Match*, *op. cit.*
2. *Ibid.*
3. *Ibid.*

peu s'en fallut que la liberté ne fût au bout du chemin... Les gardes étaient occupés à construire un enclos de barbelés. Ils avaient déjà monté un campement, doté d'un confort rudimentaire. Une réserve d'eau alimentée par une pompe à moteur, des latrines en devenir, fixées sur une base en bois. Régulièrement, les guérilleros organisaient des simulations d'évacuation, en cas d'incursion de l'armée. Ils avaient construit un pont au ras de l'eau, presque indétectable, pour traverser la rivière qui passait près du camp et débouchait – à en croire John Pinchao – dans le Vaupés. Voyant que les guérilleros sont sur le point d'achever l'enclos, Ingrid n'y tient plus. Il faut fuir cette prison. À la tombée du jour, elle s'en ira avec Luis Eladio !

Cette nuit-là, il fait sombre. Les guérilleros effectuent leur tour de garde, comme à l'accoutumée. Tout est calme dans le campement. Les otages dorment enchaînés par le poignet. L'homme de la relève, censé passer en revue ses compagnons, s'arrête même à leur poste de surveillance pour bavarder. Quand le jour se lève après l'averse, il manque deux paires de bottes devant les abris : celles d'Amaón et d'Arteaga. Un gardien a dû les emprunter pour aller pêcher. On ne s'inquiète pas. De même, quand un guérillero rapporte à Ingrid la radio qu'il lui a empruntée et n'obtient pas de réponse à son appel, il se contente de la déposer au pied de son abri. C'est seulement à l'heure du déjeuner, lorsque l'on compte les prisonniers, que l'absence de Luis Eladio Perez et d'Ingrid est remarquée. On court à leur abri, où l'on retrouve les bottes d'Amaón et d'Arteaga. Personne !

L'alerte est donnée. En toute hâte, les guérilleros achèvent l'enclos et confisquent les bottes des autres otages. Certains ne croient pas à l'évasion. Depuis quelque temps circule en effet la rumeur d'une prochaine libération d'Ingrid. N'a-t-elle pas été relâchée ?

Mais non, Ingrid et Luis Eladio ont bel et bien pris la poudre d'escampette ! Plusieurs otages prient pour qu'on les retrouve, de peur des représailles. Pinchao, lui, ne désire qu'une chose : que ses amis recouvrent la liberté. Une lueur d'espoir pour tous ceux qui restent prisonniers de leurs chaînes.

Les tours de garde des gardiens, habituellement de deux heures, passent à six heures. Le camp est déserté. Tous les guérilleros sont partis à la recherche des fugitifs. D'abord aux alentours du campement, où l'on passe la rivière au peigne fin. Arturo, le commandant qui s'est occupé du groupe après Martín Sombra, vient aux nouvelles et inspecte le campement de fond en comble. Tous les jours, les guérilleros se rendent dans la jungle où ils hurlent le nom d'Ingrid et de Luis Eladio. En vain. De l'autre côté de la rivière, rien non plus. Et, s'ils croient les entendre, ils reviennent au bout de plusieurs heures de marche harassante en ayant fait chou blanc. Les guérilleros commencent à craindre pour leur vie : ne dit-on pas que ceux qui auront laissé s'échapper Ingrid seront tués ?

« Au bout de cinq jours, se souvient John Pinchao, nous avons entendu Castellanos s'interrompre tout d'un coup et lancer : "Bonjour, madame ! Alors, cette promenade, ça s'est bien passé[1] ?" » Les otages ne prêtent d'abord aucune attention au gardien, connu pour son goût de la plaisanterie. Et pourtant ! Encadrés par les guérilleros, Ingrid et Luis Eladio, le visage creusé par la fatigue, ont été rattrapés ! Amaigris et exténués, ils ne touchent pas au repas que les guérilleros leur ont préparé. L'échec leur a coupé l'appétit. Que s'est-il passé pour qu'ils échouent si près du but ? Luis Eladio a commencé par se sentir mal. Puis leur réserve de nourriture s'est épuisée. Ils ont alors cherché de l'aide,

1. Cité par J. Pinchao, *Évadé de l'enfer*, *op. cit.*, p. 235-236.

ont hélé un pêcheur qui passait dans un canot. Fatale méprise : c'était un guérillero ! « Montez, fils de pute », leur a-t-on crié en guise de bienvenue.

« Quand je revis ces moments, c'est si intense ! Nous étions si près de la liberté, se souvient Ingrid. Dans la jungle, seuls… Le fait de ne plus avoir de gardes suffisait à nous enchanter ! Nous avions dormi à la belle étoile. L'espace d'une semaine, nous avons réappris à vivre[1]… » En une semaine, dans le Vaupés, à quelques kilomètres de Mitu, la capitale du département, tout était possible. Si Luis Eladio et Ingrid savaient à peu près où ils se trouvaient, jamais ils n'en ont eu la certitude. Sous prétexte d'expliquer le fonctionnement de son GPS à un guérillero, Ingrid était parvenue à établir l'emplacement du camp où ils se trouvaient, un peu plus haut que Mitu, près du fleuve Inirida. « Loin de tout, en fait. Dans la jungle, les distances sont doublées, raconte Ingrid. Marcher est excessivement dur. La stratégie que nous avions adoptée, avec Lucho, était de nous laisser porter par le courant pendant la nuit et de nous cacher la journée. On aurait pu rencontrer un village[2]. »

Les représailles ne se font pas attendre. Chaque fois un peu plus terribles. Lorsque Ingrid a été reprise avec Clara, les guérilleros ont placé des serpents, des tarentules et même une carcasse de félin dans leurs couchettes. Cette fois, Ingrid et Eladio passent trois jours debout, chaîne au cou, attachés à un arbre. À son habitude, Ingrid ne se laisse pas faire. Elle se démène tant et si bien que l'infirmière « Gira », vice-commandante du groupe, est obligée de venir prêter main-forte aux guérilleros. « C'est du viol ! », crie Ingrid, qui compte sur la solidarité féminine pour la sortir d'affaire. C'est au

1. Cité par M. Peyrard, *Paris-Match*, *op. cit.*
2. *Ibid.* Lucho est le surnom d'Eliado.

prix de maintes gesticulations que l'on vient à bout de sa résistance et que l'on parvient à la ligoter.

« Gravez bien cette image dans votre mémoire, répète Ingrid, vous ne l'oublierez jamais, vous allez le regretter toute votre vie[1]. » Les gardiens interdisent à Ingrid de parler aux autres détenus. Elle est enchaînée vingt-quatre heures sur vingt-quatre. Les conditions de détention se durcissent pour tous. Un jour qu'ils voyagent en canot et s'arrêtent au bord d'un affluent, les guérilleros attachent les otages. Lesquels, de jour comme de nuit, portent des chaînes qu'on ne leur retire que pour se laver.

Ingrid, quant à elle, est en quarantaine. Ses gardiens ne laissent personne l'approcher, ni même lui parler. « Une fois, se souvient Pinchao, alors qu'elle avait besoin de papier hygiénique, le guérillero Pipiolo, avec ses yeux de cochon, le lui a balancé par terre. Ils se conduisaient avec elle en véritables brutes[2]. » On interdit à Ingrid de parler l'anglais, puis toute autre langue. Si on lui ôte parfois ses chaînes, sa vie quotidienne, selon Pinchao, « est bourrée d'obstacles et d'interdictions ». « Il faut comprendre que, lorsqu'on perd la liberté, on perd aussi la possibilité d'agir dans les moindres détails, de satisfaire les besoins essentiels de la vie. Tout est sujet à demande. Aller aux toilettes, il faut demander la permission. Parler avec un gardien nécessite une permission. Parler avec un autre otage aussi. Écouter la radio : permission. Tu as besoin d'une brosse à dents, de dentifrice, de papier toilette : tout est sujet à négociation. S'ils sentent que vous résistez, ils ne vous donnent pas ce dont vous avez besoin[3]. »

---

1. J. Pinchao, *Évadé de l'enfer*, *op. cit.*, p. 236.
2. *Ibid.*, p. 239.
3. Cité par M. Peyrard, *Paris-Match*, *op. cit.*

Quand, le jour de son évasion, John Pinchao vient lui dire au revoir, il la trouve une fois de plus enchaînée, comme elle l'est en permanence depuis quelques jours, punie pour s'être levée de nuit, sans permission, afin d'aller aux toilettes. En l'apercevant debout dans le faisceau de sa lampe, le gardien, depuis sa guérite, l'avait couverte d'insultes. Le lendemain, l'attrapant par le col, Ingrid l'avait secoué, exigeant de lui plus de respect à l'avenir ! « J'ai une grande admiration pour Pinchao, écrit Ingrid à sa mère. Ce qu'il a réussi est héroïque. Un jour, si Dieu le veut, je le serrerai très fort dans mes bras, ce que je n'ai pas pu faire quand il s'est évadé du campement. Aide-le autant que tu peux. Surtout s'il a besoin de demander l'asile. Dis-lui combien je l'aime et que j'ai prié Dieu pour qu'il survive à son exploit[1]. »

Petits arrangements entre amis

Après l'évasion de John Pinchao, les conditions de détention des otages se détériorent encore. Les règles deviennent draconiennes. Pour Ingrid, c'est terrible : « Ils m'ont séparée de ceux avec qui je m'entendais le mieux, avec qui j'avais des affinités et pour qui j'éprouvais de l'affection, et ils m'ont mise dans un groupe humainement très difficile[2]. »

Les alentours des campements sont souvent minés, rendant suicidaire toute tentative d'évasion. Risque préférable, toutefois, à une mort lente aux mains des FARC, loin de ses enfants. « Toutes ces occasions perdues d'être leur maman empoisonnent mes moments

---

1. *Lettres à maman par-delà l'enfer, op. cit.*, p. 15.
2. *Ibid.*

d'infinie solitude, écrit Ingrid à Yolanda, c'est comme si on m'injectait du cyanure dans les veines, goutte à goutte[1]. »

Ingrid a-t-elle pensé à en finir ? Elle se refuse à en parler : « Il y a des moments où, pour mourir, tu as besoin d'autres personnes. Il y a parfois des choses que tu ne peux pas faire toute seule[2]. » Et, seule, Ingrid ne l'était pas. Même dans les pires moments.

À lire les premiers mots du livre de John Pinchao, dédié à Ingrid, on imagine sans peine la force des liens d'amitié tissés dans la jungle, meilleur gage de survie. John Pinchao, Luis Eladio Perez, Mark Gonsalves, William Perez, tous ces hommes qu'Ingrid appelle ses « frères » et qui, chacun à sa manière, lui ont un jour sauvé la vie. De leur côté, les otages libérés ont tous raconté la même chose : durant toutes ces années, Ingrid les a aidés, soutenus, fabriquant des vêtements pour les uns, remontant le moral des autres, alors même qu'elle était maltraitée. Son attitude, sa compassion, son courage ont laissé, d'après Michel Peyrard, « une empreinte indélébile dans leur mémoire[3] ». C'est elle qui apprend à nager à John Pinchao, qui a une peur bleue de l'eau. Tout comme Alan Jara, qui a séduit ses compagnons d'infortune par sa bonhomie et son sens de l'humour, Ingrid leur donne des cours d'anglais. De français aussi, à ceux qui le désirent, quand on ne lui interdit pas de parler avec les autres otages.

Inversement, quand Ingrid ne parvient pas à capter les programmes à la radio, sur le poste obtenu la deuxième année de sa détention, ses compagnons se font techniciens et réussissent à rétablir les connexions

1. *Ibid.*, p. 16-17.
2. Cité par M. Peyrard, *Paris-Match, op. cit.*
3. *Ibid.*

avec un rien : « En brûlant le plastique d'un flacon de talc, ils parvenaient à souder, se souvient-elle. Ou encore, ils prolongeaient l'antenne avec des éponges en paille de fer. On défaisait le fil, on mettait une pile au bout pour faire du poids et on le lançait pour qu'il s'accroche au sommet des arbres. Cette astuce nous permettait d'avoir accès au ciel[1]. » Un ciel que certains, qui en ont assez de n'entendre parler que d'Ingrid aux informations, lui jalousent, aux dires de Luis Eladio Perez.

Dans le campement, l'ascendance sociale n'est pourtant pas un frein à l'amitié. C'est en toute confiance qu'Ingrid converse des heures entières avec John Pinchao. De ses enfants, de sa carrière politique, de ses rêves pour la Colombie. Les confessions, les discussions à bâtons rompus, les disputes – au sujet de la vie de tous les jours ou de la Bible – permettent aux otages de conserver leur humanité. « J'avais besoin de créer un espace de fraternité, dira Ingrid. J'ai toujours éprouvé le besoin de comprendre les autres. Les militaires, notamment, ont été ma famille pendant toutes ces années[2]. » Une famille de substitution, pour elle si loin de la sienne, qu'elle a su couver.

Si Ingrid a survécu grâce aux soins attentifs de William Perez, n'est-elle pas devenue à son tour l'infirmière de Luis Eladio, lorsqu'il souffrait de convulsions en raison d'un diabète chronique ? « Ingrid s'est dévouée corps et âme pour me tirer vers l'avant, raconte celui-ci. Elle s'est occupée de moi quand je ne pouvais pas faire un pas. Elle m'a permis de revivre[3]. » Il faut que l'otage franco-colombienne se

1. *Ibid.*
2. *Ibid.*
3. Cité par A. Duyck, « 2 321 jours dans l'enfer vert », *op. cit.*

soit montrée exemplaire durant sa captivité, pour avoir inspiré à John Pinchao d'aussi élogieuses paroles : « Ingrid fut ma lumière et mon chemin, mon guide dans l'obscurité[1]. »

D'autant que le sous-officier colombien n'hésite pas à pointer du doigt d'autres otages dépourvus de grandeur d'âme ! Dans toute épopée, il faut un traître, celui qui casse les rébellions et les solidarités. Lors de la grande marche de quarante jours, les otages se sont insurgés contre le traitement inique imposé par les FARC. Ils en avaient assez de transporter la nourriture des guérilleros et de manger moins qu'eux ! « FARC de merde ! », hurle l'Américain Mark Gonsalves. Puis, lorsque paraît le chef du campement, alerté par les clameurs des prisonniers, plusieurs otages se désolidarisent lâchement. Ce sont les mêmes qui, roublards, s'efforcent de porter moins de poids aux dépens de leurs camarades d'infortune. Le jugement de John Pinchao sur ces individus est sans appel : « Nous constations l'ampleur de l'égoïsme de certains de nos "compagnons". Dans ces circonstances extrêmes, nous comprenions à quel point "l'homme est un loup pour l'homme"[2]. »

La société des otages est une microsociété, avec ses héros, mais aussi ses collabos et ses délateurs. Ingrid, pourtant, ne veut juger personne. Ne s'est-elle pas livrée au trafic de cigarettes, alors qu'elle ne fume pas, en échange de médicaments, d'un flacon de talc ou d'une paire de ciseaux ? « Je ne peux faire de jugement de valeur sur ceux qui ont partagé cette vie atroce. Nous étions tous pris en otages, avec un fusil sur la nuque vingt-quatre heures sur vingt-quatre. Notre principale compagne, c'était la peur de la mort. Je

1. J. Pinchao, *Évadé de l'enfer*, *op. cit.*, p. 239.
2. *Ibid.*, p. 175.

ne jugerai aucun de mes camarades : je n'ai que de l'admiration pour eux. Nous avons tous eu des défaillances, moi incluse[1]. »

La dure « loi de la jungle » n'aura pas entamé l'humanisme d'Ingrid. Certains liens, pourtant, que l'on croyait forts, n'y auront pas survécu.

INGRID ET CLARA, OU L'AMITIÉ BLESSÉE

Yolanda Pulecio et Clara González de Rojas déjeunent souvent ensemble. C'est presque un rituel depuis que le destin de leurs filles les a unies. « Claraleti », comme la surnomme affectueusement sa mère Clara González, est au côté d'Ingrid ce jour fatal de février 2002. Et pour cause : depuis 1991, année à laquelle elles se rencontrent au ministère du Commerce extérieur, alors dirigé par l'actuel ministre de la Défense Juan Manuel Santos, elles ne se quittent plus. Avocate de formation, Clara Rojas a d'abord été conseillère de la sénatrice Betancourt, avant d'être la directrice de sa campagne présidentielle.

Ce samedi 25 mars 2006, *doña* Clara n'est donc pas étonnée d'être conviée à la table de Yolanda Pulecio, pas plus qu'elle n'est surprise d'y trouver, une fois n'est pas coutume, un troisième hôte, Jorge Enrique Botero, journaliste de télévision connu en Colombie pour ses chroniques sur le conflit. Directeur des informations de Telesur, le canal TV d'Hugo Chávez, il est surtout des plus intime avec les FARC, et le seul auquel le secrétariat de l'organisation ait permis d'enregistrer un documentaire sur les soldats et les policiers aux mains de la

1. *Ibid.*, p. 69.

guérilla. Botero a également pu s'entretenir longuement avec les trois otages américains[1]...

À table, les sujets ne manquent pas, comme toujours depuis quatre ans : la vie supposée des séquestrés dans les campements, la politique d'Uribe, la douleur de l'absence. Soudain, en pleine conversation, Botero fixe nerveusement la mère de Clara et lui dit : « *Doña* Clara, je dois vous annoncer quelque chose : Clarita a eu un fils. » *Doña* Clara, qui n'est qu'attente, tristesse et bonté, reste d'abord silencieuse. Depuis dix ans, elle vit à la campagne. La mort de son mari, représentant en pièces détachées, l'a laissée sans ressources. Dans sa maison d'Utica, à quatre heures de route de Bogotá, elle peut cultiver son jardin en toute tranquillité, malgré les guérilleros et les paramilitaires qui sévissent dans la région. Lorsque les radios annoncent l'enlèvement d'Ingrid et de sa fille, la vieille dame aux cheveux argentés, que l'on voit rarement au village, rentre précipitamment à Bogotá. Un fax lui confirme que Clara est prisonnière des FARC. Le lendemain, elle ne peut plus se lever. L'angoisse a eu raison de ses tendons et de ses muscles. « Claraleti » est la petite dernière de ses cinq enfants, la seule fille, la préférée... Depuis, à demi paralysée, Clara González a perdu tout espoir de redevenir elle-même.

Yolanda Pulecio et Jorge Enrique Botero comblent le silence comme ils peuvent. L'enfant est né deux ans plus tôt. C'est un garçon. L'accouchement a été difficile. Plusieurs minutes passent avant que *doña* Clara ne sorte de son mutisme. Les larmes aux yeux, d'une voix légèrement tremblante, elle dit : « Je ne peux que

1. Le 17 août 2003, le journaliste Jorge Enrique Botero avait obtenu des FARC une vidéo montrant une trentaine d'otages (policiers, militaires et politiciens) dont certains sont détenus depuis plus de cinq ans.

comprendre ma fille. Dans cette situation où elle s'est trouvée... seule... isolée... vulnérable... La seule chose que je peux lui dire, c'est que je la comprends plus que jamais[1]. »

Botero a autre chose à annoncer. Il travaille en secret depuis longtemps sur un projet. Un livre qui commencera à circuler dans une semaine, intitulé *Dernières nouvelles de la guerre*, dans lequel il raconte la naissance de l'enfant. Il voulait éviter que Clara Gonzales ne l'apprenne par des voies détournées. Le livre repose sur les témoignages de guérilleros, interviewés pendant les semaines passées dans les campements, pour les besoins de ses articles. Il en a écrit les premières pages en janvier 2004, après qu'un des commandants des FARC lui a raconté comment Clara Rojas avait donné naissance à un fils dans la forêt, dans des circonstances très difficiles. Une césarienne, à l'aide d'instruments de cuisine, mais en présence d'une sage-femme et d'une doctoresse, toutes deux enrôlées dans la guérilla. À cette occasion, il a eu une longue conversation avec Solangie, une jeune combattante qui a facilité l'accouchement. Mais avant de publier cette histoire, le journaliste veut en savoir davantage. Une année après, Raúl Reyes en personne la lui confirme. Convaincu de sa véracité, il se décide alors à la coucher sur papier. En dépit de l'émotion que son récit ne manquera pas de causer aux proches de Clara, et surtout à sa mère. Aujourd'hui, pour la première fois, il ose lui en faire l'aveu.

Doña Clara lui demande toutes ces choses que demande une mère. Botero la rassure : Clara n'a pas été violée, elle a consenti à cette relation. D'après le journaliste, Clara et son fils vivraient ensemble. En

1. www.educweb.org/webnews/ColNews-Avr06/French/Articles/_Simihijatuvounbebequiero.html

revanche, on ignore presque tout de l'identité du père. Vit-il auprès de Clara et de son fils ? Nul ne le sait. Selon le journaliste, le guérillero aurait été sanctionné durement, par Manuel Marulanda en personne. Les commandants n'auraient été informés de la grossesse de Clara que lorsqu'elle ne pouvait déjà plus être dissimulée, au bout de six mois. Le futur père aurait été séparé de Clara, conformément au règlement intérieur des FARC, qui sanctionne durement – jusqu'à la mort – les guérilleros qui nouent des relations intimes avec leurs prisonniers. Toutefois, bien que le récit de Botero se présente comme un témoignage, il demeure une fiction fondée sur des faits réels…

Idylle chez les guérilleros

Après cet éprouvant déjeuner, *doña* Clara, sereine, quitte Yolanda et Botero. Simple apparence. En réalité, elle est sous le choc. De retour dans le deux-pièces de sa fille, qu'elle habite depuis l'enlèvement, elle se retrouve seule face à une nouvelle réalité[1].

Pour l'heure, personne ne doit savoir. Pas même ses quatre fils. L'intimité de Clara est sacrée. Et puis, elle aussi a besoin de temps pour démêler ses sentiments contradictoires. Dans la nuit, elle a lu d'une traite le manuscrit de Botero. Si ce qu'il dit de la détention de « Claraleti » est vrai, elle est rassurée. Elle s'est inquiétée des longues marches auxquelles sa fille a été forcée

1. À Bogotá, les créanciers montrent les dents et menacent de saisir l'appartement de Clara, dont les traites n'ont pas été payées. Dans ce pays où l'enlèvement est devenu un fait de société, la loi oblige l'employeur à payer le salaire d'un employé séquestré. Mais Clara n'avait pas signé de contrat, et Oxígeno Verde, le parti d'Ingrid Betancourt, a cessé d'exister. Ironie du sort, c'est l'une des injustices contre laquelle Ingrid se battait avant d'être enlevée.

pendant sa grossesse, mais son angoisse s'est dissipée quand elle a lu qu'Ingrid l'accompagnait et l'aidait à chaque instant. Les otages étaient détenus dans des conditions acceptables, ils avaient suffisamment à manger et avaient accès aux soins médicaux et dentaires. L'accouchement a été assuré par un médecin. Quant aux « bombardements incessants » censés avoir troublé le travail de l'accouchée, ils relèvent, selon ses propres dires, de la fiction imaginée par Botero.

En cinq jours, *doña* Clara passe du choc à la douleur, de la douleur à la résignation, de la résignation à l'acceptation et, finalement, de l'acceptation à l'espoir. Claraleti, apprend-elle, n'est pas atteinte du syndrome de Stockholm, qui fait aimer le bourreau à sa victime. Un passage du livre raconte que Clarita et le père de l'enfant parlaient beaucoup entre eux, avant qu'ils ne sachent que la jeune femme était enceinte et qu'ils ne soient séparés. *Doña* Clara est également tranquillisée d'apprendre que, même dans des circonstances aussi dramatiques, pouvaient se nouer des relations humaines. Et que, malgré tout, des étincelles de solidarité existent au milieu de la guerre qui enflamme la Colombie. « En tant que mère, je comprends ma fille, déclare-t-elle au sortir de sa lecture. La seule chose que je demande, si ceci est la vérité, c'est que d'autres personnes aussi la comprennent. Toute femme souhaite avoir un fils. On espère toujours qu'il sera le fruit d'une relation stable. Ces circonstances n'ont pas été données à Clarita. Pour moi il est très difficile d'assimiler tout ceci en cinq jours. Pardonnez-moi si j'exprime mes idées de manière un peu décousue. Ce qui est arrivé est indubitablement un drame. Mais j'ai l'espoir que ce n'est pas une tragédie[1]. »

1. www.educweb.org/webnews/ColNews-Avr06/French/Articles/_Simihijatuvounbebequiero.html

En Colombie, où la révélation a passionné autant qu'elle a choqué, tout le monde ne voit pas l'affaire du même œil. Selon Claudia Llano, membre de la fondation País Libre, une organisation qui assiste les victimes d'enlèvement, des allégations comme celles de Botero ne servent qu'à produire une « double victimisation » des kidnappés. Toutes ces spéculations les transforment en objets de reproche et font le jeu de leurs ravisseurs. Qui est vraiment la victime ? Qui est à blâmer ? L'opinion publique n'y comprend plus rien... C'est peu dire que le livre de Jorge Enrique Botero, réputé pour son sérieux malgré sa proximité avec les FARC, a suscité le malaise. Notamment parce que l'auteur n'a jamais rencontré Clara Rojas. Il aurait appris la nouvelle « de manière fortuite », confirmée par Raúl Reyes, le n° 2 des FARC, « les yeux dans les yeux ». De là à penser que Botero a été victime d'une manipulation du très retors Reyes, il n'y avait qu'un pas, que de nombreux Colombiens ont franchi. D'autant plus que, depuis deux ans et demi, on était resté sans preuve que Clara était encore en vie. Une partie de l'opinion a soupçonné les FARC d'avoir monté un plan de communication destiné à présenter les guérilleros sous un meilleur jour...

Botero lui-même y a prêté le flanc : « À mon sens, la guerre est mal racontée et uniquement à partir de chiffres arides. Des liens se tissent entre les êtres, et il manque toute cette dimension humaine », a-t-il pu déclarer, faussement naïf[1]. Accusé de violer l'éthique journalistique, et pour faire bonne mesure, il a proposé de rétrocéder ses droits d'auteur à l'ONG Asfamipaz. Marleny Orjuela Manjarrés, la présidente de cette association de soutien à quelque trois cents

1. www.educweb.org/webnews/ColNews-Avr06/French/Articles/Mujeressecuestradassonvic.html

otages colombiens détenus par les FARC, lui a répondu, indignée : « Jamais nous n'accepterons d'argent provenant de quelqu'un qui s'adonne à un trafic de dignité humaine[1]. »

De son côté, *doña* Clara s'est étonnée de la citation de « Tirofijo » sur laquelle s'achève le livre : « En analysant la situation, on doit tenir compte du fait que ce bébé est moitié à eux et moitié à nous. » À qui renvoie ce « eux » ? Et ce « nous » ? Ne sommes-nous pas tous colombiens ? *Doña* Clara, elle, est déjà grand-mère. « La seule chose que je demande, déclare-t-elle, c'est la vérité, et si ma fille a eu un bébé, je veux l'embrasser. J'ai les bras ouverts pour tous les deux et mon plus grand désir est d'être avec eux[2]. » Et d'ajouter : « Mon petit-fils ne doit pas être victime de la guerre depuis le jour où il est né. Il ne doit pas grandir comme un captif dans la forêt[3]. »

Emmanuel, le bébé de la jungle

Dans la jungle, l'arrivée de l'enfant réjouit John Pinchao et ses camarades, séparés des « politiques ». C'est en passant un jour le regard à travers les fentes du mur qu'ils s'aperçoivent que Clara attend un bébé. « Nous ne savions que penser, raconte le policier. Où et comment était-elle tombée enceinte[4] ? »

D'après Pinchao, l'accouchement ne s'est pas très bien passé. C'était le premier enfant de Clara, et la captivité n'a rien facilité. Mais dans son témoignage, c'est

---

1. *Ibid.*
2. www.educweb.org/webnews/ColNews-Avr06/French/Articles/_Simihijatuvounbebequiero.html
3. *Ibid.*
4. J. Pinchao, *Évadé de l'enfer*, *op. cit*, p. 167.

Guillermo, l'infirmier de la guérilla, « un gros gars à la peau blanche », qui l'aide à accoucher, tandis qu'un autre gardien, Milton, chasse les moustiques autour d'eux. Le bébé a du mal à sortir, l'infirmier lui fracture même un bras.

Les guérilleros auraient ensuite décidé de s'occuper du petit, qu'ils retirent à Clara. Pinchao raconte encore que la jeune maman, très malheureuse, s'accrochait au grillage en criant qu'on lui rende son enfant. Au camp, la nouvelle apporte pourtant « un peu de baume au cœur » : « Tout le monde essayait de fabriquer un petit cadeau pour le bébé. Moreno et Buitrago, surtout, arrivaient à lui faire des habits et des petits jouets. Le sergent Beltrán lui a fabriqué un chat en plastique bien réussi, rempli de mousse à matelas[1]. »

Les guérilleros finissent par amener l'enfant aux otages, pour qu'ils puissent le voir. Il s'appelle Emmanuel. Les prisonniers sont fous de joie : « C'était un gros bébé d'environ deux mois, à la peau claire et aux cheveux châtains lisses ; il s'est mis à pleurer quand policiers et militaires l'ont fait passer de bras en bras. Il ne reprenait son souffle qu'en retrouvant l'infirmier guérillero qui s'occupait de lui. Cette visite, dans notre quotidien inconfortable, nous avait fait du bien[2]. » La lettre du colonel Mendieta confirme cette effervescence : « Des hommes de la force publique sachant tailler et coudre lui fabriquèrent des petits vêtements, des petites chaussures, quelques petits jouets, un petit sac et beaucoup d'autres petites choses, alors à mesure que le bébé grandissait ils le prenaient pour prendre ses mesures et comme ça ils pouvaient lui faire des vêtements, des chaussures et différentes choses, et dans cette besogne, plusieurs se sont distingués par

1. *Ibid.*, p. 169.
2. *Ibid.*

leur ingéniosité et leur créativité comme Buitrago, Duran, Duarte, Moreno, Amaon, Bermeo, Salcedo, Donato et Beltrán, qui ont des dons remarquables pour ces travaux. Ce qui a été confectionné l'a été avec du matériel récupéré dont chacun disposait, c'est-à-dire des vêtements d'occasion ou d'autres frusques qu'ils avaient reçus[1]. »

Lors de la longue marche, entreprise en août 2004, l'enfant est encore parmi eux. Les guérilleros utilisent un *potrillo*, une sorte de petit canot, pour transporter les affaires au sec quand il faut traverser une rivière. On y met d'abord le petit Emmanuel qu'une guérillera corpulente a porté durant toute la marche. Ensuite, Emmanuel disparaît du récit de Pinchao. De la vie de Clara aussi…

L'épopée du bébé Emmanuel

Nous sommes en janvier 2005. Un jour comme les autres pour José Crisanto Gómez Tovar, un paysan du Guaviare, qui vit avec sa famille dans une *finca* au bord de la rivière Inirida. La nuit va tomber bientôt quand accoste un bateau à moteur d'où descendent deux guérilleros. Un homme et une femme, un bébé dans les bras. L'infirmier Guillermo annonce à José qu'il lui amène cet enfant pour qu'il reçoive des soins. Il est atteint de leishmaniose et souffre d'une fracture du bras. Une plaie très étendue sur sa joue droite, ainsi que des traces de piqûre sur l'oreille, attestent ses dires.

Le beau-père de José est indien. C'est un guérisseur connu dans la région pour ses onguents. Lui saura comment stopper l'évolution de la maladie. Le couple

1. www.agirpouringrid.com/La-bouleversante-lettre-du-Colonel. html

promet de revenir le lendemain pour apporter des couches et du lait. Mais à la date promise, il n'est pas au rendez-vous. Pour José, qui vit avec sa femme et ses cinq enfants, le « bébé de la jungle » est une charge supplémentaire. De plus, tout est très mystérieux. José ne connaît pas l'âge du bébé. On ne lui a pas dit comment il s'est fracturé le bras. À qui a-t-on bien pu enlever cet enfant ? Viendra-t-on un jour le rechercher ? À l'exception de cette cicatrice sur la joue, l'enfant n'a pas l'air malheureux. Toutefois, sa blancheur jure avec les traits de ses enfants métis : « Les cheveux bouclés, un grand nez, une fossette quand il riait, il était un peu rondouillard, le teint blanc, les yeux marron clair, les sourcils fournis, des petites oreilles[1]... »

La fibre paternelle de José est touchée. Malgré la pauvreté, il consent à tous les sacrifices pour acheter du lait et des couches. De son côté, son beau-père va chercher des plantes qu'il applique sur le corps du bébé. En revanche, le rebouteux ne tente pas de soigner son bras. Au premier coup d'œil, il voit bien que la fracture remonte à plusieurs jours et qu'il n'y a pas d'autre solution que d'immobiliser le membre.

Des mois passent ainsi, au rythme du nouveau venu. Un beau jour, le guérillero et la guérillera reviennent. Ils ont mis du temps à tenir leur promesse, mais ils apportent du lait et des couches. L'enfant se porte un peu mieux. Sa respiration est fluide, ils peuvent repartir. Dans le même temps, José a eu maille à partir avec le front n° 1 des FARC. Un de ses commandants voudrait que le fils aîné de José, âgé de huit ans, assiste à des réunions. Son père s'oppose farouchement à ce qu'il considère comme du « lavage de cerveau avec de la psychologie et de l'idéologie qui ne sont pas de son

1. www.semana.com/wf_InfoArticulo.aspx?idArt=108633

âge[1] ». Que son fils grandisse, il décidera ensuite, de son propre chef, de s'enrôler ou non dans la guérilla.

Pour fuir les pressions exercées par les FARC, José est contraint de quitter sa demeure. Il embarque toute sa famille dans son canoë, destination El Retorno. L'enfant de la jungle, qu'il a surnommé « Peggy » – du nom d'une marionnette à la télévision –, est aussi du voyage. À son arrivée en ville, un des enfants de José est pris de convulsions. Il est immédiatement transféré à l'hôpital de San José. Pourquoi ne pas en profiter pour faire examiner « Peggy » ? Seul avec les deux enfants, José attend les résultats des examens quand il est abordé par un homme. « Je suis du 7e front, lui dit-il. Invente et dis-leur que c'est un de tes enfants. Invente l'histoire que tu veux, mais fais gaffe à ce que tu racontes, sinon on ne répond pas de la vie de l'enfant[2]. » José est au pied du mur. Il se fait passer pour le grand-oncle de « Peggy », qu'il aurait recueilli après la mort de la mère. L'enfant n'a plus que lui au monde, c'est donc à lui de faire les démarches pour le déclarer à l'état civil. À l'hôpital, on enregistre l'enfant sous le nom de Juan David – voulu par le père, aux dires de la guérillera qui a remis l'enfant à José.

Nous sommes en juin 2005. Malgré les soins prodigués par José, l'état de l'enfant est alarmant. L'hôpital ordonne une enquête auprès des services sociaux. Une assistante sociale annonce à José que Juan David a besoin d'un traitement spécifique. Elle lui promet de le lui rendre quand il se portera mieux. Pendant huit jours, les services sociaux s'occupent de l'enfant, qui reçoit les soins dont il a besoin. De son côté, José est rentré à El Retorno. De retour à l'hôpital de San José pour récupérer l'enfant, il apprend que celui-ci a été

1. *Ibid.*
2. *Ibid.*

envoyé à Bogotá pour y recevoir un traitement plus adapté. Quatre mois passent ainsi, jusqu'au retour des guérilleros. José leur ment : il a envoyé Juan David chez l'une de ses sœurs à Bogotá, mais tout va bien. Les FARC insistent : ils veulent récupérer l'enfant à tout prix et donnent de l'argent à José pour qu'il organise son retour.

Les mois passent, sans que José esquisse le moindre geste. Juan David n'est-il pas mieux à l'Institut colombien du bien-être familial, plutôt qu'aux mains de la guérilla ? Face à son obstination, les FARC menacent la vie de ses enfants. L'homme finira bien par plier. Leurs visites deviennent plus régulières : tous les quinze jours. Mais leurs intimidations n'y changent rien. Jusqu'à l'ultimatum, posé par un commandant FARC : José a jusqu'au 31 décembre, pas un jour de plus, pour leur rendre l'enfant. Elles l'attendront au bord de la rivière où, deux ans auparavant, elles le lui ont confié.

Pressé par la peur, José retourne avec sa famille à San José et raconte toute l'histoire au procureur de la ville. Pour preuve de ses allégations, il a apporté le certificat d'enregistrement de Juan David, ainsi que le nom et l'adresse de la mère adoptive de l'enfant, que lui a communiqués l'hôpital. La femme vit dans le quartier de Sainte-Isabelle, à Bogotá. Nous sommes le 30 décembre. Immédiatement, toutes ces révélations sont faxées au président Uribe. Le soir même, le chef de l'État colombien déclare à la télévision que le fils de Clara Rojas a été retrouvé. Un coup de bluff, comme il en a l'habitude. Depuis le début 2007, la présence d'un mystérieux enfant dans un orphelinat de Bogotá était connue du gouvernement colombien. On s'était bien gardé d'en informer la famille Rojas. Quand les FARC annonçaient leur intention de libérer trois otages, dont Clara et le petit Emmanuel, le président Uribe savait que la guérilla mentait. Il n'en a rien dit. Il attend son heure pour abattre la « carte Emmanuel » et mettre à mal un Hugo Chávez trop envahissant à son goût…

Clarita enfin libre !

Le 18 décembre 2007, les FARC proposent de libérer Clara Rojas, ainsi que son fils Emmanuel et la sénatrice Consuelo González Perdomo. C'est le président Hugo Chávez qui doit organiser l'exfiltration, baptisée « opération Emmanuel ». Quinze jours plus tard, les guérilleros n'ont encore procédé à aucune libération. Durant cette attente insoutenable pour les familles, à la surprise générale, le président Álvaro Uribe annonce qu'Emmanuel n'est plus aux mains des guérilleros et qu'il aurait été retrouvé dans un orphelinat de Bogotá. Il y aurait été conduit dans un état critique, sous le nom de Juan David Gomez Tapiero, par un paysan nommé José Cristiano Gomez.

Le journaliste Jorge Enrique Botero s'insurge. Pour lui, cette histoire relayée par le haut-commissaire pour la paix, Carlos Luis Restrepo, est tout bonnement « délirante et irresponsable » : « En plein cœur d'une opération délicate de libération d'otages, il introduit un fait totalement fantaisiste. Il est possible qu'il soit en possession d'informations sur un enfant qu'il a dû trouver dans un lieu quelconque, mais il est évident qu'il ne s'agit pas d'Emmanuel. Pour des raisons publicitaires, ils ont voulu créer une confusion, une sorte de mélodrame. Le pays et le monde entier ne tarderont pas à se rendre compte de ce mensonge. Une manipulation[1]. » Le journaliste en veut pour preuve les témoignages de militaires détenus par les FARC. N'ont-ils pas raconté

1. Cathy Ceïbe, « Une histoire délirante et irresponsable », *L'Humanité*, 2 janvier 2008.

jouer avec un enfant qu'ils se passaient de bras en bras lorsqu'ils marchaient dans la jungle ?

C'est la science qui aura le dernier mot. Le 4 janvier 2008, il est prouvé que l'ADN de la famille Rojas coïncide avec la marque génétique d'un enfant enregistré sous le nom de Juan David Gomez Tapiero dans un orphelinat du sud de Bogotá. De leur côté, les FARC confirment que l'enfant n'est plus en leur possession. Le 10 janvier 2008, une nouvelle analyse ADN, effectuée par l'Institut médico-légal de Saint-Jacques-de-Compostelle, confirme que l'enfant recueilli est bien le fils de Clara Rojas... qui est libérée le même jour, en même temps que la sénatrice Consuelo González !

Les deux femmes sont recueillies par deux hélicoptères. À leur bord, des délégués du Comité international de la Croix-Rouge (CICR), le ministre vénézuélien des Relations intérieures et de la Justice, Ramón Rodríguez Chacín, l'ambassadeur de Cuba au Venezuela, Germán Sánchez, et l'incontournable sénatrice colombienne Piedad Córdoba. Les retrouvailles ont lieu en pleine jungle, près de San José de Guaviare, là même où Emmanuel a passé ses premiers mois ! Les deux femmes ont appris la nouvelle de leur libération à la radio. Jusqu'au dernier moment, les guérilleros avaient tenu secrètes leurs intentions.

Consuelo González et Clara Rojas sont transférées à l'aéroport vénézuélien de Santo Domingo, à la frontière avec la Colombie. De là, un avion militaire les emmène à l'aéroport de Maiquetia, à Caracas, où elles retrouvent leurs familles. Consuelo a appris la mort de son mari en captivité, à la radio. Mais *doña* Clara est là. Depuis qu'elle est veuve, « Claraleti » a été son soutien de chaque instant. Au début, elle a pensé ne jamais pouvoir vivre sans sa fille. Pourtant, au fil du temps, elle a su puiser en elle une force surhumaine. Après six ans de terreur, elle peut enfin étreindre l'enfant chérie.

Clara apporte avec elle des preuves de vie des ex-parlementaires colombiens Luis Eduardo Gechem, Gloria Polanco et Orlando Beltran, ainsi que de l'ancien gouverneur du Meta, Alan Jara, et de quatre membres de l'armée et de la police. Mais elle affirme être sans nouvelles d'Ingrid Betancourt depuis qu'elles ont été séparées, pour des raisons de sécurité, trois ans auparavant. Sans nouvelles également du père de son enfant, dont elle ignore s'il sait qu'il a un fils. Quelques jours plus tard, de retour à Bogotá, Clara retrouve Emmanuel à l'assistance publique. L'enfant ne se fait pas prier pour embrasser sa mère. Longuement…

Un témoignage contradictoire

Depuis le 30 août 2003, date à laquelle était parvenue à la mère de Clara une lettre jointe à une vidéo, la vieille femme était restée dans la plus grande des ignorances. Si Clara y apparaissait fatiguée par ses quinze premiers mois de captivité, ses mots semblaient indiquer qu'elle s'était accommodée tant bien que mal aux conditions de sa détention. « Je me trouve dans la jungle colombienne dans un endroit paradisiaque », écrivait-elle à la date du 15 mai, avant d'évoquer son réveil « au bruit des oiseaux » et « au chant des poules et du coq[1] ». Bien sûr, il y avait « ces marches fatigantes » – elle disait avoir déjà changé vingt-six fois de campement –, mais la Colombienne paraissait couler des jours paisibles dans la forêt amazonienne. Après la prière, à l'aube, elle tissait, elle brodait, elle lisait. Puis venait l'heure de l'exercice physique, auquel elle se livrait avec beaucoup d'application. Le moment du bain, avec une bassine et un seau, était « rafraîchissant ». La nourriture

1. http://amloc34.e-monsite.com/rubrique,clara-rojas,1012706.html

même n'était pas mauvaise : « Ils préparent des *arepas* de blé, qu'ils appellent *cacharinas*. Elles sont très bonnes. Et les gars font attention à ce que la nourriture et tout en général soit le meilleur possible[1]. » À la tombée du jour, Clara s'endormait au chant des cigales. Et « c'est ainsi que cela se passait, jour après jour[2] »...

Ces évocations bucoliques, Clara Rojas les a-t-elle écrites sous la pression des guérilleros, toujours soucieux de donner d'eux une image positive ? A-t-elle souhaité rassurer une mère aimée en train de dépérir ? Disait-elle, à mots voilés, le bonheur d'être avec Ingrid, au côté de qui, en dépit de son inappétence pour la chose publique, elle s'était engagée ? On était loin, en tout cas, des propos que tiendrait Clara au cours d'une conférence de presse à Caracas, au lendemain de sa libération, dénonçant les méthodes de ses geôliers. L'enlèvement ? « Un crime de lèse-humanité » ! Les FARC ? « Une organisation criminelle »...

Suite aux révélations qu'il a faites en Colombie après l'enlèvement d'Ingrid Betancourt et de Clara Rojas, Adair Lamprea, ex-coordinateur de la campagne présidentielle, a été contraint de s'exiler à Paris. À la libération de Clara, il est surpris de la découvrir en si bonne forme. Soulagé aussi. Il a hâte de la retrouver pour renouer les fils d'une histoire interrompue il y a presque six ans. D'autant plus qu'il est étonné d'entendre Clara multiplier les déclarations à la presse sans jamais rien raconter – ou presque – des six terribles années qu'elle vient de vivre. Las, c'est en vain qu'il cherche à entrer en contact avec elle.

Fin janvier 2008, Lamprea apprend que Clara Rojas sera à Madrid pour participer à un congrès, le quatrième du genre, sur les victimes du terrorisme dans le

1. *Ibid.*
2. *Ibid.*

monde. Un billet d'avion dans la poche, financé par l'association Otages du monde, il s'envole pour la capitale espagnole. Il y retrouve Clara, les traits tirés. À peine l'a-t-il saluée qu'elle s'éclipse : elle n'a pas le temps de lui parler, mais promet de revenir plus tard… Adair ne la reverra jamais – du moins seule. Selon ses dires, elle est en permanence « encadrée de très près par les agents de la Sécurité colombienne, qui guettent chacun de ses pas, épient chacun de ses propos[1] ». Elle va mal. Clara González, sa mère, confirme les pressentiments d'Adair. « Clarita » ne sait plus où elle en est. « Contrairement aux images apaisantes qu'on a voulu donner d'elle, son état psychologique est inquiétant, affirme Adair. Mais elle est aux mains du pouvoir colombien, qui a bien l'intention d'utiliser sa célébrité passagère pour mener le combat contre les FARC[2]. »

Clara, « une héroïne dans l'ombre d'Ingrid » ?

Les médias français se sont souvent vu reprocher d'oublier Clara Rojas lorsqu'ils évoquaient l'enlèvement d'Ingrid Betancourt. Tel n'est pas le cas du journaliste Jacques Thomet, qui, dans son enquête parue en 2006, a tenu à rendre hommage – ou plutôt justice – à celle qui, à ses yeux, « combine un courage hors du commun et un désintérêt flagrant pour le devant de la scène[3] ». Il en veut pour preuve le dévouement de Clara, attesté par un e-mail que sa mère aurait reçu, dans lequel elle exprimerait son souhait de « rester avec Ingrid[4] », malgré la décision des FARC de la libérer…

---

1. Adair Lamprea, *Parce qu'ils l'ont trahie*, Hachette Littératures, 2008, p. 166.
2. *Ibid.*, p. 166.
3. Jacques Thomet, *Ingrid Betancourt…*, *op. cit.*, p. 139.
4. *Ibid.*

Clara Rojas, femme de l'ombre mise en lumière par une loyauté hors du commun ? Une dépêche de l'AFP n'a-t-elle pas raconté que lorsque Ingrid Betancourt avait décidé, contrairement aux conseils de l'armée et du gouvernement, de traverser en voiture une zone contrôlée par les FARC, Clara l'avait suivie sans hésiter ? Quelques heures plus tard, lorsque les guérilleros lui annoncèrent qu'elle allait être libérée, n'avait-elle pas refusé énergiquement d'être séparée d'Ingrid, déclarant qu'elle ne l'abandonnerait pas[1] ? Comment expliquer que Clara, « lucide et responsable » d'après sa mère, ait accepté de suivre Ingrid dans cette aventure si risquée ? « Appelez cela de la loyauté ou de l'inconscience, mais Clara n'aurait jamais laissé Ingrid seule », affirme *doña* Clara González[2]...

Adair Lamprea, un des témoins directs de la scène, est plus mesuré. D'après lui, lorsque Ingrid Betancourt a demandé, au départ de l'aéroport de Florencia, qui voulait prendre le volant de la Nissan bleue que les militaires lui prêtaient, Clara se serait portée volontaire. Ingrid en personne aurait refusé et préféré la conduite d'Adair à celle de Clara... Par la suite, Clara serait montée dans le pick-up des guérilleros, pressée par leurs sommations : « "Montez vite pour votre sécurité", lance un guérillero à Clara. La camionnette a déjà démarré quand Clara y grimpe au prix de quelques acrobaties[3]. »

Eladio Perez, qui a partagé la captivité des deux femmes, va plus loin encore : « Les guérilleros ont obligé Clara à monter dans la camionnette, ça n'a pas

1. www.ladepeche.fr/article/2007/12/19/420572-Clara-Rojas-la-fidele-amie-d-Ingrid-Betancourt-bientot-liberee.html
2. « Clara González de Rojas, mère d'otage, mère courage », *Le Monde*, 22 février 2006.
3. A. Lamprea, *Parce qu'ils l'ont trahie*, *op. cit.*, p. 123.

été un acte de solidarité, ils l'ont fait monter de force[1]. » Cette version des faits, bien loin de la vision romantique qu'on pouvait en avoir, a été confirmée par Ingrid Betancourt, dans l'avion qui la ramenait en France : « Lorsque nous avons décidé de prendre la route pour San Vincente, elle a été volontaire. Elle aurait pu rester comme d'autres. Au moment où j'ai demandé : "J'y vais, qui m'accompagne ?", Clara a dit : "Je viens avec toi." Lors de la prise d'otage, c'était différent. On ne te demande pas ton avis. On te dit : "Là !"[2] »

Depuis ce 23 février 2002, les années ont passé. À en juger par la tiédeur de leurs retrouvailles sur la base militaire de Catam, on peut penser que le temps a eu raison de leur amitié... Mais ont-elles été seulement des amies ?

La fin d'une amitié ?

Dans son livre-témoignage, Juan Carlos Lecompte présente Clara Rojas comme une « femme discrète et avisée ». Avocate de formation, elle n'est pas passionnée par la chose publique, « mais elle s'y est engagée par amitié, accordant une importance primordiale aux relations humaines[3] ». Célibataire, elle vit seule dans son appartement de Bogotá. Son père est mort un an plus tôt. Elle consacre le plus clair de son temps à sa mère, qu'elle délaisse le 23 février 2002 pour accompagner Ingrid à San Vincente del Caguán. « Lorsque les ravisseurs avaient voulu isoler Ingrid du reste de l'équipe en la faisant monter dans une autre camionnette, Clara

---

1. L. E. Perez, *7 años secuestrado por las FARC, op. cit.*, p. 129.
2. M. Peyrard, *Paris-Match, op. cit.*, p. 68.
3. Juan Carlos Lecompte, *Au nom d'Ingrid, op. cit.*, p. 90.

l'avait suivie et s'était glissée sur la plate-forme[1] », affirme le mari d'Ingrid...

Contrairement à ce que prétend Juan Carlos, les deux femmes n'étaient pas des amies intimes. Mais Clara croyait au projet politique d'Ingrid. « Elles travaillaient ensemble, mais n'étaient pas de très grandes amies, confie Eladio Perez. Mon sentiment est qu'elles entretenaient "une amitié de collègues de travail", c'est tout[2]. » Selon lui, si elles s'entraident beaucoup au début de leur captivité, très vite, à force de vivre ensemble, leur mal-être et leurs différences s'accentuent. À son retour, Ingrid en fera l'aveu à Michel Peyrard. Malgré la « très grande affection » qu'elle conserve pour Clara, l'atrocité de ce qu'elles ont vécu dans la jungle les a séparées.

La naissance du bébé de Clara aurait-elle brisé leurs liens ? Certainement pas. Si les autres otages ne se sont rendu compte qu'au bout du sixième mois qu'elle était enceinte, Ingrid en a été informée la première, par l'intéressée. Clara, sentant l'horloge biologique tourner, a voulu cet enfant. Elle aurait même demandé la permission à Joaquim Gómez d'avoir des rapports sexuels... Luis Eladio Perez, qui trouvait la décision de Clara très égoïste, raconte qu'Ingrid s'est réjouie de la nouvelle. Elle s'est occupée de Clara, lui a transmis son expérience de mère.

Comment, alors, expliquer leur rupture ? Aucun événement en particulier ne le permet, aux dires d'Ingrid, si ce n'est « la douleur » de vivre captives, « l'immense douleur, la difficulté de vivre cette douleur[3] ». Luis Eladio est moins pudique. Dans son témoignage, il raconte que Clara entretenait des relations conflictuelles avec les

---

1. *Ibid.*
2. L. E. Perez, *7 años secuestrado por las FARC*, *op. cit.*, p. 129.
3. *Ibid.*

otages, y compris avec Ingrid, envers laquelle elle s'est montrée très dure. Lorsque Ingrid a appris la mort de son père dans un journal, Clara ne l'a ni consolée, ni soutenue. Elle lui demandait d'arrêter de pleurer, excédée par son chagrin. Eladio lui-même, dès son arrivée au camp, a été refroidi par l'accueil de la jeune femme. Tandis qu'Ingrid fondait dans les bras du parlementaire qu'elle avait connu au Congrès, mêlant les embrassades aux larmes de joie, Clara s'est contentée de lui serrer la main avec fermeté…

Le 10 juillet 2008, Clara Rojas accorde un entretien à la radio colombienne RCN[1]. Son fils Emmanuel, qui regarde des dessins animés, babille derrière elle. Si l'ex-collaboratrice d'Ingrid Betancourt se montre « soulagée et heureuse » de sa libération, elle ne mâche pas ses mots pour autant. Ingrid n'a jamais changé une couche de son enfant ! « J'étais dans la zone non fumeur du camp, et Ingrid et Luis Perez Eladio se trouvaient du côté des fumeurs. Dès les premiers moments de ma grossesse, nous ne nous voyions plus beaucoup. À peine nous disions-nous bonjour lorsque nous nous croisions… »

À l'évocation de la rumeur qui court depuis quelques mois dans les « milieux bien informés », Clara Rojas sort de ses gonds. Non, elle n'a pas tenté de noyer son nouveau-né ! Quelques jours auparavant, sur la chaîne CNN, Ingrid Betancourt n'a pas répondu à Larry King, lorsque celui-ci lui a demandé s'il est vrai qu'à cette occasion elle aurait sauvé la vie d'Emmanuel. Elle ne l'a pas démenti non plus… « Je ne sais pas d'où sort cette histoire et d'où elle tient ça ! s'insurge Clara. C'est à peine si elle savait qu'Emmanuel existait ! Je ne sais pas ce qu'ils cherchent à faire croire ni pourquoi ! »

---

1. noticiasrcn.com.co/content/clara-rojas-y-fin-su-relacion-ingrid-betancourt

D'après certaines sources, Ingrid n'aurait pas supporté que Clara compose avec les FARC, jusqu'à vivre une histoire d'amour avec un guérillero et porter son enfant. De son côté, Ingrid se dit respectueuse des choix de son ancienne directrice de campagne : « Nous avions probablement des façons différentes de voir les choses. Mais je pense que Clara était digne. Elle a vécu sa vie, elle a eu un chemin différent du mien, mais elle a été courageuse[1]. »

Alors ? Qui croire ? Et que reste-t-il de l'amitié des deux femmes, nouée sur le terrain de la politique ? Presque plus rien, à écouter Clara. C'est sûr, malgré l'« affection » et la « profonde admiration » qu'elle nourrit pour Ingrid, elle ne voterait plus pour elle aujourd'hui, si elle se présentait à l'élection présidentielle !

---

1. Cité par M. Peyrard, *Paris-Match*, *op. cit.*

3

UNE JEUNESSE DORÉE

— C'est atroce, me dit Clara, parce que tout ce que nous proposerons se heurtera toujours aux mêmes lobbies qui ont avantage à ce que rien ne change.

— À moins qu'on décide d'y aller à fond la caisse…

— Comment ça, « à fond la caisse » ?

— Nous ne sommes que des technocrates, Clara. Nous avons le droit, et même le devoir, de suggérer des solutions. Mais regarde, nous n'avons pas le pouvoir de les mettre en œuvre. Nous n'avons aucun pouvoir en réalité. Le véritable pouvoir est entre les mains des politiques[1].

Nous sommes en août 1993. Clara Rojas et Ingrid Betancourt prennent un petit déjeuner à la sortie du palais présidentiel, où elles ont accompagné Juan Manuel Santos, alors ministre du Commerce extérieur. Depuis deux ans, elles travaillent sous sa coupe. Clara est directrice d'un département ministériel, Ingrid est la conseillère technique du ministre. Héritier d'une riche famille colombienne, diplômé de Harvard, Santos a renoncé à la direction du journal *Tiempo*, pour se consacrer à la politique. Un jeune ministre pour un ministère nouvellement créé, dans le but de servir les besoins d'ouverture commerciale de la Colombie. Pour

1. I. Betancourt, *La Rage au cœur*, *op. cit.*, p. 86.

Ingrid, il incarne sur la scène politique la génération de demain. De ses études aux États-Unis, il a conservé la passion de l'économie. Il est conscient que son pays doit en finir avec le protectionnisme et « s'embarquer dans le train des échanges ». Ce jour-là, Clara et Ingrid sont venues assister à ses côtés au Conseil des ministres, où Santos doit faire une communication. Dans l'ombre, elles l'épaulent en même temps qu'elles suivent les débats, sans en perdre une miette. À l'issue de la réunion, les deux femmes partagent le même constat : « Nous avons le sentiment que Gaviria et ses ministres ont une vision claire de ce qu'il faudrait faire, mais qu'ils sont soumis à d'obscures pressions, à de secrètes allégeances, qui les poussent chaque fois à reculer pour se rabattre sur des solutions incompatibles avec la modernisation dont nous rêvons[1]. » Que faire ?

De retour à Bogotá

Depuis son retour à Bogotá, Ingrid n'a pas chômé. Partie le 27 juin 1979 faire ses études à Paris, elle n'y est revenue qu'une seule fois. Deux mois seulement. Entre-temps, elle s'est mariée et a donné naissance à deux enfants. Mais son pays lui manque. En janvier 1990, elle n'y tient plus. Sa décision est prise. Elle boucle ses valises et s'envole pour la capitale colombienne. « Je sais parfaitement les souffrances qui m'attendent, l'éloignement de mes enfants, la douleur de ne pas avoir réussi à sauver ma famille, comme maman, ironie du destin, qui, quinze ans plus tôt, avait brisé la sienne[2]. »

1. *Ibid.*, p. 85.
2. *Ibid.*, p. 64.

Ingrid est forte d'une certitude : ce départ sans retour pour sa ville natale est le prix à payer pour retrouver enfin une place parmi les siens. Les siens, c'est d'abord cette mère adorée, qui vient de prendre la décision de briguer un mandat de sénatrice. L'assassinat de Luis Carlos Galán, en 1989, a laissé Yolanda Pulecio dans le plus grand des désarrois. En supprimant celui qui jurait de bouter hors des frontières colombiennes la corruption des narcotrafiquants, c'est la Colombie qu'on a tuée. Une promesse d'avenir changée, d'un seul coup de feu, en regret du passé.

Galán disparu, les regards se sont tournés vers les remplaçants possibles. Ceux de Yolanda aussi. Comme d'autres, elle soutient la candidature du libéral César Gaviria. Un peu malgré elle, à vrai dire... L'homme a beau être l'ancien directeur de campagne de Galán, elle se méfie de l'élasticité de ses principes. Qu'importe, elle se lance à corps perdu dans la conquête de son siège de sénatrice, en même temps que dans celle de la présidence pour Gaviria. Forte de son apprentissage à Sciences Po, Ingrid devient petit à petit la conseillère de Yolanda. Affiches, discours, thèmes à développer, mots à employer pour convaincre... La préparation d'une campagne électorale n'a bientôt plus de secret pour elle.

Gaviria est élu. Ingrid se retrouve sans travail. Au détour d'une rue, elle rencontre un ami qu'elle n'a pas vu depuis le lycée français Louis-Pasteur où, comme tout enfant bien né, elle a suivi sa scolarité. Mauricio Vargas n'a guère changé : l'élève brillant est devenu un des plus jeunes directeurs de presse. Il dirige le grand hebdomadaire colombien *Semama.* Il recommande Ingrid à l'un de ses amis, Rudolf Hommes, qui vient d'être nommé ministre des Finances. Le monde des affaires n'intéresse guère Ingrid... mais s'il s'agit des affaires du pays ! Hommes l'embauche comme conseillère technique. Le ministère des Finances partage le même siège que celui de l'Éducation nationale, où le père d'Ingrid a longtemps été ministre. Coïncidence supplémentaire, ou signe du destin : Hommes l'a reçue la première fois dans « le bureau de papa » ! Dans le sien, quoique exigu, Ingrid dispose maintenant d'une secrétaire. Et puis, elle est à deux pas du ministre…

Très vite, Hommes charge Ingrid d'un dossier brûlant. Il s'est engagé devant le Parlement à déposer un plan de développement pour la côte Pacifique. Ingrid a six mois pour faire ses preuves. Un sacré défi pour celle qui ne savait pas encore, quelques semaines auparavant, ce qu'était le DNP (Département national du plan), et qui ignore tout de la côte Pacifique, où elle n'a jamais mis les pieds. Cette zone de plusieurs centaines de kilomètres s'étend du port de Buenaventura jusqu'à celui de Tumaco, à la frontière de l'Équateur. Le poumon de la Colombie, sans aucune route ou presque, source de toutes les convoitises.

Ingrid part dix jours sur place. Une expédition mémorable dans la mangrove, sac au dos, accompagnée de deux jeunes techniciens du DNP et d'un patriarche local pour guide. Une misère sans nom cohabite avec un étalage de richesses insolent, dans l'indifférence la plus complète des pouvoirs publics. Les élus locaux sont des escrocs qui détournent systématiquement les fonds alloués par le gouvernement. Ingrid élabore un plan de développement essentiellement écologique. Elle plaide en faveur de travaux communautaires, avec les matériaux de la région, notamment pour l'adduction d'eau et l'installation d'égouts. Elle insiste aussi sur le développement du système scolaire et des soins.

Tout à son projet, elle rencontre Ernesto Samper, le ministre du Développement, à l'inauguration d'un quartier de logements populaires dans la région de

Fondatrice du parti Oxígeno Verde, Ingrid Betancourt est élue sénatrice en 1998 avec le meilleur score de Colombie. C'est au Congrès – le « nid à rats » ! – qu'elle va livrer ses plus ardentes batailles contre la corruption, avec la faconde qui la distingue.

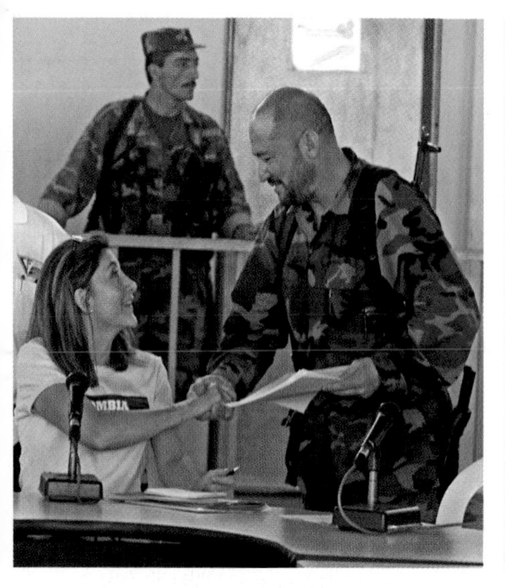

Le 14 février 2002, à Los Pozos, la candidate à l'élection présidentielle est saluée par Carlos Lozada, le porte-parole des FARC. Une semaine plus tard, Ingrid Betancourt est enlevée sur la route de San Vicente del Caguán...

Deux fois ministre, ex-directeur adjoint de l'Unesco, Gabriel Betancourt n'a pas supporté l'enlèvement d'Ingrid. Le 23 mars 2002, « Papa Miel » meurt à Bogotá sans avoir embrassé sa fille une dernière fois.

Le sous-officier John Pinchao, capturé par les FARC le 1er décembre 1998, s'est évadé en avril 2007. Dans la jungle, il a noué une vive amitié avec Ingrid. Il lui dédiera son livre-témoignage, *Évadé de l'enfer*.

Pedro Antonio Marín, plus connu sous son nom de guerre Manuel Marulanda, *alias* Tirofijo. À sa mort, le 26 mars 2008, le chef historique des FARC sera remplacé par Alfonso Cano.

La libération d'Ingrid est d'abord le triomphe d'un homme, le président Álvaro Uribe, longtemps accusé d'inertie. L'ex-otage qualifiera d'« impeccable » l'opération « Jaque » menée par les services secrets colombiens.

Le 18 décembre 2006, les FARC proposent de libérer Clara Rojas, ex-directrice de campagne d'Ingrid Betancourt et son fils Emmanuel. Un coup de théâtre – la présence de l'enfant dans un orphelinat de Bogotá – retardera au 10 janvier 2007 l'exfiltration supervisée par le président vénézuélien Hugo Chávez.

Fabrice Delloye, le premier mari d'Ingrid Betancourt, et leur fille Mélanie ont été de tous les combats et de toutes les tribunes pour obtenir la libération de l'otage. Dans sa lettre « par-delà l'enfer », Mélanie lui écrivait en décembre 2007 : « Nous ne te quittons pas, maman. Nous gagnerons. »

Si la jungle les a séparés, Ingrid doit beaucoup à Juan Carlos Lecompte, son second mari, qui n'a pas ménagé ses efforts pour sensibiliser l'opinion à la tragédie colombienne. Il porte ici, en 2007, un T-shirt reproduisant la photo de l'otage qui fit le tour du monde.

William Perez, l'ange gardien d'Ingrid dans la jungle, est encore à ses côtés sur la base militaire de Catam, le 2 juillet 2008. Il est l'un des quatorze autres otages libérés.

Sur le tarmac de Catam, Ingrid s'agenouille pour rendre grâce à Dieu de sa libération « miraculeuse ». C'est à sa foi qu'elle doit d'avoir supporté l'horreur des jours.

Le 3 juillet 2008, à l'aéroport de Villacoublay, Ingrid retrouve sa « douce France », accueillie par le chef de l'État. « C'est toute la France qui est heureuse et impressionnée par la façon dont vous revenez, ce sourire, cette force. » Les derniers mois, Nicolas Sarkozy avait adressé de nombreuses suppliques aux FARC.

Une famille soudée, le 3 juillet 2008 sur le perron de l'Élysée. *De gauche à droite :* Yolanda Pulecio Betancourt, Astrid, Lorenzo, Ingrid et Mélanie. *Au premier rang :* Stanislas, le fils d'Astrid ; les FARC confisquaient à l'otage les dessins que lui envoyait son neveu, âgé de trois ans au moment de l'enlèvement.

Le 6 juillet 2008, Ingrid déjeune dans un restaurant parisien avec Dominique de Villepin, qui n'a pris part à aucune réception officielle en son honneur depuis son retour. L'ex-Premier ministre a été son professeur à Sciences Po, avant de devenir un ami de la famille.

ourdes, 12 juillet 2008. Après s'être recueillie seule à la chapelle de l'Adoration, Ingrid Betancourt rie avec sa famille, à la grotte de Massabielle, pour les otages captifs de la jungle.

2 juillet 2008. Ce matin encore, Yolanda adressait à Ingrid un message sur Radio Caracol, comme chaque jour depuis six ans...

Cali. Elle connaît bien l'homme, un ami de sa mère, qu'elle a rencontré en 1986 lors d'une escapade sur la côte Atlantique, au nord-ouest de la région de Maicao. Une zone de non-droit qui vit de la contrebande, où les plus zélés prospèrent tandis que le peuple croupit dans la misère la plus noire. Elle y accompagnait Yolanda, alors députée, flanquée d'une vingtaine d'autres élus, partie à la rencontre de la population, pour – prétendait-elle – écouter leurs doléances et leur proposer des solutions. Samper était là, décontracté, acclamé comme il se doit ; à l'époque, beaucoup pariaient sur sa prochaine élection à la présidence. Ingrid lui découvre à cette occasion un discours démagogique et des façons populistes qui l'écœurent. Et c'est « ce clown qui ne pense qu'à rigoler et à draguer », selon ses propres mots, qu'Ingrid retrouve lors de l'invitation du gouverneur de Cali !

Sans se démonter, Ingrid s'ouvre de son plan à Samper. Contrairement à son habitude, celui-ci l'écoute avec attention et, bien qu'il dise posséder une copie de son projet depuis deux mois, il ne perd pas une miette de ses explications. Le lendemain, les journaux titrent : « Le ministre Samper lance le plan Pacifique : des millions de dollars d'investissement. » Ingrid n'en revient pas ! Quant à Rudolf Hommes, il est furieux de s'être fait doubler. Pour comble, le chef de l'État César Gaviria, qui tient rigueur à Samper depuis qu'ils ont été mis en concurrence pour le pouvoir suprême, s'empresse d'enterrer le projet, de peur que son rival n'en tire un profit électoral.

Hommes n'est pas rancunier. Sa colère passée, il confie à Ingrid Betancourt un autre dossier, « en forme de cactus », qui la mène de nouveau à Maicao, la capitale de la contrebande. L'industrie colombienne se meurt du fait de l'entrée frauduleuse de produits étrangers non taxés, vendus sur le marché intérieur bien moins cher que la production locale. L'idée d'Ingrid tient en une phrase : « Délimiter géographiquement des zones dites de "libre commerce" à l'intérieur desquelles les produits colombiens seraient détaxés, de façon à neutraliser l'attrait de la contrebande[1]. » Une politique de transition qui en finirait avec la criminalité et la corruption structurelles liées à la contrebande, tout en permettant à la population locale de continuer à faire du commerce. Six mois plus tard, après avoir vaincu les résistances de ses habitants et emporté l'adhésion des politiques, les zones de libre commerce de Maicao, Urabá et Tumaco naissaient par décret.

La carrière d'Ingrid Betancourt est lancée. Elle est appelée au cabinet du jeune ministre du Commerce extérieur, Juan Manuel Santos. À son service, elle pénètre les arcanes de la politique colombienne, dont elle comprend rapidement les rouages. Elle aussi veut servir son pays, et sur les plus hautes marches ! Lorsqu'elle retrouve Clara Rojas, une semaine après le fameux petit déjeuner à la sortie du palais présidentiel, sa décision est prise : les deux amies doivent se lancer en politique, pour de bon cette fois. Nous sommes en août 1993. L'élection présidentielle doit avoir lieu au mois de mars de l'année suivante. Mais au préalable, il leur faut démissionner du ministère du Commerce extérieur…

LES ENFANCES D'INGRID

Quand Ingrid naît à Bogotá, le jour de Noël 1961, sa sœur Astrid n'a qu'un an et les FARC n'existent

1. *Ibid.*, p. 81.

pas encore[1]. Elle est la cadette d'une famille très en vue et respectée de la haute société bogotaine. Le bonheur est lumineux chez les Betancourt. Il y a du soleil dans la vie d'Ingrid, celui qui illumine le sourire de son père et les yeux de Yolanda, sa mère, d'origine italienne.

« Mamita Linda »

Yolanda Pulecio Vélez est née le 31 décembre 1939 dans une famille bourgeoise de Santander. Elle a reçu la beauté en héritage. Celle de sa mère, Nina, dévouée à l'éducation de ses filles et soumise à l'autorité de son mari, un riche gynécologue de Bogotá. De ses études à Paris, Jésus Maria Pulecio a conservé le goût des bonnes manières et l'amour du luxe. Il veut le meilleur pour ses quatre filles, Gladys, Marta, Yolanda et Nancy, qu'il éduque dans la plus pure tradition colombienne. Il ne nourrit pas d'autres rêves pour elles qu'un mariage en grande pompe, de beaux enfants, un foyer toujours propre et accueillant. Les siens, en somme, qu'il a réalisés.

Yolanda est belle et altière. Indomptable, surtout. Elle n'entend pas épouser le destin que lui a choisi son père. Ses premières années, elle les passe à défier l'autorité paternelle. Elle n'a pas dix-sept ans quand elle se présente au concours national de Carthagène-des-Indes, où elle est élue « reine de beauté » du département de Cundinamarca – au grand dam de son père, qui la voyait déjà mariée à un notable, comme ses sœurs ! Or, loin d'être des amusements pour midinettes, les

1. Les FARC ont été créées en 1964 par Jacobo Arenas, missionné par le Parti communiste colombien pour chapeauter différents groupes paysans de guérilla repliés dans les montagnes. À la mort de son fondateur, c'est « Tirofijo » qui reprendra les rênes du mouvement (*cf.* p. 77).

concours de beauté sont très prisés en Colombie et ouvrent bien des portes. Celles de la liberté, pour Yolanda.

Un jour qu'elle se promène dans un quartier abandonné de la capitale, elle est émue aux larmes par un groupe d'enfants abandonnés. Les *gamines*, comme on les nomme avec mépris. Riche de sa notoriété nouvellement acquise, la « belle au grand cœur » force les portes du ministre de la Justice et parvient à se faire prêter une prison désaffectée, dans le sud de Bogotá. C'est là qu'avec l'argent récolté dans les concours de beauté, elle ouvre sa première *Albergue infantil*, l'« auberge des enfants ». Les gosses des rues qu'elle y héberge viennent avec ce qu'ils n'ont pas : de quoi se nourrir et s'habiller, de l'amour, de l'écoute. « *Mamita Linda* » est née ! Quand elle n'est pas avec les *gamines* à l'*Albergue*, la jeune Yolanda troque ses habits de la journée pour des robes de soirée. Elle a l'aisance de ceux chez qui tout est naturel, la beauté et le cœur. Au bras du peintre Fernando Botero, qui dirige les Affaires culturelles de la mairie, elle fréquente le gotha de la ville. Un soir, elle rencontre un certain Gabriel Betancourt… Nous sommes en 1956.

« *Papa Miel* »

Ce fils de propriétaires terriens, originaires de Medellín, est alors ministre de l'Éducation, sous la présidence de Gustavo Rojas Pinilla. Il est né le 27 avril 1919 à Bogotá, où il fait ses premiers pas dans le quartier de San Agustín, à proximité du Capitole. Son père, un riche négociant dans l'industrie du tabac, assure à toute la famille un train de vie prospère et mondain. « Il reçoit les personnalités politiques les plus en vue du Congrès, raconte Sergio Coronado. Les discussions sont enflammées et tardives entre ces hommes qui représentent une bourgeoisie nationale avide de changement, soucieuse de moderniser le pays[1]. »

Dans le Bogotá des années 1920, tous les rêves sont permis, soutenus par une période de forte croissance, la « danse des millions ». Le krach de 1929 va précipiter la famille dans la ruine. Son père en meurt, quatre ans plus tard. Pour le jeune Gabriel, c'est la fin d'une époque bénie. Sa mère, qui ne peut plus subvenir seule aux besoins de la famille, le confie à un parent proche, Gabriel Prospero Mejía. Très affecté par la mort d'un père qu'il chérissait, Gabriel doit quitter le collège San Bartolomé, à Bogotá, pour l'École normale de garçons d'Antioquia, à Medellín. Il obtient le baccalauréat, passe par l'université d'Antioquia, puis entre à l'université Javeriana de Bogotá, tenue par les jésuites, où il obtient, en 1942, un doctorat ès sciences économiques et juridiques.

Gabriel est ambitieux. Mais il est pauvre. Sa seule richesse, une audace à toute épreuve, mêlée à un fort pouvoir de conviction. Sans un sou en poche, il s'en va poursuivre ses études aux États-Unis, une lettre de recommandation de l'université sous le bras. À New York, il est reçu par le président de la Compagnie colombienne de tabac, Cipriano Restrepo, un ancien confrère de son père. Gabriel suggère à l'industriel qu'il finance ses études, sous la forme d'un prêt, qu'il lui remboursera dès le versement de son premier salaire. L'idée du crédit éducatif est née !

À l'université de Syracuse, Gabriel obtient un master en économie puis un master en gestion publique. Frais émoulu, il est nommé attaché commercial à l'ambassade de Colombie à Washington. Mais la Colombie lui manque : il rentre en 1947. Deux ans plus tard, il est

1. S. Coronado, *Ingrid*, *op. cit.*, p. 62.

nommé conseiller à la présidence de la République. Une occasion rêvée pour travailler au projet qui lui tient tant à cœur. En octobre 1950, il crée l'institut Icetex[1], dont il devient le directeur, et met en place les fameux « crédits éducatifs[2] ». Gabriel devient une personnalité très en vue des milieux huppés de Bogotá. Il est de toutes les soirées mondaines. Yolanda aussi.

Un couple engagé

Au premier coup d'œil, il l'a remarquée. Une « Audrey Hepburn mâtinée de Sophia Loren[3] » ne peut passer inaperçue ! Mais Yolanda est si belle qu'elle lui fait peur. D'abord, Gabriel la fuit. De son côté, elle a bien vu qu'il n'était pas insensible à son charme. Le sien ne lui déplaît pas, d'ailleurs. Malgré la différence d'âge, elle trouve plutôt bel homme ce notable grand et fort, au front haut et aux cheveux bruns plaqués en arrière. Elle a à peine dix-huit ans, il vient d'avoir trente-sept ans. Mais ils partagent des vues communes. Chacun, à sa manière, œuvre pour les déshérités. Yolanda vient d'ouvrir sa première *Albergue* et Gabriel a créé le premier système de crédit éducatif, qui permet aux jeunes du monde entier de partir faire leurs études à l'étranger.

Trois ans plus tard, ils sont mariés. « La ferveur qu'ils éprouvent l'un et l'autre pour l'enfance, pour la jeunesse, a beaucoup compté dans la rencontre de mes parents[4] », écrira Ingrid des années plus tard. Elle est

---

1. Institut colombien de crédit éducatif et d'études techniques à l'étranger.
2. Une entreprise finance la scolarité d'étudiants dans le besoin, en échange de leur engagement à travailler pour elle, une fois diplômés.
3. I. Betancourt, *La Rage au cœur*, *op. cit.*, p. 25.
4. *Ibid.*, p. 24.

encore bébé, en 1962, quand ceux-ci quittent Bogotá pour Washington. Son père y est appelé par John F. Kennedy, qui le nomme président de la Commission pour l'éducation de l'OEA (Organisation des États américains). Il est chargé de lancer, sous la houlette de JFK, un projet en faveur du développement socio-économique de l'Amérique latine, baptisé « Alliance pour le progrès ».

L'assassinat de Kennedy à Dallas, l'année suivante, enterre le projet. Gabriel est nommé directeur adjoint de l'Unesco, à Paris. La famille Betancourt s'installe à Neuilly-sur-Seine, où les premiers souvenirs d'Ingrid la ramènent : « Mon père a loué une maison en lisière du bois de Boulogne et moi, je cherche des coccinelles dans le jardin[1]. » Yolanda en profite pour étudier le système français d'assistance à l'enfance. À cette époque, le pays doit faire face à l'arrivée massive des Français d'Algérie, chassés par l'indépendance. Yolanda y voit une similitude avec l'affluence, à Bogotá, des familles paysannes chassées des campagnes par la misère et la violence. « Comment se débrouille la France pour intégrer ses pieds-noirs en matière de logement, d'éducation, de création d'emplois, de subventions diverses ? Ma mère écoute, observe, prend des milliers de notes et échafaude des plans, en attendant son retour[2]. »

Le retour ? En 1966, le président colombien nouvellement élu, Carlos Lleras, nomme Gabriel Betancourt au poste de ministre de l'Éducation, qu'il a déjà occupé. De son côté, Yolanda retrouve ses enfants de l'*Albergue*. Ses ambitions politiques aussi. À trente ans, elle est élue adjointe au maire de Bogotá, en charge des affaires sociales. L'une des premières femmes à accéder à un tel poste ! Elle profite de ses nouvelles

1. *Ibid.*, p. 23.
2. *Ibid.*, p. 25.

responsabilités pour poursuivre ses désirs de réforme. Et met au service du pays les leçons apprises en France, en créant l'Institut du bien-être social. Sa renommée s'accroît, notamment au sein du peuple, où sa beauté, alliée à tant d'humanité, chavire les cœurs des plus humbles. En Colombie, on la voit déjà tenir le haut de l'échelle. Yolanda constitue un réseau de relations, qu'elle cultive avec soin, et se meut avec aisance dans les milieux autorisés. Son ascension semble sans limite, à l'aune de la disgrâce de Gabriel.

Le début de la fin

Depuis longtemps, on murmurait dans les chancelleries qu'il pourrait un jour devenir président de la République. Gabriel s'en moque : il ne se sent pas prêt. Et son ministère, où il œuvre avec une rigueur éthique sans égale, absorbe toutes ses ambitions. Auréolé de sa réputation d'homme intègre, Gabriel est pourtant approché par un groupe d'entrepreneurs et de jeunes technocrates formés, comme lui, aux États-Unis. Voyant en lui l'homme qui pourrait changer la face de la Colombie, ils cherchent à le convaincre de se présenter à l'élection présidentielle. Yolanda elle-même le supplie de se lancer dans la course au pouvoir suprême. Le peuple colombien a besoin de lui ! Il en a le devoir, au nom de son pays, au nom des plus délaissés et des plus nécessiteux, dont personne ne s'occupe.

Mais Gabriel se méfie du système politique colombien, qui repose sur le clientélisme et les renvois d'ascenseur. Lui qui choisit ses collaborateurs en fonction de leurs talents plutôt que de leur poids électoral, lui qui a imposé aux parlementaires de motiver leur demande par écrit pour le rencontrer, lui, l'incorruptible, décline une telle responsabilité. Sans tergiverser, mais sans regret. D'ailleurs, il n'est pas l'homme des compromis. La gestion de son ministère, tout de droiture morale, en mécontente plus d'un et finit même par déplaire. Nombreux sont les parlementaires à réclamer sa tête. Ce qu'ils finissent par obtenir. On le nomme ambassadeur de Colombie à l'Unesco. Une mise au placard prestigieuse pour une retraite dorée.

Retour à la case départ, à Paris. Le retour de trop pour Yolanda, qui le vit comme un déchirement. Abandonner une vie active et engagée pour suivre un homme aux ambitions éteintes ! Un crève-cœur. Un tue-l'amour aussi. Yolanda est déçue par ce mari qui a refusé de briguer la plus haute charge de l'État. Gabriel a renoncé à mener le combat dont elle rêvait pour lui. Pour elle aussi, peut-être...

Bogotá-Paris-Bogotá

De retour en France en janvier 1969, la petite famille s'installe sur la prestigieuse avenue Foch, dans un appartement luxueux de 500 m² agrémenté d'un jardin suspendu, remplis de meubles XVIIIe, de tableaux anciens – dont un *Saint Jérôme* de Dürer qui effraie Ingrid le soir –, de bibelots de Chine et de tapis précieux. Des réceptions, une fois par semaine, réunissent l'intelligentsia colombienne. « Ma sœur aînée Astrid et moi sommes des enfants aimées, choyées, les enfants d'un couple raffiné qui fréquente le Tout-Paris culturel, et à qui la plupart des artistes étrangers de passage rendent visite[1] », se souvient Ingrid. Dans les salons en enfilade se croisent d'anciens ou de futurs présidents de la République colombienne – Carlos Lleras, Misael Pastrana, le père d'Andrés Pastrana, Virgilio Barco –, mais

1. I. Betancourt, *La Rage au cœur, op. cit.*, p. 23.

aussi de futurs prix Nobel de littérature, tels Miguel Ángel Asturias et Pablo Neruda. La petite Ingrid affectionne tout particulièrement le Chilien, peut-être parce qu'il est le seul à lui prêter attention lors de ces interminables fêtes de l'esprit. Peut-être aussi parce que la petite fille, déjà exaltée, troque ses vers contre ceux du poète. « Ingrid, je te laisse une fleur. Ton oncle : Pablo Neruda »... Ces mots, aujourd'hui encadrés, ornent l'appartement bogotain d'Ingrid. Souvenir ébloui d'une tendresse infinie, vestige des jours heureux...

Astrid et Ingrid grandissent dans le cocon soyeux des privilèges. Elles étudient à l'Institut de l'Assomption, au cœur du XVIe arrondissement, qu'elles quittent bientôt pour parfaire leur anglais en pension à Sidmouth, dans le sud de l'Angleterre.

Yolanda, quant à elle, est une maîtresse de maison parfaite et une épouse resplendissante. Mais elle s'ennuie. Son cœur est resté à Bogotá. À Paris, tout est si facile et si léger, quand la situation colombienne est si dramatique ! Chaque jour, ses équipes sur le terrain lui envoient des nouvelles alarmantes sur son pays et sur la détresse croissante des enfants de la capitale. Ses petits de l'*Albergue* ont plus que jamais besoin d'elle. Et elle, à Paris, qui joue à la femme d'ambassadeur ! Les réceptions au Quai d'Orsay et les premières théâtrales lui paraissent soudain bien superficielles, comparées à la misère des *gamines*, fouillant les poubelles des restaurants... Aussi, lorsqu'en 1974 Gabriel Betancourt sonne l'heure du départ, Yolanda saute de joie. Astrid et Ingrid aussi, car elles sentent leur mère dépérir. On embarque à Gênes, destination Bogotá. Un mois entier à traverser les océans, avec leurs parents tout à elles. Un moment de bonheur inoubliable pour Astrid et Ingrid, un des derniers avant longtemps, sans doute.

À peine débarqué, le couple Betancourt s'installe sur les hauteurs de la ville, à dix minutes du lycée français

Louis-Pasteur, où les deux adolescentes font leur rentrée. Gabriel, membre du comité exécutif de l'Unesco, est très sollicité, toujours en partance pour donner des conférences aux quatre coins du monde. Mais Yolanda ne le suit plus. Le temps des sacrifices est passé. Elle veut vivre pour elle et pour ses œuvres sociales, qui sont sa raison d'être. Leur amour en pâtit. Gabriel, toujours entre deux rendez-vous ou entre deux avions, ne voit rien, n'entend rien, ne se doute de rien. Mais un jour, à son retour, Yolanda n'est plus là. Partie, envolée on ne sait où, pour prendre du recul et changer le cours d'une vie qui ne lui convient plus. Un coup de poignard pour Gabriel, brisé, mais aussi blessé dans son amour-propre. Yolanda a voulu la guerre ? pense-t-il. Elle l'aura. La réplique ne se fait pas attendre.

L'enfance liquidée

Un samedi comme un autre, Gabriel accompagne Ingrid et Astrid à leur club équestre. Submergé de travail, avide de solitude pour mener à bien ses tâches, il ne pourra venir les rechercher qu'en fin de journée. On le croit sur parole. Lorsqu'il reparaît à 18 heures, ses filles lui trouvent l'air épuisé. Cette pâleur sur son visage ! Cette lassitude dans la voix ! Et ces mots, qui résonneront longtemps à l'oreille d'Ingrid : « Je viens de vendre la maison, votre mère est partie, cette vie n'avait plus lieu d'être[1]. » En une après-midi, « Papa Miel » a fait table rase du passé. Il a liquidé la maison de Bogotá, du sol au plafond. Les meubles rapportés de France, les bibelots, les photographies, les lits et les livres de ses deux filles : tout, absolument tout a disparu, à l'exception du chien, qui attend sur le perron le

1. *Ibid.*, p. 34.

retour d'Astrid et Ingrid. Aux murs, seules les empreintes des tableaux attestent qu'ici, jadis, a existé une vie.

Ingrid n'a jamais oublié ce moment, qui marque une rupture dans sa vie. « Aucun mot ne me vient pour traduire la désolation silencieuse de ces pièces vides où, le matin encore, et malgré l'éclipse de maman, nous pouvions croire à l'éternité de la vie familiale[1]. » Un désastre absolu, que l'on croit alors irréparable…

La procédure de divorce est engagée et donne le ton des hostilités. Gabriel obtient la garde d'Astrid et Ingrid et leur interdit de voir leur mère. Ingrid ne s'en laisse pas conter. Dans la cour du lycée français, au moment des récréations, elle se poste sous les fenêtres de Yolanda pour lui envoyer des baisers. Ou bien les deux sœurs attendent que leur père soit couché pour courir, en chemise de nuit, devant l'immeuble de maman.

Cependant, Yolanda est traînée dans la boue par la presse colombienne, qui stigmatise sa frivolité et l'accuse d'être responsable du malheur de son mari. La bonne société ne l'épargne pas non plus. À Bogotá, dans les années 1970, on ne divorce pas ! *A fortiori* dans une famille catholique, comme l'est celle des Betancourt. Yolanda quitte un homme à qui elle doit tout, commente-t-on dans les cercles des intimes, où l'ancienne « reine de beauté » est déchue. Ingrid, elle, se rebelle et prend la défense de sa mère. Elle se moque de ce que peuvent raconter les journaux et le « Tout-Bogotá ». Elle se contrefiche aussi de ce que pense son père. Elle aime sa mère à la folie ; la priver d'elle est tout bonnement « dégoûtant » et « injuste ».

Malgré les mises à l'index et les diffamations, Yolanda ne se laisse pas abattre. « La plus belle leçon

1. *Ibid.*

de courage qui soit » pour l'adulte qu'est devenue Ingrid[1] . Elle se présente aux élections municipales, l'antichambre traditionnelle d'une carrière nationale. Son slogan : « Laissez-moi travailler pour vos enfants ! » Un pied de nez à ses détracteurs, qui l'accusent d'avoir abandonné les siens. Malgré l'interdiction paternelle, Ingrid fait alors ses premiers pas en politique. Pendant la campagne, elle devient l'arpette de sa mère, une petite main très active, qui profite de son temps libre pour coller des affiches, distribuer des tracts et l'accompagner dans des réunions publiques. Le quartier aisé du nord de Bogotá lui a fermé ses portes ? Qu'à cela ne tienne, Yolanda frappera au sud. Grâce aux voix des plus humbles, elle est élue. Pour celle qui s'occupe depuis vingt ans des *gamines*, c'est un cadeau que la rue lui offre. Les notables du conseil municipal, eux, ne lui en font aucun. À la mairie de Bogotá, elle est seule, sans appui, sans cesse vilipendée.

En 1977, Yolanda saisit au vol une proposition de poste à l'ambassade de Colombie. Retour à Paris, qu'elle avait quitté trois ans auparavant, à l'étroit dans ses robes d'ambassadrice et tout à la joie de retrouver son pays…

« La plus belle année de ma vie »

Ce n'est pas l'avenue Foch, mais Yolanda habite tout de même un appartement coquet du boulevard Saint-Germain, entourée de ses fidèles : le romancier Gabriel García Márquez et sa femme Mercedes ; et Fernando Botero, bien sûr, qu'elle connaît depuis toujours, « le plus colombien de tous les Colombiens ». Astrid la rejoint. Ingrid, ni bachelière ni majeure, reste soumise

1. *Ibid.*, p. 36.

au droit de garde de son père. Du moins, aux yeux de la loi. Car, déjà rebelle dans l'âme, elle entretient avec son père des rapports conflictuels, faits d'incompréhension et de ressentiment.

Tandis que Gabriel se terre dans le silence, Ingrid décide qu'elle rejoindra sa mère à l'été 1978, que le juge le veuille ou non. Elle traverse toute la ville pour faire un esclandre dans le bureau de l'homme de loi. Obliger une adolescente à traverser Bogotá, si dangereuse, pour obtenir le simple droit d'embrasser sa mère ? Mais dans quel pays vivons-nous ? Où est la justice ? Ingrid tempête, crache, fulmine sous les yeux d'un juge impavide. « Un papier signé de ma main pour que vous puissiez partir embrasser votre mère ? Très bien, je vous signe tout de suite ce papier. Tenez, vous le montrerez à votre papa[1]. » Est-il dans la confidence de Gabriel, qui a mis sa fille à l'épreuve pour une formalité dont elle n'avait pas besoin ? L'histoire ne le dit pas. Mais lorsque Ingrid rentre chez elle, brandissant fièrement à la barbe de son père le sésame tant désiré, elle est accueillie par un éclat de rire tonitruant. Le premier depuis longtemps. Elle a bien gagné son voyage à Paris !

C'est une Yolanda en larmes qui trouve sa fille dans l'encoignure d'une porte, un matin, au troisième étage de l'ambassade de Colombie. « Je ne vais pas la quitter d'une semelle durant ce mois à Paris, se souvient Ingrid. Nous nous câlinons, nous rattrapons le temps perdu, je compte les jours[2]. » C'est si peu un mois, pour une mère et une fille qui s'entendent comme larrons en foire, au regard de l'année de séparation qui les attend. En septembre, Ingrid entre en terminale. L'année du bac ! Sûrement la plus belle année de sa vie… « La

---

1. *Ibid.*, p. 39.
2. *Ibid.*

femme que je suis va naître durant cette année de préparation du baccalauréat[1] », écrit Ingrid dans son autobiographie. Une année d'inépuisables découvertes, intellectuelles comme sensuelles. Une année aussi pour apprendre la liberté. Dans les livres qu'elle dévore, dans la philosophie qu'elle découvre, dans les bras de Mauricio...

Maria del Rosario, la meilleure amie d'Ingrid, se souvient d'une « excellente élève, studieuse et appliquée », dotée d'« un appétit de vivre insatiable » : « Douée pour le bonheur, elle fuyait la rigidité familiale où les barrières sociales se faisaient sentir de manière si pesante. Elle cherchait à s'affranchir d'une éducation trop corsetée. Elle était très différente de sa sœur Astrid, toujours impeccable, un modèle d'éducation bourgeoise[2]. » Les parents de Maria, eux aussi, sont divorcés. Elle passe de longues heures à consoler Ingrid et à jouer les intermédiaires auprès de Gabriel. « Derrière une façade austère, raconte Maria, l'homme était joyeux, doté d'une conversation captivante. Tout l'intéressait. Il dissertait sur la politique avec délectation et nous écoutait avec attention et respect[3]. »

Par amour de la vérité, Ingrid ne cache plus rien à « Papa Miel », ni ses heures passées à sécher les cours, ni ses premiers émois de femme. Confidences bien difficiles à entendre pour un père, de la bouche d'une jeune fille de bonne famille. L'homme est d'une autre génération. Et puis, il est si rigoriste... Les repas se passent sans un mot, ni même un regard échangé. Des semaines entières s'écouleront, avant que Gabriel n'accepte que son enfant soit devenue femme...

---

1. *Ibid.*, p. 40.
2. Cité par S. Coronado, *Ingrid*, *op. cit*, p. 73.
3. *Ibid.*

Pendant ce temps, cavalière émérite, Ingrid fait les quatre cents coups au club sportif Los Lagartos, dont son père est l'un des fondateurs. Maria, future championne, préfère le ski nautique. Dans les arrière-salles enfumées des cafés de Bogotá, elles refont le monde. Les deux jeunes femmes ne font qu'une, quand, tard dans la nuit, autour d'une bouteille de vin, elles discutent de leurs projets d'avenir. Des discussions où se mêlent invariablement la politique et l'intime, l'envie de faire carrière et le rêve d'une chaumière et d'un cœur.

Une graine de politique

Baccalauréat en poche, Ingrid plie bagage et s'envole pour Paris, avec la bénédiction de Gabriel. Contre toute attente, les années difficiles qu'ils viennent d'essuyer les ont soudés. Elle part de Bogotá le 27 juin 1979. Le père du « crédit éducatif » se chargera de l'appartement. L'essentiel, c'est qu'elle réussisse. « Papa Miel » l'imagine philosophe, loin des tumultes de la politique. Ingrid, elle, ne rêve que de peser sur les destinées du pays.

Ce sera Sciences Po ! Elle prépare le concours d'entrée de l'Institut de la rue Saint-Guillaume, qui l'accapare. L'élève exaltée devient rat de bibliothèque, engloutit les livres qui touchent au fonctionnement des institutions, avec une seule question en tête : « Pourquoi certaines démocraties, telles que la France, parviennent-elles à se préserver correctement de la corruption, tandis que d'autres, telles que la Colombie, y sombrent corps et âme[1] ? » On croit entendre Yolanda, qui, dix-sept ans auparavant, se passionnait

---

1. *Ibid.*, p. 47.

pour le système social français. Ingrid était encore dans son couffin…

La jeune femme qu'elle est devenue n'a rien à envier à sa mère. Elle en a la beauté, l'audace aussi. N'écrit-elle pas une lettre à Belisario Betancur, qui se présente à l'élection présidentielle colombienne, pour lui exposer son point de vue sur les réformes à mener ? Dans ce courrier, publié par la presse au lendemain de la victoire du candidat, une graine de politique est en germe.

Ingrid n'oublie pas pour autant de s'amuser. À Paris, elle a retrouvé sa mère et surtout Astrid, sa sœur, qu'elle n'avait plus vue depuis longtemps. Elle est entourée aussi d'amis fidèles et cosmopolites. Mais c'est sans eux qu'un jour de janvier 1980 elle fait une rencontre qui va changer sa vie. Pour le meilleur et pour le pire.

Rencontre avec un homme idéal

Ingrid est attablée à « La Terrasse », un restaurant où elle déjeune seule, entre deux cours. Ses études la passionnent et absorbent tout son temps. Les examens approchent, elle ne veut pas échouer. Elle est tout à ses pensées quand elle est abordée par un petit garçon. Il a quatre ans et s'appelle Sébastien. Ou plutôt « Zorro », le taquine Ingrid. Entre les facéties de l'enfant, elle croise le sourire du père. La trentaine, les yeux clairs, une allure à tomber. Fabrice, en instance de divorce, a la garde de son fils. Sans doute se sont-ils plu au premier regard, assez en tout cas pour engager la conversation.

Yolanda et Gabriel s'étaient rencontrés sur le terrain de l'enfance déshéritée ; pour Ingrid et Fabrice, ce sera celui de la géopolitique. Deux heures d'une discussion enjouée sur les relations internationales. Fabrice sait de quoi il parle, c'est son métier. Il travaille depuis peu au ministère des Affaires étrangères, comme attaché commercial. L'étudiante à l'allure sage plaît au diplomate enjôleur, qui la croit d'abord française. Car Ingrid parle un français impeccable. Mais non, elle est colombienne, née à Bogotá. Elle a passé une partie de son enfance à Paris, où sa mère est revenue depuis son divorce ; Ingrid, elle, est là pour faire ses études. De la Colombie, Fabrice a l'image d'un pays convulsif et violent. Mais la chevelure auburn d'Ingrid, sagement tirée, le rassure. Il a besoin d'une baby-sitter pour le jeudi suivant ; il l'embauche. Quand il part à Reims le 27 janvier, pour fêter son anniversaire, il est déjà conquis. Il n'a qu'Ingrid en tête.

De son côté, Ingrid est fascinée : « Fabrice est intelligent et cultivé, ouvert sur le monde, élégant, très beau. Il a, en somme, tous les attributs de l'idéal masculin tel que me l'a légué mon père[1]. » À l'âge des flirts et des amours d'une nuit, Ingrid se jette à corps perdu dans son histoire avec Fabrice. Elle pouponne le petit Sébastien, « Babou », qui l'appelle « Nini » en retour. Elle se prend à rêver d'une famille nombreuse. De quoi envisager les lendemains avec la plus grande des confiances.

À Pâques, les amoureux passent leurs premières vacances ensemble, à Belle-Île puis dans le Calvados avec Babou, dans le village de Crouay. C'est le temps de la belle entente, à quelques jours du départ de Fabrice pour Montréal, où il est nommé attaché commercial. Ingrid réussit ses épreuves de fin d'année et entre à Sciences Po. Fabrice lui manque, mais elle est avide d'apprendre. Les affaires publiques, surtout, la passionnent.

En novembre 1980, elle présente Fabrice à son père, de passage à Paris. L'accueil est glacial. Fabrice est

1. *Ibid.*, p. 48.

divorcé, père d'un enfant. Qui plus est, il vit avec Ingrid en dehors des liens sacrés du mariage. Le dévot Gabriel est gêné. En bon diplomate, Fabrice finit par gagner la confiance de l'ancien ambassadeur. Au fil des années, il devient son gendre favori, indétrônable.

Pendant les longs voyages de Fabrice en Asie du Sud-Est, Ingrid redevient une étudiante studieuse et une lectrice passionnée. L'année suivante, elle fait découvrir la Colombie à Fabrice. Carthagène-des-Indes et Barranquilla, sur la côte caraïbe, enthousiasment Fabrice. Les ciels bas et lourds de Bogotá aussi… Pour l'heure, du moins. Mais il aura bientôt tout le loisir de goûter aux charmes de l'Amérique latine : en 1982, il est nommé à Quito, en Équateur.

Femme de diplomate

Le 25 juin 1983, Fabrice épouse Ingrid à Paris. Un mariage du meilleur goût, relayé par la presse colombienne, *El Tiempo* et *Cromos*, l'hebdomadaire *people*. En raison de la situation de Fabrice, le mariage n'est pas célébré à l'église, mais à la mairie du VIIe arrondissement, qui fut autrefois la galerie du maréchal de Villars. Ingrid porte une petite robe ivoire. Fabrice, un costume croisé, qui ajoute à sa prestance naturelle. La cérémonie est suivie d'une réception à la résidence du comte de Billy, un ami intime de Yolanda. Dès le lendemain, Fabrice repart pour Quito, tandis qu'Ingrid prépare son examen de fin d'études dans son petit studio de la rue de Sèvres, en compagnie de Sébastien et du chien Tchekhov. Le 12 juillet, elle obtient son diplôme, dans la section « relations internationales ». Elle rejoint aussitôt Fabrice en Équateur, pour mener à ses côtés la vie tranquille et sans nuages de femme de diplomate, partagée entre les réceptions et les dîners mondains, les déplacements protocolaires et les voyages d'agrément.

Ingrid assiste de loin aux événements tragiques qui secouent son pays, marqué le 30 avril 1984 par l'assassinat du garde des Sceaux, Rodrigo Lara Bonilla, qui avait combattu la corruption des « narcos ». Elle s'inquiète de la guerre déclarée par les cartels de la drogue aux institutions, tandis que les guérillas décident de reprendre la lutte armée. Mais Fabrice ne veut pas entendre parler de la Colombie. Les trois années qu'il vient de passer en Équateur l'ont dissuadé de demander sa nomination à Bogotá. Ingrid est enceinte, il ne veut pas élever l'enfant à venir dans ce maelstrom de violences…

C'est aux Seychelles qu'elle accouche de Mélanie, le 6 septembre 1985 ; elle y a rejoint Fabrice dans sa nouvelle affectation, après avoir passé l'été à Paris. La joie d'être mère ravive ses chagrins d'enfant. Au souvenir douloureux du divorce de ses parents, elle rêve de réconciliation entre son père et sa mère. Noël approche. Le premier pour Mélanie, l'anniversaire d'Ingrid et, une semaine plus tard, celui de Yolanda. L'occasion est trop belle pour ne pas tenter de réunir toute la famille, décomposée un triste jour de 1975. Dix ans que ses parents se font la guerre ! À chacun, Ingrid écrit une lettre, les conviant, sous le sceau du secret, à venir passer les fêtes de fin d'année aux Seychelles. À chacun, prétendant qu'elle ne peut pas recevoir tout le monde, elle demande de cacher à l'autre sa venue, pour ne pas le froisser. Yolanda et Gabriel, bernés, s'y engagent. Et acceptent l'invitation de leur fille.

C'est Gabriel qui arrive le premier, une semaine avant son ex-femme. Tous sont dans la confidence de sa venue, mais rien du complot ourdi par Ingrid ne doit percer : « Papa Miel » serait capable de prendre l'avion dans le sens du retour. C'est d'ailleurs ce qu'il manque faire quand, la veille de l'arrivée de Yolanda, une maladresse d'on ne sait qui vend la mèche. Ingrid trouve les mots pour calmer la colère de son père et lui expliquer l'importance que sa présence revêt à ses yeux. Le lendemain, la mère d'Ingrid est ravie d'apprendre, à l'aéroport, la présence de son ex-mari. Plus heureuse encore de savoir qu'à l'évocation de son nom il n'ait pas pris la fuite.

Yolanda et Gabriel, après bien des années d'errance et de batailles rangées, rendent les armes. Hors du temps, hors du monde. Ingrid n'en croit pas ses yeux : « Ils vont passer un mois [...] à renouer patiemment une bonne partie des liens si violemment rompus, à se pardonner, à rire, à pleurer[1]. » Sous les yeux d'Ingrid, le cœur serré d'émotion en permanence, heureuse d'offrir à Mélanie l'image d'une famille que la vie lui avait enlevée.

Un pays à feu et à sang

Quelques mois auparavant, Yolanda a quitté son travail à l'ambassade de Paris pour s'installer définitivement à Bogotá. Son exil parisien a regonflé ses voiles. Aux Seychelles, elle s'ouvre à Ingrid de ses ambitions politiques. Elle a décidé de se présenter aux élections législatives. Elle veut être députée et reprendre, « la rage au cœur », le combat interrompu des années auparavant, lorsqu'elle aussi était femme de diplomate ; pour « parler au nom de ces familles paysannes chassées vers les villes par la guérilla et les narcos, dont les enfants errent dans Bogotá avant d'être recueillis par les organismes humanitaires[2] ».

1. *Ibid.*, p. 51.
2. *Ibid.*, p. 52.

Ingrid lui téléphone pendant des heures. Yolanda devient son lien privilégié avec la Colombie. Car une fois encore, elle n'est pas là pour vivre, aux côtés des siens, les tragédies qui frappent la Colombie. En 1985, l'éruption du Nevado del Ruíz engloutit vingt-cinq mille personnes à Armero. La même année, les guérilleros du M19 envahissent le palais de justice, qui abrite la Cour suprême. Le gouvernement donne l'assaut sans négociations. Un carnage qui fait une centaine de morts. Parmi eux, bon nombre de juges dont l'intégrité pouvait gêner le pouvoir en place. Un sentiment d'impuissance tenaille Ingrid. Mais aussi l'envie, plus que jamais, de retourner dans son pays natal.

En 1986, elle passe l'été en Colombie. Sans Fabrice. Yolanda est là. Plus que jamais vivante, impliquée dans une multitude de projets concomitants, courant en tous sens, de son bureau du Parlement à l'*Albergue*, de l'*Albergue* au « terrain », qu'elle sillonne du sud au nord. Ingrid la suit partout, sans rien perdre de ce qu'elle voit et de ce qu'elle entend. De retour aux Seychelles, sa frustration enfle, la sensation d'étouffement aussi, malgré le cadre paradisiaque de l'île et la belle demeure mouillée par l'océan Indien. Et tandis qu'Ingrid coule des jours – trop – tranquilles auprès de Fabrice et de Mélanie, sa mère est élue députée...

Le 1er juillet 1988, la famille Delloye-Betancourt débarque à Los Angeles, où Fabrice vient d'être affecté. La bien nommée « Cité des Anges », à quelques heures seulement de Bogotá par les airs. Trois mois plus tard, jour pour jour, Ingrid donne naissance à Lorenzo. Ingrid est une maman comblée mais une femme déclinante, à en croire son cousin Francisco Dueñas, qui a vécu six mois avec la petite famille : « Nous vivions dans une maison immense où la tranquillité finissait par être pesante. Ingrid cherchait en permanence à s'occuper. Elle préparait à l'époque un examen d'agent immobilier. Je ne reconnaissais pas ma cousine. Ce n'était pas elle, cette lionne en cage, cette *desperate housewife* avant l'heure[1]. »

Une lionne qui, dans sa cage dorée, vit par procuration la campagne électorale de Luis Carlos Galán dans laquelle sa mère s'est engagée début 1989, barrage ultime à la gangrène mafieuse qui dévore l'espace politique. Yolanda est chargée de la logistique du candidat, avec qui elle noue de solides liens d'amitié. « Il est la dernière chance de la Colombie », répète-t-elle sans cesse. Le charismatique leader du parti libéral sera assassiné le 19 août 1989. Yolanda est ivre de chagrin. Ingrid, à Paris avec Lorenzo, a besoin de prendre du recul. Peut-être aussi de retrouver, dans les ruelles du Quartier latin, l'exaltation intellectuelle de ses vingt ans. Et ses rêves...

C'est le déclic. Ingrid se sent coupable de ne pas être près de sa mère dans ce moment si douloureux... Entre Fabrice et la Colombie, son cœur ne balance plus : la ville aux rumeurs folles, le regard noir, mélancolique et grave de ses habitants l'emportent. Quatre mois après l'assassinat de Galán, Ingrid quitte tout et rentre en Colombie.

UN DESTIN

« Lance-toi, Ingrid ! C'est le moment ! » Ce cri d'encouragement est celui que Yolanda Pulecio lance à sa fille, apprenant qu'elle veut se présenter aux élections législatives de mars 1994. *Mamita* n'a pas oublié la lumière qu'elle a cru voir brûler dans ses yeux, quand, à l'Assemblée nationale, Ingrid lui a juré d'être un jour

1. Cité par S. Coronado, *Ingrid, op. cit.*, p. 91.

assise à sa place ! Depuis l'époque bénie de l'enfance où elle saisissait au vol, sous le piano de l'avenue Foch, les conversations sans fin des politiques colombiens, Ingrid est une force qui va, que rien ni personne ne pourra plus arrêter.

Avec Clara Rojas, elle démissionne du ministère du Commerce extérieur en novembre 1993, malgré les réticences de son patron Juan Manuel Santos, qui juge sa décision grotesque. « Mais enfin, qui te connaît ? Tu n'auras pas une voix », lui dit-il, goguenard, avant de lui donner rendez-vous au ministère au lendemain des élections, où il lui conserve une place... Mais, pour cette enfant prodige de la politique, il n'y aura pas de retour à la case départ.

Ingrid est séparée de Fabrice depuis quatre ans. La Colombie a eu raison de leur amour. Passées les premières souffrances d'un divorce douloureux, Fabrice est venu s'installer à Bogotá, malgré son peu de goût pour la capitale andine. S'il le fait, c'est pour Mélanie et Lorenzo, ses enfants. C'est un peu tard pour sauver son couple, mais bien plus intelligent que la guerre larvée que se sont livrée pendant dix ans les parents d'Ingrid ! Laquelle vient de faire la rencontre d'un jeune publicitaire, Juan Carlos Lecompte, au club équestre de la ville. Bientôt, leur passion commune pour l'équitation et leur goût de la fête les rendent inséparables.

Juan Carlos est athlétique, drôle, bon vivant. En outre, Ingrid a besoin de son professionnalisme et de son expertise. Elle n'est ni libérale ni conservatrice. De surcroît, elle est une femme. Comment se faire connaître ? Comment se faire entendre ? À l'instar de Yolanda, du temps de sa campagne municipale à Bogotá, Ingrid recourt aux méthodes « coup de poing » et aux slogans évocateurs. On la voit distribuer des préservatifs aux carrefours de Bogotá : « La corruption est le sida des Colombiens, avec moi vous serez bien protégés. » Yolanda applaudit à tout rompre, Gabriel manque en mourir de honte. Comme toujours, il faut du temps à ce père traditionaliste pour se faire aux excentricités de sa fille. Et si les Colombiens sont choqués, Ingrid gagne son pari : en quelques semaines, elle passe de l'anonymat le plus complet à une notoriété digne d'un phénomène paranormal…

Ingrid ne recule devant aucun scandale. À la suite de l'affaire des préservatifs, conviée au journal télévisé du soir, elle jette à des millions de téléspectateurs les noms de cinq parlementaires financés par le cartel de Cali. Parallèlement, elle s'attelle à la rédaction du « code éthique » du parti libéral, à la demande du président Ernesto Samper, bientôt rebaptisé « code Ingrid ». Point d'orgue : la stricte réglementation du financement des partis… Son commanditaire sera le premier à en faire les frais.

L'irrésistible ascension d'une pasionaria

En juin 1994, Andrés Pastrana perd l'élection présidentielle au profit d'Ernesto Samper. Le scandale éclate : la campagne du président fraîchement élu aurait été financée par le cartel de Cali ! Le trésorier du parti libéral confirme l'allégation. Deux ans plus tard, devant l'Assemblée, Ingrid accuse le président Samper d'avoir touché 6 milliards de dollars, sortis tout droit de la poche des narcotrafiquants. Sur le T-shirt qu'elle porte, un slogan imaginé par Juan Carlos – « Uniquement la vérité » – et un éléphant, en écho aux propos tenus quelques mois auparavant par l'archevêque de Bogotá, selon qui les mensonges de Samper sont tout bonnement… pachydermiques !

Ce n'est pas tout. Ingrid peut prouver que Samper n'est pas étranger à certains assassinats perpétrés par le cartel de Cali. « Oui, il savait », affirme-t-elle dans le réquisitoire où elle a rassemblé toutes les preuves de sa culpabilité. La publication de ce *Sí sabía*, en 1996, fait l'effet d'une bombe, dont la détonation se fait entendre jusqu'à la commission parlementaire créée à dessein de faire toute la lumière sur cette affaire. Si Ingrid dit vrai, c'en est fini de Samper. Mais les membres de la commission, dans laquelle celui-ci a des appuis solides, sont acquis à sa cause. En signe de protestation, Ingrid entame une grève de la faim dans les couloirs de l'Assemblée, qui la laisse aux portes du coma. À son tour, Ernesto Samper accuse Ingrid de trafic d'influence. Allégation infondée, montée de toutes pièces, qu'Ingrid saura déjouer. Mais Samper n'a pas dit son dernier mot…

En 1997, Ingrid se lance à l'assaut de la Chambre des représentants sous la bannière du parti libéral, l'éthique chevillée au corps. Un bon compromis entre la figure tutélaire de Gabriel, le conservateur incorruptible, et cette mère libérale et va-t-en-guerre, plus souple quand il s'agit, sur le terrain, de faire avancer les choses. Pour la seconde fois, Ingrid réconcilie père et mère.

À la surprise générale, elle est élue députée avec le meilleur score du parti, qu'elle va pourtant quitter pour créer sa propre formation, Oxígeno Verde. Sous cette étiquette, elle compose une coalition d'indépendants, liés par le dégoût des manigances politiques de tous bords. Mais Ingrid veut aller encore plus loin, plus haut. En 1998, elle se présente aux élections sénatoriales en candidate indépendante. « Luis Carlos Galán assurait que notre salut avait un nom : l'éthique. La corruption, répétait-il, était à l'origine du grand malheur des Colombiens. Je savais qu'il avait raison, mais je n'avais pas trente ans et aucune expérience du pouvoir. Aujourd'hui, j'ai repris le combat[1]. »

1. I. Betancourt, *La Rage au cœur*, *op. cit.*, p. 247.

La lutte contre la corruption a précipité le destin de Galán. Il sacre Ingrid qui sort gagnante des urnes, après un combat mené la fleur au fusil. Elle est élue avec le meilleur score du pays ! Comme sa tante Dolly, la sœur de son père, elle devient sénatrice. Elle s'allie avec les députés libéraux, qu'elle avait un temps boudés, pour soutenir la candidature du jeune Andrés Pastrana à l'élection présidentielle. Chez les Pastrana, on est président de père en fils. Andrés veut achever ce que Misael n'a pu accomplir, en promettant de réformer en profondeur les institutions du pays. L'étudiante exaltée de Sciences Po, séduite, lui apporte son soutien. Bien vite pourtant, elle fait volte-face : pour elle, Pastrana est un bonimenteur qui ne tiendra pas ses promesses. La route est libre, elle peut tracer son chemin. Puisqu'il n'en reste qu'une, elle sera celle-là !

La rage au cœur

En 1999, l'éditeur Bernard Fixot découvre, dans un article de journal, l'existence d'une jeune femme qui songe à se présenter à la présidence de la Colombie. Désireux de recueillir à tout prix ses confidences et ses souvenirs, il prend rendez-vous sur-le-champ. Ingrid le reçoit plutôt froidement. Elle est avant tout colombienne, engagée dans un combat politique rude et acharné. Elle ne voit pas l'intérêt d'un tel livre en France. Que lui apporterait-il ? « Je vais vous rendre célèbre dans le monde entier. Un jour, ce livre vous sauvera la vie. Le monde entier viendra à votre secours[1]. »

Vaincue par l'habileté bien connue de l'éditeur, Ingrid cède. Et s'il avait raison ? Quand elle rencontre à

---

1. Cité par Lionel Duroy, « Ce qui l'a sauvée », *Le Journal du dimanche*, 6 juillet 2008.

Paris Lionel Duroy, qui va l'aider à concevoir l'ouvrage, elle est une parfaite inconnue pour les Français. En Colombie, c'est différent, elle est la sénatrice la mieux élue du pays. Contre toute attente, pourtant, le livre s'arrache : plus d'un million et demi d'exemplaires vendus. Un véritable best-seller ! C'est le début de la « Betancourmania ». Ingrid est de tous les plateaux et de toutes les tribunes. À l'exception du *Monde*, qui se méfie de cet engouement médiatique, la presse est dithyrambique, subjuguée par le courage de cette jeune femme qui, quoique mère de deux enfants, lutte au péril de sa vie contre la corruption. « Cauchemar des narcos », « guerrière des Andes », « *pasionaria* à la Bolívar »... les périphrases semblent manquer aux journalistes pour chanter les louanges de leur nouvelle égérie !

En Colombie, où l'on a attendu des mois la traduction du livre, ce n'est pas la même chanson. La réception de l'autobiographie est plus mitigée. La presse ne manque pas une occasion pour portraiturer Ingrid sous les traits d'une Jeanne d'Arc extatique. Nul n'est prophète en son pays – encore moins quand il s'agit de laver son linge sale en famille et de faire passer la terre entière pour la géhenne. Ingrid Betancourt reconnaîtra plus tard la subjectivité de l'ouvrage, devant le tribunal de grande instance de Paris, où Samper l'a traînée pour diffamation. Qu'importe, un mythe est né, construit sur une légende familiale. Un procédé vieux comme le monde.

En 2001, Ingrid démissionne de son poste de sénatrice, comme le veut la Constitution colombienne, pour se lancer dans la bataille présidentielle avec Oxígeno Verde. Devant la chambre haute, elle rend son mandat et promet de renvoyer tous les sénateurs quand elle sera élue présidente de la Colombie ! Elle mène une campagne ambitieuse, qu'elle veut novatrice. Ainsi propose-t-elle d'organiser un référendum populaire afin d'assainir les mœurs politiques de la Colombie. Ingrid souhaite aussi dépolitiser la justice, révoquer le Congrès qu'elle considère comme un « nid à rats » corrompu et refondre les institutions. Quant aux narcos… à la trappe ! Indésirables dans une « *Colombia nueva* ». Ironie du sort, elle rêve d'une réconciliation nationale, autour de tables de négociation, entre les guérillas et l'État de droit. Un processus de paix qui précipiterait aux oubliettes les centaines d'enlèvements annuels de civils, de militaires et de politiques…

Au mois de janvier 2002, elle recueille moins de 0,2 % des intentions de vote au premier tour, très loin derrière le futur président, Álvaro Uribe, qui séduit 39 % des sondés. En deuxième position figure le libéral Horacio Serpa (30,1 %), devant Noemi Sanin (16,9 %)… Après les préservatifs en 1994, elle donne cette fois dans le Viagra. Tout un symbole, pour celle qui a juré de redresser son pays ! Elle a le verbe haut et le geste théâtral.

Deviens qui tu es

À deux mois du scrutin, quoique laminée dans les sondages, Ingrid Betancourt est une candidate crédible, qui sillonne le pays de fond en comble pour prouver son engagement et sa bonne foi. Façonnée par son milieu, elle en a hérité les comportements. Comme ses parents, elle est riche. Comme ses parents, elle a la foi. Comme ses parents, elle divorce. À l'instar de Yolanda, elle a l'âme politique dans un corps de mannequin. Comme elle, elle n'a pas supporté d'être enfermée dans les carcans d'une vie bien rangée. Son activisme est un mélange de modernité, de tradition et d'individualisme. Mais surtout le fruit d'une prédestination, d'une mission à accomplir. À défaut de réalité, c'est ce qu'elle aimerait croire…

« Tu sais, Ingrid, la Colombie nous a beaucoup donné. C'est grâce à elle que tu as connu l'Europe, que tu as fréquenté les meilleures écoles et vécu dans un luxe culturel qu'aucun petit Colombien ne connaîtra jamais. Toutes ces possibilités dont tu bénéficies font qu'aujourd'hui tu as une dette envers la Colombie[1]. » Ces mots, sans doute Ingrid ne les a-t-elle jamais oubliés. Pas plus qu'elle n'a oublié ses rêves de jeunesse, du temps où, en bibliothèque, elle trouvait dans les livres le remède aux maux de son pays et l'espoir d'une bataille à livrer. Dans sa vie, tout s'est toujours enchaîné comme les notes d'une partition, maintes fois rejouées. Jusqu'au temps suspendu de la jungle, qui a façonné le bois brut dans lequel elle était faite, sans en changer la fibre : celle de Gabriel et Yolanda.

Ingrid, ne serait-ce qu'un instant, s'est-elle vue Galán en jupons, ce 23 février 2002, en se rendant à San Vincente del Caguán malgré toutes les mises en garde ? Sans doute, mais les jeux sont faits. Pour l'amour d'une mère, elle doit vivre son destin jusqu'au bout, sous le regard défunt du Commandeur : ce « Papa Miel » dont la statue, depuis le 3 août 2006, se dresse au centre de la place de Bogotá qui porte son nom…

1. I. Betancourt, *La Rage au cœur*, *op. cit.*, p. 32.

4

SEPT ANNÉES DE « STOP AND GO »

Le 23 février 2002, Ingrid Betancourt est encore une jeune et ambitieuse sénatrice. Elle a quarante et un ans et se présente à l'élection présidentielle de son pays natal, la Colombie. Se doute-t-elle, ce jour-là, que sa vie va prendre un tour tragique ? Alors qu'elle est attendue à un meeting politique dans la ville de San Vicente dont le maire est un ami, membre du parti politique qu'elle a fondé (Oxígeno Verde), elle est arrêtée à un barrage routier par des guérilleros. C'est le début de six années et demie de captivité qui vont faire d'elle l'une des otages les plus célèbres de la planète. Pendant ces 2 321 jours, dont la conversion en nombre d'heures donne le vertige, Ingrid Betancourt va demeurer captive d'une prison à ciel ouvert : la jungle colombienne.

Pendant ce temps, seules trois preuves de vie d'Ingrid viendront briser le silence de la jungle. On ne comptera plus les fausses rumeurs – bonnes ou mauvaises –, les revirements de politique – militaire ou humanitaire – et les coups de théâtre : de la folle équipée de Manaus en 2003 à la libération de 2008, digne d'un roman de John Le Carré, l'affaire Ingrid Betancourt captive la France et mobilise les plus grands acteurs de la scène internationale : Nicolas Sarkozy, Álvaro Uribe, Hugo Chávez, George W. Bush...

Évoquer le versant politique de cette affaire, c'est déambuler à travers une galerie de portraits florentine où chaque personnage s'épie, s'observe du coin de l'œil en guettant le prochain coup – de poker ou de dague – de son voisin... Évoquer l'« affaire Betancourt », c'est s'embarquer dans un *road trip* bien particulier, où les pannes sèches succèdent aux coups d'accélérateur et les longues lignes droites aux tête-à-queue.

UN DÉPART SUR LES CHAPEAUX DE ROUES *(2002-2003)*

Début 2002. La Colombie vit au rythme effréné de sa campagne présidentielle. Il faut imaginer le balai incessant des hélicoptères, les réquisitions d'avions pour sillonner en toute sécurité un pays deux fois plus vaste que la France et les cortèges de 4×4 américains blindés aux vitres teintées. S'y abritent des femmes et des hommes qui font campagne dans une tension et une urgence permanentes, dignes des meilleures séries américaines. C'est que dans la plus ancienne démocratie d'Amérique latine, la population est habituée aux « coups de chaud » et aux rebondissements. Certes, la Colombie, indépendante depuis 1819, a toutes les apparences d'une démocratie où, à l'instar de la France, l'ensemble des citoyens de plus de dix-huit ans prend part au vote ; impression trompeuse : on ne compte plus les coups d'État militaires, scandales et autres assassinats politiques. Là-bas, les candidats font campagne sous haute surveillance et les mesures de sécurité sont draconiennes. À quarante ans d'intervalle, le pays n'a-t-il pas déjà connu l'assassinat de deux candidats charismatiques, Jorge Eliécer Gaitán et Luis Carlos Galán, fauchés en pleine période électorale ?

Cette atmosphère si particulière, où les montées d'adrénaline sont fréquentes, ne doit pas déplaire à la sénatrice Betancourt, qui a maintes fois fait preuve de son courage. En 1996, elle dénonçait publiquement la corruption supposée de l'ancien président Samper. Plus tard, elle critiquait la façon dont le président Pastrana menait les négociations de paix avec les FARC. S'il est une chose sur laquelle tout le monde s'accorde, c'est bien le courage incroyable de cette femme, altruiste au prix de l'oubli de soi. Marie Delcas, la correspondante du *Monde* à Bogotá, parfois critique à l'égard d'Ingrid, souligne l'excellence de sa campagne. Ce 23 février 2002 pourtant, son destin bascule lorsqu'elle décide, malgré les mises en garde et les avertissements, de se rendre à San Vicente del Caguán. Nul ne l'ignore : les accès terrestres de cette petite ville, située au sud-est de la capitale, sont tous contrôlés par les FARC.

Inconscience d'un courage poussé jusqu'à la témérité ou simple malchance ? Obligation d'ordre moral ou passion de la communication et du « coup de pub » à tout prix, comme certains l'ont suggéré ? Responsable ou victime ? Ses motivations ont fait depuis la première heure l'objet de toutes les interrogations, jusqu'au tarmac de l'aéroport militaire de Catam où, le 2 juillet 2008, s'improvisait une conférence de presse. Une obsession.

Le choc de l'enlèvement

La date du 23 février 2002 restera gravée à jamais dans la mémoire d'Ingrid Betancourt. Avec le recul, ce fut la journée des contrastes : libre le matin, Ingrid est captive l'après-midi, passant – symboliquement – du froid sec de la capitale colombienne à la touffeur humide de la jungle amazonienne. Que s'est-il passé exactement ?

6 heures. Ingrid Betancourt brave le froid mordant du jour naissant sur Bogotá pour se rendre à l'aéroport d'El Dorado, où elle retrouve l'équipe qui l'accompagne depuis le début de sa campagne. Outre ses fidèles – sa directrice de campagne Clara Rojas, son chargé de communication Francisco Rodriguez et Adair Lamprea, responsable de la logistique –, elle retrouve le capitaine Barrera, chargé de sa sécurité et de l'organisation de ses déplacements, et ses deux gardes du corps, Omar et Nelson, qui veillent sur elle : Ingrid s'est déjà fait tant d'ennemis sous les ors de la République ! Ce « cercle » de sécurité est doublé d'un « cercle » médiatique où deux Français figurent en bonne place : Marianne Mairesse, qui couvre la campagne de la candidate pour le mensuel *Marie-Claire*, et le photographe Alain Keler.

À quoi Ingrid pense-t-elle dans la voiture qui la mène à l'aéroport ? Au programme de la journée, laborieusement élaboré la veille ? Au manque de sommeil, elle qui s'est fait réveiller à 4 heures par Maria, la gouvernante ? À la tenue à la fois pratique et toute symbolique qu'elle a choisie pour la longue journée qui s'annonce, un jean offert à Noël par sa fille Mélanie, des bottes de marche et un polo jaune au sigle de sa campagne « Colombia nueva » ? Ou laisse-t-elle son esprit divaguer au fil d'images plus intimes : Juan Carlos à demi endormi dans le lit de leur appartement[1], le sourire de ses enfants qu'elle a dû confier à leur père

1. J. C. Lecompte racontera ainsi : « Elle m'a réveillé en me donnant un petit baiser. Je lui ai dit : "J'espère que tout ira bien, mais fais bien attention..." Elle m'a répondu : "Oui, bien sûr, je ferai gaffe." Après un autre baiser, elle a ajouté : "J'essaierai de rentrer ce soir, mais à mon avis, ce sera plutôt demain." Je savais qu'elle allait faire face à des problèmes, mais je n'ai jamais pensé que ce seraient les derniers mots que j'entendrais d'Ingrid. » (Michel Peyrard, « Un jour, une heure », France 2, 19 février 2007.)

pour faire campagne, ou encore la voix fatiguée de son propre père, gravement malade, qu'elle a encore vu la veille à l'hôpital ? Je l'imagine, entre deux coups de fil fébriles, contempler l'immense ville qui s'éveille et se découvre à travers la vitre teintée de sa voiture blindée, chassant peut-être de son esprit un doute fugace, comme un pressentiment que l'on se refuse à écouter.

Pour l'heure, elle embarque avec cinquante autres personnalités médiatiques et politiques dans un DC-10 prêt à s'envoler pour Florencia, l'aéroport le plus proche de San Vicente del Caguán. Hésite-t-elle encore à se rendre à San Vicente ? Si l'état de santé de son père aurait pu l'en empêcher, pas la peur. Elle ne craint pas pour sa vie. Ne part-elle pas sans gilet pare-balles, à cause de la chaleur ? Ce déplacement, elle y a consenti pour répondre à la demande expresse du maire de la ville, Nestor León Ramirez, ami et partisan de sa candidature. Il craint en effet qu'après la rupture de la trêve entre le gouvernement colombien et les FARC, San Vicente ne se transforme en champ de bataille. Il veut éviter que ses administrés se trouvent pris entre des tirs croisés. Il croit sincèrement que la venue d'Ingrid peut calmer les esprits et permettre une sortie de crise, comme une mise à l'abri des civils. Le maire a de bonnes raisons de redouter des violences ou des représailles : le président Pastrana a lui aussi l'intention de se rendre à San Vicente pour prouver aux médias colombiens et étrangers qu'il n'y a pas de zone de non-droit dans l'État qu'il dirige ! D'ailleurs, le chef de l'État n'a-t-il pas décidé de baptiser son prochain déplacement d'un prometteur « Retoma de soberanía[1] » ?

7 heures. Le DC-10 se pose à Neiva plutôt qu'à Florencia, inaccessible à cause d'un brouillard persistant. Déjà le temps a changé, il fait chaud et lourd, la jungle

1. Reprise de souveraineté.

n'est plus très loin. Ingrid doit attendre pendant plus d'une heure que l'avion puisse redécoller ; ce laps lui suffit pour palper le climat électrique qui règne parmi les passagers.

9 heures. Après une heure et demie d'attente, le DC-10 repart à destination de Florencia. À l'arrivée règne une atmosphère de siège : ballet des hélicoptères, tas de sable accumulés formant un trône aux mitrailleuses sur lesquelles veillent des soldats en treillis kaki de combat... Tout ce que la Colombie compte d'hommes importants se retrouve dans le petit hall de l'aéroport ; chacun cherche une place dans un hélicoptère pour se rendre à San Vicente. Emprunter les 130 kilomètres de la route qui y mène est trop risqué. L'armée le déconseille, les FARC y sont nombreuses, actives et quadrillent toute la zone.

10 heures. Aucune place à bord d'un hélicoptère ! Ingrid tente le tout pour le tout. Elle demande au président Pastrana la permission de monter dans son avion. Il refuse ! Ingrid enrage : le président l'a délibérément ignorée, elle qui n'a pourtant épargné ni son temps ni son énergie, quatre ans auparavant, en contribuant avec succès à son élection. Plus tard, Andrés Pastrana expliquera qu'il avait à cœur de respecter la Constitution, selon laquelle aucun candidat à l'élection présidentielle ne doit être favorisé en bénéficiant des moyens de l'État. D'autres assureront que le refus de Pastrana ne traduisait rien d'autre que sa crainte de se faire « voler la vedette » par une sénatrice jeune et pleine de fougue...

Résolue malgré tout à se rendre à San Vicente, Ingrid décide de partir par la route. Rien ne peut l'arrêter. Nouvelles palabres, nouvelles négociations : elle obtient une voiture, un pick-up qu'elle aide à recouvrir de drapeaux blancs et d'écriteaux portant les mentions « presse internationale » et « Ingrid Betancourt ». C'est l'heure du départ et des choix. Impressionnée par le déploiement militaire et l'absence de garde rapprochée, effrayée surtout par le tir accidentel – triste augure – d'un des gardes du corps d'Ingrid qui, par bonheur, ne fait aucun blessé, Marianne Mairesse refuse de suivre la candidate. Lamprea et le chauffeur Mauricio seront du voyage, de même que Clara Rojas, qui est son amie avant d'être sa directrice de campagne. Alain Keler aussi, bien qu'il assure aujourd'hui « avoir senti le vent tourner » et deviné que « quelque chose se tramait ». Il n'hésite plus à dire que se rendre à San Vicente par la route était une pure folie, une inconscience délibérée, un oxymore ! Fasciné par cette femme dont il témoigne de l'« énergie » et du « charisme », le photographe juge sévèrement sa décision et n'hésite pas à dire qu'Ingrid « s'est volontairement foutue dedans »... Lorsqu'on connaît Alain Keler et son allure dégingandée de reporter qui parle vrai, on ne peut que se poser la question. Mais Ingrid est déjà en route pour San Vicente...

13 heures. Le pick-up d'Ingrid vient à peine de s'ébranler qu'il subit déjà un premier contrôle à un barrage tenu par l'armée, le bataillon « Liberio Mejia ». Ingrid doit signer une décharge pour le prêt du véhicule. Le soldat de garde du poste note alors ces quelques mots : « À 13 h 10, Ingrid Betancourt entre dans la zone démilitarisée. Aux observations sur sa sécurité, elle a répondu voyager sous sa propre responsabilité[1]. » Le pick-up continue d'avancer sur une route quasi lunaire, dans un silence inquiétant. La voiture est obligée de modérer son allure à cause des gros nids-de-poule... et des mines qui jonchent le parcours.

Le pick-up d'Ingrid s'engage sur le kilomètre 42. Il est arrêté à un barrage contrôlé par de jeunes guérilleros. Si les témoignages divergent, ce que l'on peut décrire avec certitude, c'est l'excitation et la tension de

1. Cité par S. Coronado, *Ingrid*, *op. cit*, p. 46.

ces hommes décontenancés par l'obstination d'une femme qu'ils connaissent bien, pour l'avoir vue discuter avec leurs chefs quelques jours auparavant. Que faire d'elle ? La question se pose à ces jeunes guerriers, que leurs chefs ont envoyés à la « pêche au gros ». Des personnalités politiques, pour l'essentiel. Peut-être des divergences naissent-elles entre ceux qui seraient tentés de la laisser continuer sa route et d'autres, plus violents, qui entreprennent d'arracher ses drapeaux blancs et ses écriteaux. Le ton monte, l'énervement et la tension sont palpables, les guérilleros touchent compulsivement leurs mitraillettes, on sent que « tout peut basculer d'un moment à l'autre »...

C'est alors qu'un bruit assourdissant éclate. Un jeune guérillero, qui sort tout juste de l'adolescence, vient de sauter sur une mine antipersonnel. Il hurle et se contorsionne de douleur. Ingrid se précipite à son secours, demande à l'accompagner vers un centre de soins. On hisse le blessé à bord du véhicule où prennent place Ingrid et ses amis ; au bout de quelques kilomètres, l'un des chefs FARC leur ordonne de stopper. Bientôt, deux camionnettes des FARC les rejoignent ; on sépare les hommes des femmes. Le chef ordonne à Ingrid de monter dans une camionnette rouge. Clara la suit. Les hommes les regardent partir, impuissants, sans savoir que c'est la dernière fois qu'ils les voient avant de longues, très longues années...

Qu'est-il advenu du jeune homme ? Dans le récit de l'enlèvement qu'Adair fera à Juan Carlos, la réponse ne fait aucun doute : « Tu sais, à ce moment-là je me suis rendu compte qu'ils étaient vraiment cruels. Abandonner ce pauvre garçon à l'agonie ! Nous ne savons pas ce qu'il est devenu, on ne l'a jamais revu. Il était si mal en point qu'il n'a pas dû rester en vie bien longtemps[1]. »

1. J. C. Lecompte, *Au nom d'Ingrid*, *op. cit.*, p. 60.

En ce 23 février 2002, la « pêche » est véritablement miraculeuse pour les FARC : quel énorme « poisson » ils viennent de ferrer ! Ce qu'ils ne savent pas encore, c'est à quelle espèce il appartient. Loin d'être un poisson d'eau douce, Ingrid se révélera plus proche du barracuda ! Pendant six ans et demi, elle se défendra avec pugnacité, n'écoutant que son courage…

15 heures. Tandis qu'Ingrid roule pour une destination inconnue, l'inquiétude monte dans son équipe de campagne où l'on est resté sans nouvelles. Joint au téléphone, le curé de San Vicente, chez qui Ingrid aurait dû passer la nuit, affirme qu'elle ne s'est pas montrée.

Dans le même temps, le maire de San Vicente téléphone à la mère d'Ingrid, Yolanda, pour l'informer que sa fille n'est pas arrivée à bon port.

17 heures. Diana, l'attachée de presse d'Ingrid, toujours sans nouvelles, ne peut faire autrement que de rédiger un court communiqué sur la disparition de la sénatrice qu'elle adresse aux principaux médias colombiens.

18 heures. C'est l'heure du flash info sur les radios du pays. On annonce « la disparition d'Ingrid Betancourt, de Clara Rojas, des deux membres de l'équipe et du photographe français ».

19 h 30. C'est au tour des pouvoirs publics colombiens d'annoncer officiellement la disparition d'Ingrid Betancourt. Le ministre de l'Intérieur met immédiatement l'accent sur l'inconscience d'Ingrid ; il déclare en substance qu'elle ne peut s'en prendre qu'à elle-même et laisse penser qu'elle a voulu tenter un « coup de pub ». D'autres ne mâchent pas leurs mots, telle cette femme politique, dont je préfère taire le nom, qui dira peu ou prou : « Cette salope n'a eu que ce qu'elle méritait. » Fabrice Delloye, son ex-mari, m'assure au contraire qu'il s'agissait pour elle d'une nécessité morale. On comptait sur elle à San Vicente, elle devait donc y aller, quelles qu'en fussent les conséquences –

peut-être est-ce là le seul reproche que l'on puisse adresser à cette femme de conviction, d'avoir confondu courage et témérité. Interrogée à l'instant de sa libération sur sa décision de se rendre à San Vicente, Ingrid, profondément émue, ne dira pas autre chose. Cette question, elle se l'est posée mille fois. Et chaque fois, la même évidence : on comptait sur elle à San Vicente, elle sentait qu'elle avait rendez-vous avec son « destin » ce jour-là. Non seulement elle ne regrette rien, mais si c'était à refaire elle le referait... prête à tout sacrifier pour son pays, sa terre, sa déchirure : la Colombie.

Aux sources de la tragédie colombienne

Avec l'enlèvement d'Ingrid Betancourt, la majorité des Français entend parler pour la première fois des FARC et apprend, au fil des ans, à en savoir un peu plus sur un pays, sur son histoire et sur sa violence. Il aura fallu l'enlèvement et la séquestration d'Ingrid pour tenter de comprendre la Colombie, par-delà les clichés. Quelle ironie, deux ans après la publication de son livre, quand Ingrid avait la « rage au cœur » de faire découvrir son pays. Elle s'éclipse contre son gré de la scène politique pour les ombres de la jungle, et ce sont ses habitants qui entrent sous le phare des médias.

Le décor de cette tragédie, c'est un pays magnifique ; la Colombie où les paysages sont à la hauteur des drames qui s'y jouent. D'une superficie de plus d'un million de kilomètres carrés, la Colombie compte 16 millions d'habitants de moins que notre pays. Les 44 millions de Colombiens se concentrent essentiellement le long de la côte Pacifique et dans la chaîne des Andes. À ce gigantisme s'ajoute une incroyable diversité des climats et des paysages, correspondant aux cinq grandes régions que compte le pays : la Caraïbe, la zone Pacifique, les Andes, l'Orinoquie et l'Amazonie. Montagneux et bordé par l'océan Pacifique à l'ouest, fort de grandes plaines à l'est, entouré par cinq voisins (Panamá, Venezuela, Brésil, Pérou et Équateur), le pays connaît un climat tropical dont les caractéristiques favorisent une mosaïque de microclimats et une faune et une flore incroyablement riches. La prodigalité de la nature colombienne semble tout droit sortie du livre de la Genèse : 1 200 espèces de poissons de mer et 1 600 de rivière, 3 000 familles différentes de papillons, 250 000 variétés de coléoptères ; on y trouve aussi 30 % des espèces de tortues du monde et 25 % des espèces de crocodiles. Enfin, pas moins de 222 espèces différentes de serpents[1] ! À cette exubérance naturelle répond l'exubérance d'une Histoire qui confine à l'épopée. Sans cette généalogie, impossible de comprendre l'origine et les actions menées par les FARC. Comme dans toute tragédie, elle se déroule en trois actes...

Acte I : Bolívar ou le grand rêve évanoui. La Colombie se libère du joug espagnol, vieux de presque trois siècles, par étapes et par batailles entre 1810 et 1819, sous la houlette du plus mythique des *libertadores*, Símon Bolívar. C'est lui qui arrache l'indépendance du pays après sa victoire éclatante à la bataille de Boyacá, le 7 août 1819, et mène avec brio le congrès d'Angostura au cours duquel la Colombie devient une république fédérale et Bolívar son premier président.

Mais sous les cendres des luttes passées couvent les braises de batailles fratricides entre les amis d'hier. À Bolívar, qui souhaite la libération du reste du continent par un pouvoir fort et centralisé, s'oppose le général Santander, qui préfère consolider la nouvelle

1. Source : « rapport sur la biodiversité », ministère de l'Environnement colombien.

république dans une visée fédéraliste. S'enchaînent alors de sombres luttes d'influences et de multiples coups bas. Santander remporte la mise ; c'en est fait du rêve de Bolívar et de ses illusions perdues. Le *libertador* choisit l'exil et le lyrisme mélancolique : « J'ai labouré la mer et semé le vent », aura-t-il ainsi coutume de dire[1].

État centralisé et fédération ? Ces conceptions politiques opposées se perpétuent tout au long du XIXe siècle et recoupent la fracture entre parti conservateur et parti libéral. Se superposent des problèmes sociaux. D'un côté, la bourgeoisie des « Criollos », descendants directs des premiers Espagnols, possède tout. De l'autre, Métis et Indiens forment une cohorte de pauvres sans terre. Tout au long de son histoire, le pays va rejouer cette scène primitive de violence et de tensions sociales. On ne compte plus alors les guerres civiles : 1860-1863, 1898-1902... L'accouchement de l'indépendance, aux forceps, semble avoir légitimé le recours à la violence pour faire entendre sa voix et triompher ses idées. « Le glaive le cède à la toge » : le commandement cicéronien ne peut s'appliquer à la Colombie...

Acte II : La Violencia et la naissance des FARC. Après une relative période de stabilité entre 1910 et 1946, où le pays est tour à tour dominé par les conservateurs (1910-1930), puis par les libéraux (1930-1946), succède une période sombre et sanglante qui n'a rien à envier aux cruautés du siècle passé.

Tout commence le 9 avril 1949. Ce jour-là, le leader libéral et populiste Jorge Eliécer Gaitán, dont la cote de popularité est au firmament, est assassiné. Orateur charismatique, il savait transporter les foules. Grand, les traits expressifs, les yeux vifs et pétillants, Gaitán,

---

1. *Cf.* Símon Bolívar, *L'Unité impossible*, textes choisis par Charles Minguet, Paris, Maspero, 1983.

avec ses cheveux bruns plaqués et lustrés à la brillantine, avait un faux air de danseur de tango. S'il en avait le charme, il avait surtout cette flamme à laquelle on reconnaît un grand homme. Nul n'imaginait qu'il pût perdre l'élection présidentielle, après le triomphe remporté aux législatives de 1947. Mais voilà… Gaitán est emporté par une rafale de mitraillette qui vaut à son auteur un lynchage public. Le palais présidentiel – la Casa de Nariño, dont le « locataire » est alors un conservateur – subit un saccage en règle.

Cette réaction de violence épidermique, le « Bogotázo », comme le nomment les historiens, accouche d'une spirale de violence infernale. Gaitán avait joué les Cassandre en déclarant que le pays mettrait cinquante ans à se remettre de son assassinat, s'il survenait. L'oracle se réalise. Les deux partis politiques s'affrontent et l'énigme de la mort de Gaitán demeure. L'assassinat a-t-il été fomenté par la CIA ou, à l'inverse, par l'URSS, qui ne tolérait pas l'émergence d'un centre gauche ? Les problèmes du pays restent pendants, tandis qu'un déchaînement de violences et d'horreurs transforme la Colombie en cauchemar : yeux crevés, oreilles tranchées, femmes enceintes éventrées, familles entières massacrées… Si le dénombrement des victimes reste sujet à caution, l'estimation généralement avancée fait froid dans le dos : trois cent mille morts en dix ans.

C'est dans le contexte de la « Violencia » que naissent les FARC. C'est peu dire que de mauvaises fées se sont penchées sur leur berceau… Lassés des violences quotidiennes, les modérés des partis conservateur et libéral s'accordent en effet pour se partager le pouvoir et refermer la parenthèse de la Violencia. Ce « Frente nacional » met un terme aux alternatives de gauche et d'extrême gauche qui, dans la foulée de la révolution cubaine, font florès en Amérique latine. La coalition entend reprendre la main et renforcer l'autorité de l'État. Toutes les expériences utopiques d'autogestion et de partage de la terre sont interrompues. Pour conserver leur indépendance, des paysans et quelques idéologues venus des grandes villes, Bogotá ou Medellín, se constituent en bandes armées. Les FARC sont portées sur les fonts baptismaux le 20 juillet 1964, l'Armée de libération nationale (ELN) en 1965 et le Mouvement du 19 avril (le M-19) en 1973. D'organisation politique, les FARC deviennent très vite une organisation mafieuse, dont l'idéologie se révèle plus légère que quelques grammes de cocaïne…

Acte III : Violences actuelles. La profusion végétale de la Colombie a son envers. Elle dispense aussi des richesses vénéneuses, à l'image de ces innombrables plantations de coca, dont on extrait la cocaïne, une poudre blanche dont le prix se situe « *por las nubes*[1] », comme on dit là-bas… Cultivée par les narcotrafiquants, les fameux « narcos » popularisés par la figure légendaire de Pablo Escobar, la coca prospère sur les terres où règnent les FARC, au sud-est du pays : Putumayo, Huila, Cauca, Valle del Cauca… Si tous les experts ne s'accordent pas sur leur statut de « producteurs-transformateurs-vendeurs[2] », il est certain que les FARC ont passé un accord avec les narcos. En échange de leur protection, ceux-ci s'engagent à reverser à la guérilla une partie de leur bénéfice, le *gramaje*[3].

1. « Dans les nuages », c'est-à-dire à une hauteur inaccessible.
2. Pour les États-Unis et le gouvernement colombien, leur statut de dealers ne fait aucun doute. D'autres enquêtes menées par des journalistes ou des ONG montrent que les FARC ne s'enrichissent pas avec la drogue et se « contentent » de contrôler le trafic.
3. Selon une enquête du grand quotidien argentin *La Nación*, que semblent corroborer les statistiques du gouvernement colombien, cet impôt représente jusqu'à 78 % du budget de fonctionnement des FARC, soit plus d'un milliard de dollars.

Le vol de bétail et l'extorsion de fonds, fruit des enlèvements dits « économiques », complètent leurs sources de revenus. Environ huit cents personnes seraient régulièrement entre leurs mains, soit un rapport d'environ 600 millions de dollars. Les sommes folles brassées par les FARC peuvent-elles expliquer à elles seules leur longévité (plus de quarante ans) et leur nombre (estimé entre seize et dix-huit mille hommes) ? Si le fonctionnement mafieux des FARC et le caractère « terroriste » de leurs actions ne font aucun doute aujourd'hui, il n'en a pas toujours été ainsi. En plus des groupes d'extrême gauche, la Colombie abrite en son sein des serpents d'extrême droite qui frayent aussi, à leurs heures perdues, avec les narcotrafiquants.

Rejetant toute discussion ou solution pacifique avec les groupes de gauche, les paramilitaires se sont regroupés en 1997 dans l'AUC (Autodefensas unidas de Colombia), avec une fâcheuse tendance à mettre dans le même sac les syndicalistes, les politiciens de gauche élus démocratiquement et les membres des guérillas armées. À plus forte raison quand ces derniers jouent le jeu parlementaire sous la présidence de Belisario Betancur et créent une branche politique en 1985, la Unión patriótica. Lors des élections de 1986, elle remportera cinq postes de sénateurs, quatorze de députés et décrochera vingt-trois mairies. Une honte à laver dans le sang : au long des quinze années suivantes[1], la quasi-totalité des membres de l'Unión seront éliminés par les paramilitaires.

Ces miliciens ne reculent devant rien. Leur chef, le sanguinaire Carlos Castaño, a expliqué à Bernard-Henri Lévy, qui l'a rencontré, que l'élimination systématique

1. Iván Castro Cepeda, Claudia Girón Ortiz, « Vie et mort de l'Union patriotique. Comment des milliers de militants ont été liquidés en Colombie », *Le Monde diplomatique*, mai 2005.

des guérilleros lui paraissait une question de salut public. Derrière sa nervosité et son excitation coutumières, Castaño cachait une certitude abominable. Qu'un homme, qu'une femme eussent ne serait-ce qu'un vague lien avec la guérilla, ils devenaient à ses yeux non plus des civils, mais des guérilleros en civil, dignes à ce titre d'être torturés, égorgés et farcis d'une poule vivante, en lieu et place de fœtus…

L'autre chef des paramilitaires, Salvatore Mancuso, n'aurait pas renié ces propos. Cet éleveur au visage bovin croupit aujourd'hui dans une prison américaine, non sans avoir confessé, presque modestement, quelque trois cents meurtres. Ce fils d'immigré italien, au teint plutôt clair – d'où son surnom de « Mono » –, usait de méthodes de massacres similaires à celles des narcos d'Escobar : la tronçonneuse au poing, lorsqu'il s'agissait de démembrer leurs victimes encore vivantes et d'imposer la terreur. Dans le nord de la Colombie, dirigé par Mancuso au nom des AUC, plus de quatorze mille paysans, militants de gauche ou syndicalistes auraient ainsi été assassinés.

La voix d'un seul homme suffit à faire entendre la violence endémique de la société colombienne. Membre de l'Unión, il a été tué sauvagement après avoir déjoué une première tentative d'assassinat. Cet homme, un parmi des milliers d'autres, se nomme Josué Giraldo. Il a raconté son histoire. « Un plan existait pour me tuer, dit-il. Je fus mis au courant huit jours avant l'attentat par deux des tueurs que je connaissais depuis que nous étions petits et qui m'avertirent… Ils dirent aussi qu'eux ne tireraient pas sur moi mais qu'on avait fait venir des tueurs d'El Valle et que tout se tramait en accord avec la police… Ce qui me faisait le plus mal dans cette histoire c'est que le chef des tueurs était un vieil ami. Nous jouions ensemble quand nous étions gosses et à l'école, nous avions partagé les mêmes rêves… et voilà qu'il terminait dans la peau d'un tueur à gages ! » Arrive la nuit du meurtre : « Le tueur tire une première fois ; le coup de feu m'atteint dans le dos, à la hauteur de l'épaule. Cette balle s'est si bien incrustée dans la clavicule que, depuis ce jour-là, j'ai toujours ce petit bout de plomb sur moi ! [*Josué tombe au sol, se remet debout et tente de s'échapper.*] Le tueur me rejoint alors et tire une deuxième balle à bout portant en visant ma tête. La balle traverse l'écharpe, m'arrache en partie le cuir chevelu et me déchire l'oreille. Il visait mes jambes pour m'empêcher de courir. Au quatrième tir, il m'atteint à la tête… Le cinquième coup me rate, mais le sixième m'atteint à l'estomac. Ayant vidé son chargeur, le type me donne pour mort et prend la fuite[1] … »

Témoignage édifiant ! On comprend mieux que les FARC aient préféré la lutte armée et ses dérives mafieuses à l'arène politique… D'autant plus qu'en Colombie le trafic de drogue transcende les clivages politiques. Si les FARC sont alliés à certains narcos, les paramilitaires le sont à d'autres. Ainsi Carlos Castaño était-il proche du baron de la drogue, Pablo Escobar. Lequel, patron exubérant et féroce du cartel de Medellín, se piquait de politique dans une ville dont le maire n'était autre que l'actuel président Uribe. Simple coïncidence ? Nous y reviendrons.

Quelques lignes encore au sujet du processus de paix – ou devrais-je dire de la duperie ? – mimé par les FARC et le gouvernement colombien entre 1998 et 2002. En 1998, lorsque Andrés Pastrana est élu à la présidence, il se lance tête la première dans une résolution du conflit qui oppose les FARC au pays. Jouant

1. *« Coupons les ailes à l'impunité ». Récit de la vie de Josué Giraldo,* texte présenté par Luis Guillermo Pérez Casas et publié après la mort de Josué Giraldo, Bruxelles, CNCD, 1997.

la carte de la pacification, il accorde à la guérilla une zone démilitarisée dans le Sud, un territoire grand comme la Suisse, en échange d'un cessez-le-feu. Les FARC profitent de ces quatre années pour accroître leurs effectifs, perfectionner leur armement et préparer une offensive. En février 2003, l'avion de la compagnie Aires à bord duquel voyage le sénateur Jorge Géchem est détourné. La guérilla libère tous les passagers, à l'exception du sénateur. C'en est trop pour Pastrana, qui se sent dupé. En pleine période électorale, il craint que son image d'homme faible se renforce. Le processus de paix est rompu. Le 22 février, Pastrana lance une réponse militaire en zone démilitarisée, à San Vicente, où Ingrid Betancourt se met en tête de protester, dès le lendemain, contre la décision présidentielle. N'est-il pas, arguera-t-elle, du devoir d'un chef d'État de protéger les populations civiles, victimes d'un conflit qui les dépasse ?

La Colombie ? Un pays riche et pauvre, démocratique et violent, stable dans ses institutions mais sans cesse menacé d'implosion. Pays marqué par une blessure profonde entre la « droite » et la « gauche », que rien ni personne ne semble pouvoir cicatriser, surtout pas les narcos et la corruption politique qui le gangrènent depuis plusieurs décennies. Telle est la terrible équation que voulait résoudre Ingrid Betancourt, n'écoutant que son courage et la foi en son destin. Une foi que d'aucuns, parodiant saint Augustin et son « *credo quia absurdum*[1] », ont jugée démesurée, voire « mégalo ».

Je me suis souvent demandé, au cours de cette enquête, quelle vision Ingrid avait des FARC avant son enlèvement. Que pensait-elle d'eux ? Que leur proposait-elle ? Les réponses se trouvent dans les « preuves de vie » d'Ingrid, ces vidéos envoyées par les FARC en 2002 et 2003. En femme politique, Ingrid y délivre

1. « Je crois parce que c'est absurde. »

un message clair sur sa vision de sortie du conflit, qui permettrait aussi sa libération. Comme toujours, elle englobe sa « petite » histoire dans la grande, l'Histoire de son pays, pour laquelle elle œuvre.

Les deux preuves de vie : de l'intime au politique

Trois vidéos d'Ingrid Betancourt ont été tournées alors qu'elle était l'otage des FARC. Elles permettent d'appréhender sa force et son mystère. Sur une quatrième, alors qu'elle était encore libre, elle s'adresse aux chefs de la guérilla lors d'une rencontre organisée avec les candidats à l'élection présidentielle, le 14 février 2002, soit exactement neuf jours avant son enlèvement. Ce document ne prouve pas seulement le cynisme du commandant des FARC, Manuel Marulanda, qui gardera captive pendant plus de six années celle à qui il a demandé ce jour-là un exemplaire dédicacé de son livre ! Il souligne à quel point cette femme incroyable est restée fidèle à ses idéaux, même au pire de l'horreur colombienne. Il faut voir avec quelle fougue elle s'adresse aux FARC, en pleine campagne électorale ! Avec quelle émotion elle évoque le sort des otages et comme son visage s'anime lorsqu'elle demande aux FARC de les libérer en échange de la création d'une allocation chômage pour les Colombiens les plus démunis. On a beaucoup glosé sur le côté « théâtral » d'Ingrid Betancourt, qui « passe la rampe » en confondant sans cesse la vie et la scène, incapable de faire une politique « déshumanisée ». L'humain avant tout ! Le bien commun, l'intérêt général comme seuls mots d'ordre. Bouleversante de courage, transportée par la foi en la politique et confiante en une possible discussion entre humains doués de raison : tel est le visage inspiré que veut offrir Ingrid

Betancourt sur les deux vidéos « preuves de vie » qui nous parviendront en 2002 et 2003.

Tournée le 15 mai 2002, trois mois après son enlèvement, la première vidéo d'Ingrid Betancourt aux mains des FARC n'est diffusée qu'au mois de juillet sur une chaîne de télévision sud-américaine. Ingrid y apparaît au côté de son amie et ancienne directrice de campagne, Clara Rojas. Vêtue de sombre, la jungle en arrière-plan, Ingrid est déjà physiquement affaiblie par ses premiers mois de captivité. En revanche, le ton est toujours aussi combatif et incisif, sa pensée construite, claire et cohérente. Elle revient sur son enlèvement et accuse le gouvernement Pastrana d'en être responsable. Sans songer plus longtemps à son cas personnel, elle soulève la question des otages, accuse le gouvernement colombien de laisser leurs familles seules face au drame. Évoquant les conditions d'une libération des otages, elle fait sienne la position des FARC exigeant le règlement du conflit dans le cadre d'un accord humanitaire.

L'élection présidentielle n'a pas encore eu lieu. Ingrid, plus que jamais en campagne, livre un discours politique qui coïncide avec ses prises de position antérieures. Si, depuis toujours, elle a désavoué sans réserve les actions terroristes des FARC, elle partage avec elles le sentiment que la violence sociale, ses injustices et ses inégalités, cassent la cohésion nationale. Celle que certains ont décrite comme « hautaine », du fait de son appartenance à l'oligarchie colombienne, prouve ici que son engagement politique n'a rien d'une sinécure ou d'un caprice de jeune bourgeoise en mal de sensations fortes. Les mystiques ont « la foi chevillée au corps » ; Ingrid Betancourt, elle, a le sens du bien commun. Pour Fabrice Delloye, qui parle toujours d'elle avec une émotion et un enthousiasme communicatifs, elle est « un phare par son sens du combat » ; et de rappeler qu'Ingrid est avant tout un animal politique, doté d'une vraie vision et d'un programme ambitieux. D'inspiration keynésienne, elle pense que l'amélioration sociale ne se fera pas sans une relance économique par l'État. Le développement intérieur du pays appelle en outre la création d'une nouvelle capitale et le règlement définitif du problème de la terre, en favorisant son partage.

Quand John Pinchao lui conseille de faire carrière en France, Ingrid, du fond de la jungle, rêve encore de Colombie : « Une Colombie où tous les enfants et les jeunes auraient accès à des études gratuites, et où un TGV, comme en France, permettrait de voyager du nord au sud. Elle voulait aussi créer une ville pour y loger tous ceux qui, dans notre pays, ont été chassés de leurs terres par la violence, les 3 millions de déplacés de l'intérieur. Une ville nouvelle, comme Brasilia au Brésil. Ils finiraient par acquérir leur bout de terrain en travaillant à la construction de cette cité qu'elle espérait ériger dans le Magdalena Medio, sur le principal fleuve de la Colombie[1]. » Si certains médias colombiens, comme *El Espectador*, ont pu la brocarder en Jeanne d'Arc, c'est justement parce qu'elle s'est investie « corps et âme » dans le combat politique. Elle a mis toutes ses forces dans la bataille, jusqu'à sacrifier son intégrité physique, comme en témoigneront au fil des ans les vidéos ultérieures.

Datée du 30 août 2003, la deuxième vidéo d'Ingrid constitue un renversement de situation comme seul le cinéma sait les mettre en scène. Seule face à la caméra – Clara Rojas est désormais hors champ –, elle modifie son discours, plus ferme s'agissant des conditions éventuelles de sa libération. Devant un drapeau bariolé, Ingrid apparaît fatiguée, les traits tirés et les joues creuses. Ses cheveux sont ramassés en arrière, mais on devine, à regarder son épaule, qu'ils ont

1. J. Pinchao, *Évadé de l'enfer*, *op. cit.*, p. 205.

poussé... Le temps a passé. Le contraste entre son apparence physique et sa rigueur intellectuelle n'en est que plus éclatant. Déjà un an et demi dans la jungle et une combativité intacte ! Non en studio de télévision, mais à la lumière naturelle. Non face à un journaliste policé qui lui aurait mailé ses questions avant l'interview, mais devant une caméra tenue par un guérillero hostile. Sachant s'adresser aux plus hautes autorités colombiennes et françaises, Ingrid Betancourt prend à rebrousse-poil la diplomatie française et la position même de sa famille. Elle est consciente que les discussions avec les FARC sont au point mort et que la perspective d'un accord humanitaire s'estompe dans la brume des manigances politiques en tout genre. N'ignorant rien de l'opération menée quelques mois auparavant pour libérer le gouverneur Gaviria, Ingrid Betancourt demande pourtant aux siens de soutenir l'idée d'une intervention militaire.

Que s'est-il passé entre ces deux vidéos ? Ingrid a-t-elle acclimaté son idéalisme premier à la Realpolitik ? Il me semble plutôt qu'elle se soit beaucoup interrogée sur son combat et le sens de sa vie, en cherchant à systématiser sa pensée. Cédons-lui la parole : « Je veux demander à ma famille qu'elle soutienne [...] les forces militaires et que celles-ci s'engagent à organiser des opérations de sauvetage qui puissent conduire à notre libération. Je suis convaincue que nous ne pouvons pas demander à nos soldats d'être prêts à donner leur vie pour défendre nos institutions et nos droits si nous ne sommes pas prêts nous-mêmes à mettre notre vie en jeu pour défendre notre propre liberté. Je pense que l'on peut faire beaucoup de concessions, mais on ne peut rien céder de son intégrité humaine, on ne peut pas renoncer à ses droits, on ne peut pas renoncer à la liberté, même par prudence. Je sais qu'il vous est difficile d'entendre ces paroles, et c'est dur pour moi aussi, mais je crois que si nous voulons préparer la paix en Colombie, nous devons agir selon nos principes et non en fonction de nos seuls intérêts. »

Femme de « principes » et non d'intérêts, on ne saurait mieux définir Ingrid Betancourt. C'est ainsi que, par « principe », Ingrid renonce désormais à tout échange d'otages civils contre des guérilleros retenus prisonniers dans les prisons colombiennes. Les civils ne doivent pas, selon elle, servir de « bouclier » : « [*Ils*] ne doivent pas être impliqués dans ce conflit. C'est un non catégorique. Et par conséquent, [*ils*] ne doivent pas faire l'objet d'échange. C'est une question de principe, si nous voulons la paix, si nous voulons aboutir à une négociation future, dont l'axe central de réflexion serait le respect des droits de l'homme[1]. » Ingrid ne rompt pas totalement avec ses prises de position précédentes, puisqu'elle continue à penser que la meilleure solution reste une libération unilatérale des otages par les FARC. Mais on sent au ton de sa voix qu'elle ne croit plus à un geste de la guérilla et préfère s'en remettre à Álvaro Uribe. Elle se prépare à l'éventualité d'une opération militaire : « Je veux dire au président que je sais qu'il prendra en son âme et conscience les décisions qui engagent ma vie et celles de beaucoup d'autres qui sont dans la même situation… Et pour ce qui me concerne, j'ai confiance[2]. » À ce moment-là, Ingrid ignore encore tout de la tentative de libération menée par la France, à peine un mois auparavant…

---

1. D'après la retranscription de la vidéo publiée par *El Tiempo* le 31 août 2003, réalisée par le comité de soutien à Ingrid Betancourt.
2. *Ibid.*

Des barbouzes pour un fiasco

Au mois de juillet 2003, alors que la seule preuve de vie d'Ingrid remonte à plus d'un an et que personne ne sait si elle est morte ou encore en vie, Dominique de Villepin, proche de la famille Betancourt et alors ministre des Affaires étrangères, se concerte avec sa garde rapprochée afin de lancer une opération de sauvetage. L'opération sera menée sans succès, et même avec une certaine maladresse. Moins James Bond qu'Austin Powers, l'équipe de Villepin n'a pas eu l'inspiration d'un Ian Fleming...

Tout commence à Bogotá, début juillet, quand des informations provenant d'une source anonyme sont transmises à la famille Betancourt par le gouvernement colombien. Selon ces informations, Ingrid, dont l'état de santé se serait fortement dégradé, doit être prochainement libérée. Un membre de la famille est attendu d'urgence à São Paulo de Olivença, à la frontière de la Colombie et du Brésil. Astrid, la sœur d'Ingrid, est chargée de se rendre, quelques jours plus tard, au cœur de la jungle. Elle sera ensuite rejointe par Juan Carlos Lecompte. Avant de partir pour ce petit village frontalier, inquiète de l'état dans lequel elle pourrait trouver sa sœur, Astrid contacte immédiatement son ami Dominique de Villepin, afin qu'il lui prodigue ses conseils. Celui-ci, en homme qui aime agir dans le feu de l'action, échafaude un plan. Le 9 juillet, un avion militaire français décolle de la base d'Évreux, direction Manaus, au cœur de la jungle brésilienne. Si l'avion ne compte à son bord que onze hommes (dix agents de la DGSE rompus à ce type de mission et un civil, Pierre-Henri Guignard, chef de cabinet adjoint du ministre et son conseiller pour l'Amérique latine), que contient-il dans ses soutes ? Car il s'agit d'un Hercule C-130, un appareil de transport militaire conçu par les

Américains à la fin des années 1950 dont les capacités de transport (jusqu'à 45 tonnes de matériel et quatre-vingt-dix hommes !) sont encore largement appréciées un demi-siècle plus tard… Y aurait-il à son bord du matériel médical ? Des armes ? Ou encore de l'argent, comme pourrait le laisser accroire une note trouvée dans l'ordinateur de Raúl Reyes, selon laquelle la France aurait distribué 500 millions de dollars à de parfaits inconnus se faisant passer pour des émissaires des FARC ?

À ces questions, nulle réponse. Ce que l'on sait, en revanche, c'est qu'une fois arrivés à Manaus, quatre des hommes présents dans l'avion – dont le civil peu habitué à ce genre de mission, Pierre-Henri Guignard – rejoignent Astrid Betancourt à São Paulo de Olivença. Là, tel le lieutenant Drogo du *Désert des Tartares*, nos hommes attendent en vain que l'ennemi sorte de la forêt… Ces trois longs jours suffisent à attirer l'attention des autorités brésiliennes, peu habituées à recevoir sur leurs pistes un avion militaire d'un pays étranger. Si Pierre-Henri Guignard réussit à s'opposer à une fouille de l'appareil par les services brésiliens à grands coups de passeports diplomatiques, il ne peut empêcher l'affaire de s'ébruiter et doit rentrer en France bredouille. Accusée d'avoir mené une opération illégale sur le territoire brésilien, la France est obligée de présenter ses excuses. L'ambassadeur de France au Brésil, Alain Rouquié, passe un sale quart d'heure au siège du ministère brésilien des Affaires extérieures…

Toute l'affaire ne sera rendue publique que quelques jours plus tard dans une enquête du *Monde.* N'écoutant que son amour et par acquit de conscience, Juan Carlos Lecompte attendra quatre jours supplémentaires dans ce village du bout du monde. Qu'importent les moustiques, la nourriture infecte, la diarrhée et les conditions sanitaires déplorables d'un hôtel de passe… « Des bandes de perroquets piaillaient au-dessus des eaux parfaitement calmes, de gros nénuphars flottaient à la surface, des singes hurlaient dans les arbres gigantesques, des insectes bourdonnaient continuellement dans la végétation[1]. » Cette beauté l'arme de patience. En vain. Apprenant l'incident diplomatique entre la France et le Brésil, il se résout à rentrer. En colère et épuisé.

Que s'est-il réellement passé dans la jungle ? Qui était au courant de l'action mise sur pied par Dominique de Villepin ? En a-t-il informé le chef de l'État, le Premier ministre, Jean-Pierre Raffarin, la ministre de la Défense Michèle Alliot-Marie, le ministre de l'Intérieur Nicolas Sarkozy ? La réponse varie selon les sources – il serait surprenant que la plus haute autorité de l'État n'ait pas été tenue au courant de ce qui se tramait, surtout lorsque les moyens humains et matériels utilisés dépendent de l'armée.

Les zones d'ombre sont encore nombreuses. Les services secrets colombiens et américains ont-ils monté de toutes pièces cette équipée pour nuire à la médiation française en la discréditant sur la scène internationale ? Dans quelle mesure le gouvernement colombien a-t-il participé à cette manipulation ? Le journaliste Jacques Thomet raconte que c'est Álvaro Uribe lui-même qui, dans son bureau, en compagnie d'un informateur inconnu présenté comme un paysan du Putumayo et dont on n'entendra plus jamais parler, annonce à Yolanda Pulecio, la mère d'Ingrid, que certains dirigeants des FARC entendent libérer Ingrid. Comment interpréter ces faits, alors même que Yolanda Pulecio n'a jamais eu de mots assez durs pour critiquer le président colombien ? Quelle est la responsabilité de l'équipe française envoyée sur place ? Des « pieds

1. J. C. Lecompte, *Au nom d'Ingrid, op. cit.*, p. 150.

nickelés », comme certains ont pu les qualifier ? N'étaient-ils pourtant pas préparés à ce type de mission ? La peur de se retrouver au milieu de la jungle au contact de guérilleros des FARC, aux intentions imprévisibles, a-t-elle été une cause de l'échec de l'opération ? Autant de questions à se poser, qui n'épuisent pas les non-dits. Un imbroglio qui reflète aussi le climat de tension national et international et les nombreux conflits d'intérêts suscités par l'affaire Betancourt.

Quittons le plan stratégique : d'un point de vue humain, pouvait-on se permettre de jouer avec les nerfs et les sentiments des proches d'Ingrid ? Comment ne pas se mettre à leur place et prendre au moins la peine de confirmer ces renseignements avant de se lancer dans une opération qui les aura anéantis émotionnellement ? À l'inverse, malgré toutes les manipulations et les mystères liés à une opération de sauvetage décidée et réalisée en quelques jours, et dont on ne peut reconstruire qu'*a posteriori* le déroulement, fallait-il ne rien tenter sous prétexte qu'il était difficile de vérifier et recouper les informations transmises ? Fallait-il étaler publiquement la préparation d'une telle opération, et donc compromettre les chances d'une libération ? Fallait-il rompre la règle du secret qui entoure ce type de mission ? À ce propos, Dominique de Villepin, qui pilota l'opération de juillet 2003, a affirmé, au moment de la libération d'Ingrid, qu'il avait mené « une diplomatie secrète et discrète. Nous avons envoyé une vingtaine de missions dans la jungle, entourées d'un secret que nous jugions nécessaire. » S'agissant de l'opération du 9 au 13 juillet 2003, il a pu également déclarer : « Nous sommes dans un temps très différent. Dans le temps qui était le nôtre, notre choix était cohérent et responsable. » Est-ce si sûr ? Le doute est permis.

PANNE SÈCHE *(2004-2006)*

Après l'équipée ratée de Manaus, qui aurait pu faire chuter le gouvernement de Jean-Pierre Raffarin, la France fait tourner sa diplomatie au ralenti. Dominique de Villepin qui se rêvait en Napoléon du XXIe siècle embarqué à bord de *K 2000* se retrouve sur le bas-côté de la route dans une Ami 8 à court d'essence. Il faut reconnaître, à la décharge de la France, que la Colombie lui a joué un sale tour : au jeu du poker menteur, Álvaro Uribe est sans nul doute le grand vainqueur. Mais si, au niveau tactique, le président colombien est un as de pique, ses manigances stratégiques lui enlèvent tout crédit humaniste car elles retardent et compliquent les discussions avec les FARC. Pendant ce temps, on est alors sans nouvelles d'Ingrid Betancourt et des dissensions fissurent le front uni que la famille, soudée autour d'un même but, présentait jusque-là.

Álvaro Uribe est porté à la tête de la Colombie avec plus de 53 % des suffrages exprimés lors du scrutin de 2002, devenant ainsi le premier président élu dès le premier tour depuis la modification de la Constitution en 1991. Réélu triomphalement en 2006 avec plus de 62 % des voix, il n'est presque jamais descendu en dessous des 70 % d'opinions favorables selon les instituts de sondage. À quoi doit-il ce succès ? Avant tout, à un alliage de matériaux précieux : son apparente humilité, sa dévotion à son pays et son programme fondé sur sa théorie dite de « sécurité démocratique ».

De quoi s'agit-il ? Rien moins que d'employer la manière forte pour en finir définitivement avec la guérilla d'obédience marxiste. Ses critiques, sans nuances, du processus de paix mené avec les FARC par le président Pastrana et les slogans qui ont contribué à ses deux élections ne laissent aucun doute à ce sujet, notamment le fameux « *mano dura y corazón grande*[1] » de 2002. Comment va-t-il s'y prendre ? En fin stratège, le président Uribe procède étape par étape.

Étape 1 : gagner la guerre des images. Pour préparer l'opinion internationale (l'opinion nationale étant déjà convaincue) au recours à la force, il lui faut d'abord s'inscrire dans le nouvel ordre international surgi du choc du 11 septembre 2001. La guerre contre le terrorisme est à l'ordre du jour pour les gouvernements occidentaux. Quitte à mettre sous le boisseau l'*habeas corpus* et la Déclaration des droits de l'homme, Uribe a tout intérêt à convaincre que les FARC sont une organisation terroriste. En tant que telle, elles ne mériteraient pas plus d'égard que les prisonniers orange de Guantanamo. Son intérêt : marginaliser les FARC en leur déniant le droit de faire entendre leurs revendications politiques. Son objectif : les éliminer. Convaincre l'opinion internationale des méfaits des FARC n'est pas chose difficile ; ces guérilleros sont leur meilleur procureur. Leur pratique du rapt systématique et leurs liens avec les narcos sont connus de tous.

L'enlèvement d'Ingrid et le bouleversement qu'il provoque semble favoriser la politique d'Uribe. Il fait sortir de l'ombre tous les autres otages de la guérilla. L'opinion internationale découvre, incrédule, que presque chaque famille colombienne a déjà été touchée par ce fléau, pour des motifs économiques ou politiques. L'indignation publique facilite la mise au ban des FARC. Et le président Uribe n'aura de cesse de militer pour que les trente et un pays qui considèrent la guérilla d'extrême gauche comme une organisation terroriste ne la biffent pas de leur liste noire. Cependant,

1. « Main de fer, grand cœur. »

l'enlèvement d'Ingrid l'embarrasse, car il focalise l'attention internationale. Une fois passée l'émotion, les vraies questions surgissent : qui sont les FARC ? Pourquoi agissent-elles ainsi ? Ont-elles des revendications politiques ? S'interroger sur leur histoire, leur organisation, leurs motivations, confère à l'organisation une forme d'existence politique ; comme si les FARC n'étaient pas un insecte à éliminer, mais un groupe avec lequel dialoguer.

Álvaro Uribe peut cependant compter sur son allié américain, toujours convaincu que la manière forte est l'unique façon de régler le problème. Ingrid Betancourt sait bien, d'ailleurs, que les États-Unis ne dialoguent pas avec les terroristes : ils les éliminent. Dans sa vidéo d'août 2003, elle déclare ne se faire aucun souci pour les otages américains, qui seront libérés tôt ou tard par une opération menée par leur gouvernement. Sûr de pouvoir compter sur un soutien indéfectible de George W. Bush, qui a revu à la hausse les crédits de l'« opération Colombie » (du nom du programme de coopération militaire et de renseignements entre la Colombie et les États-Unis), Álvaro Uribe n'a donc pas de difficulté à déconsidérer les FARC, en dépit des réticences européennes, notamment suisse, espagnole et française.

Étape 2 : remporter la bataille de l'intérieur. Une fois légitimé le recours à la force, Álvaro Uribe peut appliquer point par point son programme de « sécurité démocratique ». Par ce paradoxe sémantique, reflet d'une époque où garantir la sécurité publique conduit parfois à mettre en sourdine l'expression démocratique, Uribe entend créer une communauté d'intérêts bien compris entre les forces de l'ordre et la population civile. Le président colombien pense que le renforcement de l'autorité de l'État par la réorganisation des forces armées nécessite la pleine et entière collaboration de la population. Laquelle est donc mise à contribution : délation, trahison et autres actions aussi efficaces qu'humainement discutables sont financièrement encouragées. C'est un indéniable succès : le nombre des enlèvements diminue[1], et celui des guérilleros décline à tel point qu'une étude du Sénat américain évoque leur extinction prochaine. Les routes sont mieux sécurisées et la confiance, à tort ou à raison, regagne la population. Ce bienfait n'a pas de prix : c'est la base de la reconstruction et du développement du pays. L'armée colombienne se montre d'une efficacité redoutable : augmentée, réorganisée et formée par des experts militaires américains dans le cadre du plan Patriote qui redouble le plan Colombie, elle compte désormais quatre cent mille hommes et de nouveaux hélicoptères et avions d'attaque au sol. Ce nouveau matériel permet de harceler les positions des FARC et de les contraindre à se replier dans la jungle la plus profonde.

Étape 3 : mensonge, dissimulation et manipulation. Être seul maître chez soi : telle semble être la devise d'Álvaro Uribe, qui esquive les critiques sur sa politique de « sécurité démocratique » et n'hésite pas, s'il le faut, à piéger ses ennemis comme ses amis. Uribe a su garder toujours une longueur d'avance, m'explique Fabrice Delloye, l'ex-mari d'Ingrid Betancourt. À chacune de nos rencontres, j'ai été frappé par son intelligence, sa vision tactique et sa connaissance du dossier, mais surtout par son grand courage. Lui aussi considère

1. Évidemment les statistiques fournies le sont par le ministère colombien de l'Intérieur et sont donc sujettes à caution, même si globalement les acteurs internationaux reconnaissent une réelle diminution des enlèvements et crimes.

que les FARC ne poursuivent plus aucun but politique et représentent une véritable « force du mal ». Pourtant, il s'indigne des petits arrangements avec la démocratie que le président Uribe s'arroge sur leur dos. Ainsi, la modification de la Constitution, de façon à pouvoir briguer un deuxième mandat consécutif, ou encore les liaisons dangereuses que certains membres de sa famille ont entretenues avec les paramilitaires. On comprend, en écoutant Fabrice Delloye, que sa vision d'Uribe n'est pas tendre : il l'imagine sans peine en comploteur machiavélique.

L'ex-mari d'Ingrid semble confirmer que le président colombien, durant toutes ces années de captivité, a été un grand manipulateur. Revenant sur l'affaire de Manaus, Delloye pense que le gouvernement français, victime d'un coup de bluff colombien, a dû abattre ses cartes un peu vite. Selon lui, les services français avaient réussi à nouer des liens privilégiés avec le conservateur colombien Álvaro Leyva, que l'on dit proche des FARC, notamment de leurs chefs d'alors, Manuel Marulanda et Raúl Reyes. Leyva entendait mettre en contact le conseiller spécial de Dominique de Villepin, Pierre-Henri Guignard, avec la guérilla. Hélas, la mise en communication échoue, et le gouvernement colombien, ayant eu vent de l'affaire, ne décolère pas ! Qui donc sont ces Français qui prétendent doubler les services de renseignement colombiens en prônant une autre voie de libération ? Uribe se serait également bien passé du tapage médiatique organisé par la famille Betancourt pour attirer l'attention sur le cas d'Ingrid. Pour lui, qui fuit toute publicité sur les otages, c'en est trop ! Il reprend les choses en main. Ainsi aurait-il conçu une mission de désinformation en choisissant de laisser fuiter des informations sur la présence d'Ingrid à la frontière brésilienne. Avec la suite que l'on connaît...

Je ne peux m'empêcher d'imaginer l'imperceptible sourire de satisfaction du président Uribe, lisant dans son bureau de la Casa de Nariño les excuses diplomatiques de la France. Ni d'éprouver quelque suspicion à l'égard de l'ex-Premier ministre, Dominique de Villepin. « Notre choix était cohérent et responsable », a-t-il déclaré pour se justifier du fiasco de Manaus. Pluriel collectif, ou de majesté ? Il semble bien que l'ancien ministre des Affaires étrangères l'ait « jouée perso ». Vérifier les informations fournies par le gouvernement colombien aurait supposé d'en informer son ennemi intime, Nicolas Sarkozy, alors ministre de l'Intérieur. Bien décidé à couper l'herbe sous le pied de son rival, attendu à Bogotá deux jours plus tard, il aura décidé d'une opération hasardeuse, dans le secret qui le caractérise si bien. Quand la recherche du coup d'éclat se fait aux dépens de l'otage…

L'atroce silence de la jungle

Quand la famille d'Ingrid reçoit une vidéo d'elle au mois d'août 2003, la joie est telle qu'elle pourrait faire oublier le fiasco de l'opération de Manaus. Certes, l'otage tient un discours qui heurte leurs sentiments, mais les siens ne boudent pas leur soulagement de la voir en relative bonne santé. Je me demande combien de temps durera l'effet bénéfique de la vidéo. Combien de jours la famille s'abandonnera-t-elle au soulagement d'avoir des nouvelles d'Ingrid, avant de recommencer à se demander quand viendra la prochaine vidéo, s'il y en aura seulement une, ou si elle sera libre avant. Car il s'est écoulé un peu plus d'un an entre les deux premières vidéos. Au bout de quelques mois de silence, l'angoisse revient plus forte que jamais. Le temps de la jungle impose un rythme particulier. Peu à peu, au fil des semaines, qui deviennent des mois et des années, la famille d'Ingrid souffre le martyre.

Comment garder l'espoir quand la seule réponse aux messages passés sur les ondes de Radio Caracol, la radio des otages, est le silence obstiné de la jungle ? Comment trouver la force de se lever tous les matins à 4 heures pour écrire quelques lignes et les lire à la radio, quand le résultat est si incertain, ainsi que l'a fait Yolanda Pulecio pendant toutes ces années ? Si la plupart des messages de Yolanda sont des messages d'amour (« Dieu fasse que tu m'entendes, que tu sois en bonne santé, à l'abri du froid et de la faim, mon amour[1] ») et d'optimisme (« Le président Uribe a une nouvelle fois assuré à la France sa volonté d'aboutir à un accord humanitaire [...], peut-être a-t-il enfin réfléchi sur l'urgence d'une solution pacifique[2] »), elle ne cache pas non plus sa douleur et parfois même son découragement : « *Ninita de mi corazón*, j'ai passé la semaine rongée de mauvais pressentiments, avec la sensation que tu traverses des heures très dures. [...] J'aimerais te donner de bonnes nouvelles, mais, aussi incroyable que cela paraisse, après tant de démarches, de luttes, de suppliques, après tout ce que nous avons fait, nous nous trouvons presque au point de départ. Je ne veux perdre ni espoir ni foi en Dieu, mais ce sentiment d'impuissance est terrible[3]. » Cet émouvant monologue ne peut laisser indifférent. Et malgré tout, l'espoir ne perd jamais ses droits dans les messages de Yolanda : « Ma Nini adorée. Comme tous les jours, reçois tout mon amour et mille petits baisers, avec l'espoir que tu m'écoutes, que tu m'entends et que tu sens que je suis toujours à tes côtés. Où que tu sois, je

1. Y. P. Betancourt, *Ingrid ma fille...*, *op. cit.*, p. 151.
2. *Ibid.*
3. *Ibid.*

t'envoie toute mon énergie POSITIVE pour que tu continues à supporter le cauchemar que tu vis depuis trois ans et demi[1]. »

Malgré le silence, ni Yolanda, ni Astrid, ni Juan Carlos – eux aussi adeptes de Radio Caracol – ne cessent leurs messages quasi quotidiens. Fou d'amour, « Juanqui » ira jusqu'à louer un avion de tourisme pour lancer des milliers de photos de Mélanie et Lorenzo au-dessus de la jungle. Malgré le silence assourdissant de l'Amazonie, les proches d'Ingrid ont toujours fait le choix de la combativité et le pari qu'elle était encore en vie et pouvait les entendre. Et, en effet, Ingrid a régulièrement reçu des nouvelles de sa famille grâce à l'émission « Las Voces del secuestro », « dont les milliers d'heures passées à transmettre les messages de nos familles ont été pour nous des milliers d'heures sans angoisse ni désespoir[2] », dira-t-elle dans sa lettre du 24 octobre 2007. Cette lettre, dernière preuve de vie à parvenir avant sa libération, témoigne de son besoin vital d'entendre les voix de ceux qu'elle aime. Ingrid demande ainsi à sa mère de lui lire trois fois par semaine des messages de ses enfants, Lorenzo et Mélanie. Sa soif de nouvelles, même s'il ne s'agit que de petits détails, est intarissable. Étrange sentiment que de lire les « mots types » qu'Ingrid aimerait recevoir de ses enfants : « rien de transcendant, ce qui leur viendra à l'esprit ou qu'ils auront envie d'écrire en vitesse, du genre : “Maman, aujourd'hui il fait très beau, je vais déjeuner avec Maria, je l'aime beaucoup, je suis sûre qu'elle te plaira”, ou : “Je suis épuisée, mais, aujourd'hui, j'ai appris plein de choses dans un cours que j'adore, sur les nouvelles techniques de cinéma.” »

---

1. *Ibid.*
2. *Lettres à maman par-delà l'enfer*, *op. cit.*, p. 18.

Que l'on soit libre ou captif, rien n'est donc plus douloureux que le silence. L'angoisse devient alors destructrice : pour combler le vide, les membres de la famille haussent la voix entre eux. Quelles sont les raisons de ce vacarme ? A-t-il laissé des marques durables ?

Bruit et fureur dans la famille

Après les ratés de sa diplomatie à Manaus, la France ne veut plus prendre de risques. C'est simple : selon Fabrice Delloye, plus rien ne se passe après 2003. Dominique de Villepin – qui sera pourtant nommé Premier ministre en 2005 – se contente d'une bienveillante neutralité, que même le silence de la jungle ne peut changer. « Le moteur s'est arrêté de tourner », me dit Fabrice Delloye avant de conclure d'un cinglant : « Dominique de Villepin a laissé Ingrid là où elle est. » Lui et ses enfants, Mélanie et Lorenzo, refusent cet attentisme et tentent d'accroître la mobilisation en multipliant les initiatives : relance de la pétition réclamant la libération d'Ingrid, multiplication des contacts avec les comités de soutien. Mélanie et son père s'efforcent d'occuper le seul terrain qui vaille, celui des médias, quitte à multiplier les concerts dans les Zénith de France avec de grandes voix de la chanson hexagonale, tels Renaud, Grand Corps malade ou Renan Luce. La rupture est si franche avec Dominique de Villepin que les enfants d'Ingrid s'abstiendront de s'associer au déjeuner de retrouvailles, peu de temps après la libération de leur mère.

Certes, tout le monde ne partage pas cette opinion dans la famille. Astrid Betancourt et sa mère, Yolanda Pulecio, ne se défient pas de Villepin et lui manifestent une entière confiance. Celle d'Astrid peut être qualifiée d'idéologique, par le truchement de son nouveau mari

Daniel Parfait, ancien ambassadeur de France en Colombie, dont elle fut la compagne dès début 2000. Cet homme fin et cultivé, certifié de philosophie, est en effet un proche du Premier ministre. Astrid considère « Dominique » comme un ami de la famille et partage ses combats politiques. On ne peut que lui faire crédit de sa fidélité en amitié, mais, sans vouloir s'ériger en juge, il est permis de s'interroger sur une détermination qui a parfois frisé l'entêtement. La confiance de Yolanda Pulecio semble plus pragmatique. Entièrement dévouée à la cause de sa fille, elle sait que tous les appuis politiques comptent, même ceux qui semblent momentanément moins profitables. Politique au sens noble du terme, Yolanda, qui fut députée et sénatrice, sait qu'il faut être diplomate et mettre toutes les chances de son côté pour faire libérer Ingrid.

Ces divergences de stratégie vont cependant infliger de profondes entailles à l'unité familiale, que seul le temps cicatrisera peut-être. À partir de 2003, au moment même où la jungle garde un silence obstiné, une ligne de fracture se fait jour : d'un côté, Fabrice Delloye et ses enfants, qui ne croient plus en l'action du gouvernement Villepin et jouent leur va-tout avec la mobilisation à outrance et la médiatisation, pensant prendre ainsi une assurance-vie au bénéfice d'Ingrid ; de l'autre, Astrid et sa mère. Si les enfants d'Ingrid parlent encore à leur grand-mère, qui est toujours restée très présente pour eux, ils adressent en revanche à peine la parole à leur tante, dont ils n'ont pas compris la conduite. Ainsi les a-t-elle tenus systématiquement à l'écart des négociations et leur a-t-elle envoyé des e-mails douloureux, les accusant de mettre leur mère en danger par leurs actions.

Que veut Astrid ? s'interrogent à l'époque Fabrice Delloye, mais aussi un ancien conseiller en communication d'Ingrid. Réponse similaire des deux hommes, pas complaisante pour un sou : Astrid, qui a toujours vécu dans l'ombre de sa sœur, semblerait avoir une revanche à prendre sur la vie, qui l'a tenue jusque-là à l'écart des arènes politique et médiatique. Dans l'angoisse de l'attente, Astrid, qui aime sincèrement sa sœur, aurait transformé cet amour en passion exclusive, refusant de souffrir la moindre contradiction, au risque de blesser les autres membres de la famille. Selon le reporter Alain Keler, présent lors de l'enlèvement d'Ingrid, l'étroitesse de vue d'Astrid était en germe dès les premières heures qui suivirent la prise d'otage. À l'époque, reçu à l'ambassade de France en Colombie après sa courte prise d'otage, sous le coup de l'émotion et peut-être d'un verre de bon vin, Keler déclare à l'ambassadeur – sans rien savoir de ses relations avec Astrid – que le comportement d'Ingrid était de la folie. Quel faux pas ! Le couperet tombe. Alain Keler n'a pas le droit à un second verre de vin. La journaliste qui l'accompagnait doit abréger sa conversation téléphonique avec Paris. Les deux Français retourneront le lendemain par leurs propres moyens à l'aéroport de Bogotá... L'enlèvement de sa sœur a donc pesé sur les nerfs d'Astrid.

Agacement légitime sans doute, mais pénible aussi pour le mari d'Ingrid Betancourt, qui rappelle qu'« un kidnapping est toujours source de conflits au sein de la famille[1] ». Selon lui, les conflits naissent lorsque l'émotion l'emporte sur la raison. Conséquences possibles : la rétention d'informations, ou la friction de stratégies contradictoires entre membres de la famille, qui prétendent chacun donner son avis et décider pour l'être aimé absent. Juan Carlos Lecompte raconte ainsi que sa belle-mère, Yolanda, ne l'informait du « dossier » (négociations, désignation d'un émissaire, dernières nouvelles) que le

1. Juan Carlos Lecompte, *Au nom d'Ingrid, op. cit.*, p. 198.

plus tard possible, comme s'il était un étranger pour sa fille. Lors de l'expédition de Manaus, « Juanqui » est informé la veille qu'il doit se rendre le lendemain à la frontière brésilienne pour relayer Astrid, qui doit rentrer à Bogotá ! Et de laisser transparaître tout le mépris qu'Astrid éprouvait pour lui. Un mépris confirmé par d'autres sources, qui assurent qu'Astrid n'a cessé de diffuser sur son compte des messages insultants et diffamatoires sur Radio Caracol.

Serait-ce que, dans l'épreuve, seuls comptent les liens du sang ? Est-ce à celle qui a donné la vie de décider ? On sent Juan Carlos Lecompte partagé : blessé par le comportement de sa belle-famille, il ne peut pour autant se montrer rancunier car il comprend leurs raisons – non pas rationnellement, mais avec son cœur d'homme et d'époux. En revanche, Juan Carlos ne partageait pas les calculs de Yolanda et d'Astrid, notamment lors de l'impossible mission Manaus. Il ne mâche pas ses mots pour le dire et décrit parfaitement la méfiance que lui inspirait le président Uribe, qu'il soupçonnait de manigancer quelque chose sur le dos d'Ingrid, aux dépens de la famille et du gouvernement français. Hélas ! Yolanda ne suit que son cœur de mère, prête à s'accrocher à la moindre lueur d'espoir. Juan Carlos rend palpable l'exaspération de Yolanda et d'Astrid, qui prennent sa réserve pour du pessimisme et se montrent exaspérées par la prudence de ses propos…

À partir de 2003, il n'y a plus de famille Betancourt. Il y a une branche Betancourt, une branche Delloye-Betancourt et un électron libre (et isolé), Juan Carlos Lecompte… Cela fait beaucoup. Et pourtant, la balkanisation du clan est loin d'être achevée. Début 2007, c'est au tour du monde politique de se diviser en factions ennemies lorsque l'échiquier s'ouvre à de nouveaux joueurs qui cherchent chacun à se mettre échec et mat, en oubliant scandaleusement leur objectif premier : la libération d'Ingrid.

LA FOLLE COURSE DES DERNIERS MOIS *(2007-2008)*

Pas un jour sans dépêche AFP sur Ingrid Betancourt. Pas un jour sans une déclaration politique colombienne, française ou vénézuélienne. Pas un jour sans que l'affaire n'ait au moins droit à un article dans les journaux. Omniprésente dès les premières semaines de la campagne présidentielle française, Ingrid Betancourt va faire l'objet d'un battage médiatique et politique incroyable durant plus d'un an. Après un silence dû notamment à la campagne présidentielle colombienne, que sont à peine venues rompre les déclarations successives de Raúl Reyes, assurant le 1er février 2005 qu'Ingrid Betancourt était en « bonne santé », puis les propos similaires du ministre colombien de la Défense, Juan Manuel Santos, en janvier 2007, le dossier rebondit.

Pour quelles raisons ? En vrac : la réception d'une vidéo et d'une lettre déchirantes où l'ex-candidate apparaît malade et à bout de forces ; l'acharnement de la famille Delloye-Betancourt ; l'irruption du trublion Hugo Chávez dans le processus de négociation ; enfin, l'engagement du candidat puis du président Sarkozy, qui fait de la libération d'Ingrid Betancourt un enjeu de son quinquennat. Le théâtre des opérations voit alors apparaître de nouveaux personnages qui refusent d'être de simples figurants. Tous ont probablement conscience que le dénouement est proche.

La sénatrice Piedad Córdoba, Afro-Colombienne de cinquante-trois ans, est un personnage haut en couleur de la vie politique colombienne, où elle promène avec aisance son embonpoint depuis plusieurs décennies.

Élue sans discontinuer depuis 1994, cette membre historique du parti libéral a créé son propre courant à l'aile gauche du parti (« Pouvoir citoyen du XXIe siècle »). Elle est une *pasionaria* à la réputation aussi sulfureuse que sont iconoclastes ses prises de position. Le gouvernement colombien soutient qu'elle est la maîtresse de Chávez et a même demandé l'ouverture d'une enquête pénale le 22 mai 2008. Pour quels chefs d'accusation et sur la base de quelles preuves ? Rien de moins que trahison, collaboration avec l'ennemi, dissimulations de preuves et autres joyeusetés ! Les preuves : des déclarations à l'emporte-pièce où la sénatrice refuse de reconnaître les FARC comme un groupe terroriste et accuse de corruption le président Uribe. Selon des sénateurs « furibistes » – chauds partisans du président –, elle contreviendrait aux articles 455 et 457 du Code pénal. Plus grave encore, le gouvernement assure avoir découvert dans l'ordinateur du numéro 2 des FARC assassiné, Raúl Reyes, des documents la compromettant. Selon les investigateurs, Piedad Córdoba y est désignée à plusieurs reprises sous le pseudonyme de « Théodora de Bolívar », du nom de la femme de l'empereur byzantin Justinien, une prostituée, et du libérateur de l'Amérique latine dont Chávez ne cesse de se réclamer. Qui croire ? Dans cette affaire, rien n'est sûr. Mais s'il est vrai que la sénatrice s'emporte facilement, elle est aussi reconnue comme une des plus grandes féministes du sous-continent. Elle sera même, selon Felipe Zuleta, l'estimé éditorialiste d'*El Espectador*, une candidate incontournable à la prochaine élection présidentielle[1].

Or « la » Córdoba, comme on dit, s'est trouvée au cœur des tractations politiques tripartites entre la

1. *El Espectador*, 15 décembre 2007.

Colombie, le Venezuela et les FARC durant les derniers mois de détention d'Ingrid Betancourt. Élue à plusieurs reprises « sénatrice de l'année » – de même qu'Álvaro Uribe en son temps –, cette Mata Hari des tropiques cache sous ses tresses afro, ses tenues excentriques et son maquillage outrancier une tête bien faite aux idées claires. Négocier avec les FARC, croit-elle, est possible. Elle pense même qu'une libération des otages dans le cadre d'un accord humanitaire est à portée de main. Raison pour laquelle le président Uribe, sous la pression conjointe de l'opinion internationale et des politiques français, américains et latinos, fait appel à elle au printemps 2007 comme intermédiaire ? Comment interpréter cette promotion, lorsqu'on sait les relations exécrables qu'entretiennent les deux personnages ? Il semble raisonnable de penser qu'Uribe a voulu gagner du temps et « ménager la chèvre et le chou » : donner des gages aux Européens en ouvrant la porte aux négociations, tout en sachant que la personnalité controversée de son intermédiaire empêchera tout résultat concret – quitte, pour s'assurer de son échec, à lui mettre des bâtons dans les roues. Uribe est décidément fort habile. L'enchaînement rapide des événements et les nombreux coups de Trafalgar compliquent la lecture pourtant passionnante du dossier. S'il n'y avait le sort d'une femme en jeu, on ne pourrait rêver meilleur scénario de film d'espionnage…

Tout commence lorsque Piedad Córdoba est investie de sa mission. D'emblée, elle la prend très à cœur. Son intuition : seul Hugo Chávez pourra obtenir la libération des otages. Pourquoi ? Parce que l'Indien malin à l'éternelle chemise rouge partage une conception politique et une vision de l'avenir latino-américain plus proches des FARC que d'Uribe. Si l'association Chávez/FARC est plus stratégique qu'idéologique[1], reste qu'elle peut trouver des terrains d'entente. Forte de cette conviction, Piedad Córdoba convainc rapidement le gouvernement colombien de demander la collaboration du président Chávez. Ce dernier, soucieux de s'acheter une bonne conduite auprès de la communauté européenne, s'est déclaré disposé à prêter main-forte à la libération d'Ingrid Betancourt et des autres otages le 16 août 2007, deux mille jours exactement après le rapt d'Ingrid Betancourt et Clara Rojas. Le président Uribe accepte la médiation Chávez. La communauté internationale applaudit. On est alors à 1 partout.

Le 21 août, le président vénézuélien lance un appel à Manuel Marulanda pour lui demander de permettre un échange humanitaire. Quelques jours plus tard, au nom des FARC, c'est Raúl Reyes qui refuse l'idée d'un échange entre guérilleros et otages. C'est un coup d'épée dans l'eau : 2 à 1 pour Uribe.

Dans les premiers jours de septembre, les choses semblent s'accélérer. Du côté des FARC, on se déclare favorable à une rencontre entre le président vénézuélien et Manuel Marulanda. Cependant, le 14 septembre 2007, l'ancien otage Fernando Araújo, ministre des Affaires étrangères, déclare qu'Uribe ne souhaite pas que le président Chávez vienne négocier avec les FARC sur le territoire colombien. Uribe, qui sent bien que

1. La stratégie vénézuélienne de rapprochement avec les FARC est principalement tactique : l'unification de l'Équateur, du Venezuela et de la Colombie dont rêve Chávez pourrait se passer, dans un premier temps, de l'accord des autorités colombiennes, pour peu que les FARC continuent à contrôler de larges pans du territoire colombien. Inclure les FARC dans ce processus serait une manière d'initier et de prolonger cette unification en attendant un changement politique à la tête de la Colombie. Pour les FARC, c'est une manière de « rester dans le coup » et de se maintenir d'un point de vue logistique.

Chávez est en train de le doubler par son ardeur à trouver une issue au dossier des otages, s'emploie à freiner les initiatives extra-colombiennes, de peur de n'avoir plus son mot à dire et de voir remises en cause ses méthodes d'action et ses ambitions politiques. Les appels renouvelés de Chávez en faveur d'une négociation buttent sur l'intransigeance du président colombien, qui rejette toute idée de démilitarisation d'une portion de territoire en vue d'un échange humanitaire entre les quarante-cinq otages politiques et cinq cents guérilleros emprisonnés. Cette fermeté apparaît comme de la mauvaise foi et discrédite Uribe auprès de ses partenaires. Le Colombien comprend qu'il devra jouer plus finement la prochaine fois. Chávez et Córdoba, qui s'agite dans l'ombre, « recollent au score » : 2 partout.

Loin de se décourager, par l'intermédiaire de Piedad Córdoba, le président vénézuélien rencontre le 8 novembre Iván Márquez, membre du secrétariat des FARC et idéologue du parti, ainsi que Rodrigo Granda, leur « ministre » des Affaires étrangères. Chávez est alors proche d'obtenir une preuve de vie de l'otage franco-colombienne. Ce serait un gage de son sérieux et un espoir de libération à présenter lors de son voyage en France le 20 novembre. C'est en trop pour le président Uribe, qui prend prétexte de cette rencontre pour retirer à Córdoba et au président vénézuélien le titre d'intermédiaires. La sénatrice colombienne aurait transmis aux FARC des informations stratégiques sur les positions de l'armée de son pays ! Ce qui, après tout, n'est pas impossible. De plus, Uribe ordonne à l'armée et aux services de police d'intensifier leur action. Le bombardement redoublé des positions des FARC et une traque tous azimuts contre les guérilleros les empêchent d'acheminer la preuve de vie d'Ingrid, pourtant datée du 27 octobre. Lorsque Chávez se présente à Paris le 20 novembre, il ne dispose pas, contrairement à ses affirmations, de preuve de vie directe d'Ingrid Betancourt. Uribe triomphe : Chávez a échoué, son action n'est pas efficace. Non content de s'être débarrassé de son encombrant voisin, le président colombien est l'homme qui divulguera aux médias, le 30 novembre, la vidéo et la lettre d'Ingrid Betancourt... Il emporte le match par 3 à 2 : victoire au score d'Uribe... et nouvelle défaite pour Ingrid.

Álvaro Uribe, le président « téflon »

Pas facile de faire le portrait du président colombien Álvaro Uribe, l'un des premiers rôles de cet incroyable film d'espionnage. Comment combiner de façon cohérente les différentes facettes du personnage : chef autoritaire et peu scrupuleux de respecter les droits de l'homme selon les uns, leader charismatique et proche du peuple pour les autres ? « Mafieux », « corrompu », crient certains en pensant au scandale de la « parapolitique » qui a atteint plusieurs de ses proches, notamment des membres de sa propre famille liés aux milices d'extrême droite ; « on ne choisit pas sa famille », répondent d'autres en notant (non sans raison) que la justice a pu faire son travail, quand bien même l'inculpé était le beau-frère du président. Et la liste des griefs est encore longue : cet ultra-libéral croit aux vertus des privatisations, aux fusions de ministères (comme celle, surprenante, de la Justice et de l'Intérieur...), à la réduction du budget de l'État et à la signature à tout va de traités bilatéraux de libre-échange. N'est-ce pas lui, pourtant, lorsqu'il était sénateur et président de la septième commission du Sénat pour les Affaires sociales, qui a promu en 1993 une loi dite de « sécurité sociale et intégrale » visant à garantir les droits inaliénables de chaque citoyen à l'accès à la santé et aux meilleures conditions de vie possible ?

De même, on dit Uribe volontiers secret, fuyant les médias étrangers, rétif à tout plan de communication. Il n'hésite pourtant pas, chaque samedi ou presque, à se mettre en scène, sillonnant les routes du pays et les villes les plus pauvres, réglant ici un problème de route défoncée, là de réseau d'égouts déficient, tel un grand propriétaire terrien inspectant ses terres à cheval. Quand il n'est pas devant les caméras de la télévision populaire, c'est à la radio qu'il se prête au jeu de l'homme humble et dévoué à son pays, marchant ainsi sur les brisées de son adversaire, le Chávez populiste d'« Aló Presidente »...

Enfin, on le dit d'un flegme à toute épreuve, ce dont semble témoigner son physique de garçon de bonne famille à la longue figure d'expert-comptable. Il est pourtant capable de piquer des colères folles. Bernard Kouchner en a fait lui-même les frais. Lors d'un voyage officiel en Colombie, au prix de requêtes répétées, il finit par être reçu par Uribe... qui l'insulte une demi-heure durant. Pour qui se prend ce ministre français qui ne peut se contenter de rencontrer son homologue colombien ? Qui croit-il être pour penser voir le président colombien d'un claquement de doigts ? Ne lui a-t-on rien appris ? Et surtout à ne pas solliciter une audience présidentielle juste après avoir rencontré l'ennemi juré, Hugo Chávez ! Quel manque de tact ! Et notre ministre des Affaires étrangères d'être congédié sans avoir pu placer un mot...

Uribe s'obstine à m'apparaître au pis comme un patchwork, au mieux comme un Picasso, moi qui voudrais en peindre un portrait classique, à la façon des maîtres hollandais. Et si, justement, c'était là le motif caché dans le tapis, la clé ouvrant la porte de cette forteresse impénétrable ? Uribe, bon bourgeois moral et religieux, doté d'une foi aussi robuste et inébranlable que son capital foncier et financier ? Un homme partagé entre deux côtés, « mondain » et « célestiel »... ça ne vous rappelle personne ? Homme certainement courageux et profondément croyant, serait-il plus proche d'Ingrid que l'un et l'autre se l'imaginent sans doute ? Pour mieux le saisir et comprendre son jeu de poker menteur, dont Ingrid a fait les frais pendant six longues années, il faut remonter aux années 1950 à Medellín...

Né en 1952 dans la province d'Antioquia, Álvaro Uribe est un élève brillant – reçu premier au baccalauréat dans son lycée – et un étudiant exceptionnel : docteur en droit de l'université de Medellín, il devient avocat avant d'obtenir un diplôme en « management et négociation de conflits » et en « administration et finances » à la prestigieuse université américaine de Harvard. Il a également suivi des cours au Saint Anthony College, à Oxford. Le président Uribe est un homme dont même ses ennemis reconnaissent l'intelligence et la force de travail. N'est-il pas connu pour sa triade « *trabajar, trabajar y trabajar*[1] », à l'en croire l'unique but de tout homme dans l'existence ? « Le dernier film que j'ai vu, a-t-il déclaré un jour, c'était *El Llanero solitario*, il y a quarante ans déjà. » *Llanero*, c'est-à-dire « cow-boy » ; comme s'il n'avait jamais existé de frontière entre ses anciens loisirs et sa charge actuelle...

Fin et élancé, sèche musculature, il ne boit pas, ne fume pas et mange à peine. Son visage est un masque indéchiffrable. Seuls ses yeux, extrêmement vifs, témoignent de son implacable volonté d'en finir avec les FARC : l'obsession d'une vie, la croisade de cet homme que certains qualifient de mystique. Habitué à se retirer pour prier, sa foi le conduit aux frontières de l'intolérance, notamment lorsqu'il est question de légalisation de l'avortement ou des droits des homosexuels. S'il commence sa carrière politique au Parti libéral, il évolue vite

1. « Travailler, travailler et travailler. »

sur son aile droite avant de prendre la tête du parti conservateur après sa première élection en 2002.

C'est à l'échelle locale et dans les services publics qu'Uribe se fait d'abord connaître. Directeur de l'aéronautique civil, il entre en politique en 1982 en devenant maire de Medellín. Chez les Uribe, la chose publique est une affaire de famille : sa mère fut une figure de la lutte des femmes pour obtenir davantage de droits politiques et son père fut gouverneur d'Antioquia, sa région natale. C'est d'ailleurs à cause de cette charge qu'il a été assassiné par les FARC en 1983, lors d'une tentative d'enlèvement qui tourna mal. Álvaro Uribe, traumatisé, se jure alors de venger la mort de son père en anéantissant les FARC. Pour cela, il doit se donner les moyens de son ambition. Comment ? Devenir président de la République colombienne…

Il y parviendra pas à pas. Maire de Medellín, il innove en créant des sociétés privées de protection. De cette initiative proviendraient ses contacts avec les paramilitaires, mais aussi le tristement fameux cartel de Medellín. Or, s'il existe un faisceau de présomptions, aucune preuve concrète n'a jamais pu être apportée. Documents tronqués ou témoignages de personnalités controversées (Piedad Córdoba par exemple) ou de moralité suspecte (telle Virginia Vallejo[1], ancienne maî-

1. Vallejo témoigne en ces termes, dans ses mémoires, des liens supposés d'Uribe avec Escobar : « Quand les FARC ont tué le père d'Uribe lors d'une tentative de prise d'otage, Pablo a envoyé son hélicoptère à la famille pour récupérer la dépouille. Le frère, Santiago, était anéanti. Ils étaient dans une hacienda loin de Medellín, où il n'y avait pas d'hélicoptères ni d'infrastructures permettant l'atterrissage d'un avion. Pablo a donné l'ordre d'envoyer son hélicoptère. Il me l'a raconté quelques jours après. Cette mort l'avait profondément affecté. Il était très triste. Il me dit : "Celui qui croit que mon boulot est un boulot facile se plante complètement. C'est un cortège de morts incessant. Tous les jours nous devons

tresse de Pablo Escobar), rien n'adhère, tout glisse sur Uribe à qui l'on prête malicieusement en Colombie un « effet téflon ». De fait, Uribe a toujours réussi ce qu'il a entrepris, quelles que soient les circonstances. Il est ainsi élu sénateur de 1986 à 1994, puis gouverneur d'Antioquia de 1995 à 1997, chaque fois dans l'enthousiasme populaire. On lui est reconnaissant de s'occuper des problèmes concrets de ses électeurs et de ne pas chercher à s'enrichir sur leur dos, comme la plupart de ses collègues[1].

Membre du Parti libéral, Uribe le quitte en 2002 pour se présenter à l'élection présidentielle en dissident. Pariant sur une thématique sécuritaire, il est élu dans le chaos, sur les décombres de la politique de Pastrana. Réélu en 2006, il semble avoir remis de l'ordre dans son pays. À quel prix ? Mais surtout, dans quelle mesure ?

Le sourire de Machiavel

La politique d'Álvaro Uribe s'est organisée autour de deux axes : la loi « Justice et Paix » pour les paramilitaires et le « plan Patriote » pour les FARC. Aux premiers a été proposée une amnistie en échange de leur démantèlement et du dépôt de leurs armes ; aux seconds a été promis l'anéantissement. Pour être exact,

---

enterrer des amis, des parents et des associés." Je me suis alors dit que lui aussi pouvait être un de ces morts un jour prochain. Je me suis alors demandé si j'étais prête à écrire cette histoire. »

1. Si la *finca* familiale est une des plus prospères de la région, la famille Uribe n'est pas pour autant riche à millions ; jusqu'à présent, aucune affaire d'enrichissement personnel n'a été mise au jour. Habileté d'Uribe ou vraie honnêteté ? À chacun de choisir en fonction de son degré d'optimisme...

c'est parce que les FARC ont refusé les conditions proposées à tous les groupes militaires par Uribe (déclarer un cessez-le-feu permanent et renoncer solennellement à la lutte armée) que le président leur a déclaré une guerre à mort.

Élaborée entre 2005 et 2006 (date où elle a été rejetée par la Cour constitutionnelle), la loi Justice et Paix promet une quasi-amnistie aux membres des forces paramilitaires, sous la condition de déposer les armes et de confesser leurs crimes. Trente mille miliciens auraient ainsi déposé les armes et seuls trois mille d'entre eux séjourneraient en prison, pour des peines limitées à huit ans, ce qui est peu en regard des crimes atroces qu'ils ont commis. Les défenseurs des droits de l'homme se sont élevés contre cette politique d'amnistie, qui rime selon eux avec amnésie, et plus encore contre un désarmement qu'ils estiment factice et contre les conditions de détention indécentes des prisonniers. Qu'on ne s'y trompe pas : ils ne dénoncent pas la surpopulation carcérale ou l'absence d'accès aux soins, mais plutôt l'excès inverse : les anciens paramilitaires continueraient à diriger certaines de leurs affaires depuis leur prison grâce à la corruption généralisée de l'administration pénitentiaire. Non contents de pouvoir garder un œil sur leur business, ces anciens paramilitaires ont su – à coups de dollars plus ou moins propres – se recréer un lieu de vie tout à fait agréable. Ils ont imposé leur propre règlement : téléphone portable, télévision par satellite ou accès Internet, rien n'est trop beau pour ces hommes qui ont pourtant torturé, violé et tué des milliers de femmes et d'hommes. Voici moins de vingt ans, la prison de Pablo Escobar n'était-elle pas un véritable petit palais ?

Les ONG reprochent aussi à Uribe d'avoir accordé une amnistie politique non à des paramilitaires, mais à des narcotrafiquants qui ont profité de cette loi pour se

« mettre en règle » avec la justice, tout en continuant leur trafic à distance. Pour être tout à fait impartial, il faut reconnaître que ces critiques ne sont pas toujours justifiées. Ainsi, les paramilitaires se sont plaints de la construction de prisons de haute sécurité à la discipline sans commune mesure avec celles de leurs précédents « centres de loisirs ». De même, ils ne supportent pas que certains d'entre eux puissent être extradés vers les États-Unis pour trafic de drogue. Pourtant, malgré leurs menaces d'interruption du programme de désarmement, Uribe n'a pas cédé[1]...

On souligne parfois le rôle du démantèlement des forces paramilitaires dans la stabilisation et même la croissance économique à deux chiffres du pays depuis l'élection d'Álvaro Uribe. D'autres, au contraire, rappellent que si le pays s'est développé ces dernières années, c'est qu'il a été porté par une très bonne conjoncture ; ce qui lui a permis de connaître une croissance exceptionnelle, tout en dispensant son président de s'attaquer aux réformes structurelles indispensables pour assurer son avenir.

Si la politique d'Uribe vis-à-vis des paramilitaires et le bilan de cette politique ne sauraient être résumés sans nuances, il n'en est pas de même pour les FARC. Là, Uribe n'a qu'une stratégie : porter le plus possible de coups violents. Grâce au plan Patriote, l'armée a réussi à sécuriser les principaux axes routiers et a enclavé les groupes FARC dans des régions géographiquement opposées, afin d'empêcher leur regroupement. Pour preuve de l'efficacité de cette politique, Eduardo Mackenzie – plus fiable ici que lorsqu'il s'agit de la sénatrice Córdoba – raconte qu'en 2007, contrairement à leurs habitudes, les principales délégations

1. Antonio Garcia, « Les paramilitaires rejettent le désarmement », RFI, 7 décembre 2006.

des FARC n'ont pu se retrouver « en vrai » autour de leur chef Manuel Marulanda et ont dû se contenter d'une visioconférence…

Depuis 2002, mais surtout depuis la réélection d'Uribe en 2006, les FARC encaissent les coups durs. Non seulement leurs effectifs auraient diminué de moitié (de dix-huit ou vingt mille à moins de dix mille), mais les arrestations de dirigeants se sont multipliées : Rodrigo Granda – officieux ministre des Affaires étrangères –, Simon Trinidad et Sonia – extradés aux États-Unis pour trafic de drogue et condamnés à de lourdes peines – ou encore Hely Mejia Mendoza, *alias* Martin Sombra, qui fut un temps gardien d'Ingrid Betancourt. On pourrait encore citer le cas de prises moins connues, telle Doris Adriana, la « responsable des achats et de la communication », dont l'arrestation le 2 février 2008 aurait été à l'origine de la mission de libération d'Ingrid Betancourt.

Quand les forces armées n'arrêtent pas, elles pratiquent des assassinats ciblés comme ceux, à l'automne 2007, de Tomas Medina, *alias* Negro Acacio, en charge du trafic de drogue, ou encore de Martin Caballero, chef du front 37 dans le nord du pays.

À partir du mois de mars 2008, les FARC sont proches du KO. Elles perdent coup sur coup deux de leurs dirigeants. Le 26 mars 2008, Manuel Marulanda, leur leader historique, meurt de sa belle mort à l'âge de quatre-vingts ans – on ne l'apprendra que quelques mois plus tard. Marulanda était un mythe. En retrait de la direction depuis quelques mois en raison de sa maladie, sa disparition n'en constitue pas moins un coup rude pour les FARC. C'est la deuxième tête de l'hydre FARC qui tombe, après celle de Raúl Reyes moins d'un mois auparavant, victime d'un assassinat ciblé lors d'une opération militaire qui témoigne de l'obstination du président Uribe. Raúl Reyes, numéro 2 des FARC, membre du secrétariat, porte-parole de l'organisation, en charge des relations extérieures, ainsi qu'un groupe de guérilleros sont tués en territoire équatorien, à moins de deux kilomètres de la frontière. Reyes – Luis Edgar Devia Silva de son vrai nom – et ses hommes ont été surpris dans leur sommeil, dans la nuit du 1er mars, vers 1 heure, par une attaque aérienne. Contrairement à ce que les autorités colombiennes ont avancé, il n'y a pas eu de combat au sol. Le chef des FARC et les seize guérilleros ont été tués par des missiles de technologie américaine de haute précision (des « bombes intelligentes »). Un commando héliporté se serait ensuite introduit en territoire équatorien pour récupérer le corps de Reyes, ainsi que des ordinateurs portables.

Comment le gouvernement colombien a-t-il pu localiser le chef FARC ? Certains avancent une hypothèse dérangeante, mais nullement surprenante si l'on garde à l'esprit le machiavélisme du président Uribe. Voici l'histoire telle qu'elle se serait déroulée.

Le 26 février, au Panamá, Álvaro Uribe convoque à une rencontre secrète Noël Saez et Jean-Pierre Gontard – émissaires envoyés par la France et la Suisse pour négocier avec les FARC –, ainsi que le psychiatre et écrivain colombien Luis Carlos Restrepo, haut-commissaire pour la paix en Colombie. Uribe leur demande d'entrer en contact au plus tôt avec Raúl Reyes – afin, prétend-il, d'accélérer le processus de libération d'Ingrid. Est-il en train de manipuler ses interlocuteurs ? Depuis quelque temps déjà, en effet, les services secrets colombiens ont localisé la zone où se trouve le numéro deux des FARC. Il ne leur reste plus qu'à cerner l'endroit précis. Or, c'est grâce à l'interception d'une de ses communications que Raúl Reyes est repéré puis assassiné par les forces armées colombiennes. Qui donc était à l'autre bout du fil ? Les émissaires français et suisse ? Álvaro Uribe n'aurait-il sollicité leur venue que pour pirater leurs téléphones ? Certains le pensent – et savent communiquer leur intime conviction. Pour Uribe, l'assassinat de Reyes justifiait tout, même une crise diplomatique et l'escalade militaire avec l'Équateur – heureusement stoppée à temps. On voit ce que la vengeance d'Álvaro Uribe peut avoir d'implacable.

Le 7 mars, quelques jours à peine après la mort de Raúl Reyes, on apprend en outre la mort d'Iván Ríos, assassiné par Pablo Montoya, *alias* Rojas, un guérillero chargé de sa protection. Iván Ríos, Manuel Muñoz de son vrai nom, faisait également partie du secrétariat des FARC, organe suprême de direction de l'organisation révolutionnaire. Rojas, fidèle garde du corps de ce combattant de la jungle, ne supportait plus la vie en Amazonie… et ne peut résister à la prime de 5 milliards de pesos colombiens, soit plus d'un million et demi d'euros ! Il a d'abord abattu la jeune compagne d'Iván Ríos, âgée d'une vingtaine d'années, avant d'exécuter celui-ci dans son sommeil, d'une balle dans la tête. Avant de se rendre à l'armée colombienne, il a pris soin d'apporter l'ordinateur portable de Ríos, ainsi que sa main droite tranchée, à titre de preuve. Offrande sanglante, d'un goût affreux, dont le président Uribe a dû se délecter…

Aux arrestations de guérilleros et de chefs, au retournement de leurs soldats par des agents infiltrés des services de renseignement colombiens et à la mort de leurs chefs historiques, doit enfin être ajoutée la reddition de certains chefs militaires, et non des moindres. Traquée depuis de nombreuses années, Nelly Avila Moreno, *alias* Karina, réputée pour sa cruauté, se livre ainsi à la police colombienne, le dimanche 18 mai 2008. Elle était la commandante des FARC à la tête du front 47, dans la région présidentielle d'Antioquia. Accusée de meurtres, d'enlèvements, d'extorsions de fonds, voilà bien une cible prioritaire pour Uribe. Cette Afro-Colombienne d'une quarantaine d'années, coiffée à la Jackson Five, n'a rien d'une inoffensive star du disco ! Un œil en moins depuis 1998, le visage balafré, « la sanguinaire », comme on la surnommait, jouissait d'une réputation de guerrière sans pitié. Au nombre de ses exactions, l'assassinat de la femme et des huit enfants d'un officier de police, ainsi, selon des rumeurs, que sa participation à l'opération qui coûta la vie au père d'Uribe en juin 1983. Une récompense de plus d'un million de dollars était offerte pour la capture de l'une des seules femmes à diriger un front militaire des FARC. Craignant d'être trahie par l'un des siens – comme son ami Iván Ríos –, Karina a préféré prendre les devants en se livrant aux forces colombiennes. Non tant pour survivre, a-t-elle déclaré, que pour revoir sa fille de dix-sept ans. En toute criminelle peut battre un cœur de mère…

Selon toute vraisemblance, c'est grâce à l'action musclée des forcées armées colombiennes qu'Ingrid Betancourt a été libérée. Une action commencée bien avant son exfiltration, infligeant depuis des mois de graves revers aux FARC et les obligeant à baisser leur garde. De telle sorte que la France ne semble avoir joué aucun rôle dans la libération d'Ingrid. Mais est-ce si simple ? La diplomatie plus discrète mise en place après le fiasco de Manaus, jointe à la détermination du nouveau président de la République, a-t-elle favorisé en quoi que ce soit la libération « miraculeuse » d'Ingrid Betancourt, comme elle-même l'a qualifiée ?

Le président compassionnel

À peine descendue de l'avion de la République française qui la ramène sur sa terre d'adoption, Ingrid Betancourt prononce un discours de femme d'État, démontrant sa connaissance des événements ayant conduit à sa libération. Si elle remercie l'« ami » Dominique de Villepin et son épouse, c'est, d'après un proche de la famille Delloye-Betancourt, sur l'insistance de sa sœur Astrid. Car, en réalité, il a fallu attendre la campagne présidentielle de 2007 et l'élection de Nicolas Sarkozy pour que le processus diplomatique soit relancé. Pour le meilleur et pour le pire... Le meilleur : une pression de tous les instants du gouvernement français sur le président Uribe, qui l'a obligé à écarter l'option militaire, trop incertaine. Le pire : des cafouillages liés à une sensibilité trop directement en prise avec l'émotion familiale et populaire.

Tout juste élu, le nouveau locataire de l'Élysée s'engage solennellement à faire tout ce qu'il pourra pour obtenir la libération de l'otage franco-colombienne. Le président compassionnel charge son nouveau sherpa, le chevronné Jean-David Levitte, de proposer une médiation française entre le gouvernement colombien et les FARC. Nicolas Sarkozy appelle aussi à ses côtés le mari de la sœur d'Ingrid, Daniel Parfait, ancien ambassadeur de France en Colombie et ancien directeur Amérique latine et Caraïbes au Quai d'Orsay[1]. Le duo est complété par l'arrivée de Noël Saez, ancien espion de la DGSE et ancien consul général de France à Bogotá, nommé émissaire spécial. Si le sérieux de Jean-David Levitte n'est plus à prouver, il n'en est pas de même pour Noël Saez, un agent secret pas très discret que ses collègues surnomment « 008 », en raison de sa

---

1. Le 17 avril 2008, Daniel Parfait a été nommé ambassadeur de France au Mexique. Sortie par le haut pour celui dont l'action n'avait pas donné tous les résultats escomptés ? Le décret de nomination est consultable sur Internet : http://www.legifrance.gouv.fr/affichTexte.do?cidTexte=JORFTEXT000018660848

passion pour James Bond. Il n'est pourtant guère doté de la classe et du brio de l'agent très spécial de Sa Majesté. Avec son accent rocailleux du Sud-Ouest et sa barbe fournie, on dirait plutôt un syndicaliste de Sud. Il fait équipe avec son acolyte suisse Jean-Pierre Gontard, un universitaire baroudeur aux cheveux poivre et sel, qui n'hésite pas à poser en photo avec Alfonso Cano devant une photo du Che. Qu'à cela ne tienne ! Saez et Gontard, qui sont un peu les Dupont et Dupond de l'affaire, épauleront Daniel Parfait et Jean-David Levitte. Les quatre hommes ont pour mission d'établir des contacts avec les FARC et de convaincre la Colombie d'accepter un échange humanitaire, otages contre guérilleros. La diplomatie française se calque donc sur l'opposition radicale des familles Delloye et Betancourt au président colombien et à son discours militaire. Ce qui ne sera pas une mission de tout repos...

Tout commence dès le 18 mai 2007, lorsque Nicolas Sarkozy, élu douze jours avant, tâche de convaincre le président colombien, au cours d'un entretien téléphonique, de renoncer à l'emploi de la force. Peine perdue : désireux de profiter de l'affaiblissement des FARC pour leur porter l'estocade, Uribe ordonne à son armée de libérer les otages par la force. C'est compter sans Yolanda Pulecio, qui monte au créneau et dénonce dans les médias les méthodes dangereuses de celui qu'elle présente comme un caudillo avide de sang. Toujours prêt à coller à l'émotion populaire, Nicolas Sarkozy réaffirme son opposition à l'emploi de la force auprès d'Uribe, le 27 mai. La pression que le président français fait peser sur les épaules de son homologue colombien est efficace. Le 1er juin 2007, Uribe cède et consent un geste important vers les FARC en faisant libérer plus d'une centaine de guérilleros. Il rend ainsi sa liberté au « ministre des Affaires étrangères » des FARC, Rodrigo Granda.

Nicolas Sarkozy semble marquer des points. Dans le même temps, il innove en s'adressant directement à Manuel Marulanda dans un message vidéo enregistré à l'Élysée et sous-titré en espagnol. Si cette initiative est sans effet, reste que le président français s'efforce d'agir. Surtout, il entend ne jamais relâcher la pression sur Álvaro Uribe qui, s'il veut demeurer maître chez lui, se doit de ménager l'opinion internationale et donc de faire des concessions.

Entre-temps, la position française, favorable à la négociation, se trouve confortée par un ancien otage des FARC. Le 28 avril 2007, John Pinchao réussit à s'évader. Son témoignage est capital : il affirme qu'Ingrid est encore en vie et décrit les conditions de sa détention, sa vie horrible dans la jungle et la cruauté des guérilleros, qui n'hésitent pas à se venger sur leurs otages des coups militaires qui leur sont infligés. La négociation apparaît donc comme la meilleure solution.

Un autre événement, tragique, confirme la pertinence de cette position. Le 28 juin 2007, les FARC annoncent la mort de onze otages. Il s'agit des députés de Cali enlevés cinq ans plus tôt, tués, selon les Forces armées révolutionnaires, au cours d'un affrontement avec l'armée. Les FARC ont toujours été claires : si l'armée les attaque, elles massacreront leurs otages. Haro sur Álvaro Uribe, que les familles accusent d'être responsable de ces morts. La mère d'Ingrid Betancourt va jusqu'à traiter d'assassin le président colombien. Lequel dément publiquement avoir ordonné une telle opération et accuse « le groupe terroriste des FARC d'être responsable de l'assassinat des députés », ajoutant qu'« aucune opération militaire n'a été organisée et [*qu'*]il n'y a pas eu de feux croisés ».

Uribe, certes, est un bluffeur patenté. Il n'en reste pas moins que la France réagit un peu trop vivement.

Sans prendre le soin de vérifier la véracité des propos du président colombien, elle dénonce l'opération par la voix de son ministre des Affaires étrangères, Bernard Kouchner. La diplomatie française rappelle qu'elle proscrit l'usage de la force. La vérité réserve pourtant des surprises. Les FARC sont les seules responsables de cette cruauté. Le bataillon où étaient détenus les otages est en réalité tombé sur un autre bataillon FARC, qu'il a pris pour un détachement de l'armée colombienne...

La France commet une erreur grossière. Le 1er avril 2008, elle adresse un nouveau message à Manuel Marulanda, lui demandant de relâcher Ingrid, en raison de son état de santé préoccupant. Non seulement le chef FARC est mort depuis quelques jours, mais les informations sur l'état de santé alarmant d'Ingrid Betancourt sont très exagérées. Mais cela, le gouvernement français ne le sait pas. Du moins ne prend-il pas la peine de recouper ses informations. Dans la précipitation, le Quai d'Orsay envoie en Colombie un avion médicalement équipé pour une mission humanitaire de prise en charge d'Ingrid. La France subit alors l'humiliation d'une fin de non-recevoir des FARC. L'avion, un Falcon 50, sur place le 2 avril, reste stationné quelques jours sur l'aéroport militaire de Catam, à Bogotá, avant de regagner la France le 8 avril. Échec d'une mission vraisemblablement improvisée, puisque aucun contact n'existait avec les FARC depuis la mort de Reyes. Les FARC ne se privent pas de railler le président Sarkozy dans un communiqué qui décrit la mission ratée comme le fruit « de la mauvaise foi [*d'*]Uribe envers le gouvernement français », laissant entendre qu'une fois encore Paris a été dupé par le maître incontesté de cette partie d'échecs à taille réelle.

La France est définitivement hors jeu. Quant au président Uribe, il passe à l'attaque. Ses services de renseignement ont profité de la situation pour avancer leurs pions et resserrer les mailles du filet sur les guérilleros. Infiltration, localisation de groupes d'otages et manipulations d'informations aboutissent le 2 juillet 2008 à la libération d'Ingrid Betancourt et de quatorze autres otages par les forces militaires colombiennes – avec, en prime, l'arrestation de Gerardo Antonio Aguilar, *alias* Cesar, chef du front 1...

Nicolas Sarkozy n'a donc ni gagné ni perdu. Mais il a exercé une pression, semble-t-il efficace, sur le gouvernement colombien pour éviter une opération militaire dont l'issue aurait pu être fatale à Ingrid Betancourt. Quant à Álvaro Uribe, empêché de mener les choses comme il l'entendait, il a dû faire preuve de ruse pour libérer les otages sans violence, mais sans échange, en autorisant non une attaque armée, mais une savante mission d'exfiltration.

En réalité, le président Sarkozy a eu plus de chance que ses prédécesseurs, même s'il a mis ses pas dans les pas de Dominique de Villepin – l'impulsivité et le goût du secret en moins. La diplomatie française semble avoir perdu la tête pour Ingrid en s'obstinant dans une voie qui ne lui avait pourtant pas réussi : la négociation avec les FARC. Un leurre ! La guérilla jouait de mauvaise foi et de cynisme. Jamais elle n'aurait relâché son otage le plus médiatique. Tous mes interlocuteurs ou presque m'ont fait observer qu'Ingrid était l'assurance-vie des FARC. Sa notoriété la protégeait de la mort, mais elle empêchait aussi sa libération. Les FARC se sont servies d'elle pour faire grimper les enchères, avec la bénédiction involontaire de la diplomatie française. Un peu comme si celle-ci avait succombé au virus de l'émotion populaire et familiale. S'il était bien naturel que l'opinion publique se mobilise et réagisse avec passion et spontanéité (et c'est en partie ce qui a maintenu Ingrid en vie, en lui donnant le courage de résister), il est plus inquiétant de penser que la machine d'État se soit emballée et ait commis des fautes en épousant les desiderata de la famille Betancourt.

Comment expliquer cette collusion entre l'État et la famille Betancourt ? Quand la raison a-t-elle cédé le pas à l'émotion ? Pour le comprendre, il faut remonter aux années où Ingrid, encore jeune et brillante étudiante à Sciences Po, y suivait les cours d'un certain Dominique de Villepin...

Un ami prénommé Dominique

C'est en 1981, dans les beaux quartiers des VIIe et XVIe arrondissements de Paris, où se fréquente la jeunesse dorée, qu'Ingrid rencontre le futur Premier ministre de la France. Lors d'une soirée dans un grand appartement bourgeois, Astrid Betancourt présente à sa sœur un jeune diplomate chargé de cours à Sciences Po, Dominique Galouzeau de Villepin. C'est un bel homme de vingt-huit ans, à la stature altière (il mesure près de deux mètres), dont les longs cheveux bruns ondulés encadrent un visage fiévreux à la Bonaparte, où se lit son caractère passionné. Son charme, son aisance et sa culture remarquable séduisent. Captivée, comme toutes les jeunes filles de la soirée, Ingrid s'émerveille de trouver qu'ils ont tant en commun : une même passion pour la chose publique, le rôle des institutions et le fonctionnement de la démocratie ; une admiration pour le général de Gaulle ; mais surtout, un même amour de la langue de Cervantès, que Dominique de Villepin maîtrise parfaitement depuis son adolescence vénézuélienne. Dans les volutes de fumée et les vapeurs d'alcool, la conversation dure toute la nuit. Ce « coup de foudre » marque le début d'une longue histoire d'amitié.

C'est à Sciences Po qu'Ingrid retrouve celui qu'elle appelle simplement par son prénom. « Dominique » y enseigne les relations internationales. Malgré ses fréquents séjours à l'étranger, où elle retrouve Fabrice, Ingrid reste proche de son professeur. Le 12 juillet 1983, lorsqu'elle obtient son diplôme, il est un des premiers à la féliciter. Et, habitué à prononcer des jugements définitifs, il prédit à la jeune femme un avenir brillant.

Pour l'heure, Ingrid rejoint en Équateur celui qui est son époux depuis le mois précédent. Puis ce sont les Seychelles, où elle donne naissance à Mélanie, avant Los Angeles et Washington où elle retrouve son ami Dominique, alors en poste à l'ambassade en qualité de premier secrétaire. Ainsi, malgré leurs déplacements incessants, ils ne se sont pas perdus de vue. Ce ne sont pas les occasions qui manquent pour se donner des nouvelles : naissance de Mélanie en 1985, naissance de Marie, la fille de Marie-Laure et Dominique de Villepin en 1986, naissance de Lorenzo en 1988, la même année qu'Arthur, le fils du couple Villepin. Sans oublier les retours en France pour les vacances.

À Washington, les deux couples sont heureux de se retrouver. Ils se fréquentent assidûment et forment un couple d'amis envié du monde diplomatique, où les « relations » priment l'amitié. Leurs conversations sont animées sur la Colombie, où l'élection présidentielle de 1989 se prépare dans l'effervescence. Dominique comprend la fougue de son amie, qu'il sent trépigner, insatisfaite de sa vie d'épouse de diplomate. Il l'encourage à se jeter dans le combat politique, contre l'avis de Fabrice, qui se refuse à vivre dans la patrie de son épouse.

Après l'assassinat de Galán, le candidat libéral que sa mère soutenait, Ingrid est de retour au pays. C'est le début d'une ascension politique fulgurante, mais intense, qui lui laisse peu de temps pour sa famille, encore moins pour ses amis. Au cours des années 1990, elle perd de vue Dominique de Villepin, lui-même accaparé par une brillante carrière politique qui le conduit au secrétariat général de l'Élysée, où l'appelle Jacques Chirac en 1995. Éloignement qui peut expliquer la scène suivante, un soir de décembre 2001...

Ingrid Betancourt, en visite à Paris, peaufine sa stratégie de campagne avec son conseiller en communication, Emmanuel Voguet. Un dîner est organisé, afin de faire connaître cette jeune sénatrice pleine d'audace. Il est aussi question de lever des fonds pour financer une candidature qui gêne beaucoup de monde en Colombie. Dominique de Villepin, secrétaire général de l'Élysée et donc proche du président Chirac, est venu en *guest star*. Dès le début du dîner, l'atmosphère est tendue. Ingrid vient d'exposer sa stratégie politique. Piqué au vif d'apprendre en même temps que d'autres que son amie se lance dans l'aventure présidentielle, « Dominique » prend le contre-pied et critique sa vision avec condescendance. Il ne croit pas à son projet global, baptisé « Colombia nueva ».

— La population est tellement naïve et idolâtre dans ton pays, lui dit-il en substance, que tu ferais mieux de distribuer une image de toi en Sainte Vierge, si tu veux qu'ils te reconnaissent et votent pour toi.

Ingrid ne relève pas le ton cassant de son ami. Sans désemparer, elle sollicite une rencontre avec le président Chirac, qui lui permettrait de montrer que sa croisade anticorruption est prise au sérieux. La réponse de Villepin fuse :

— Tu veux rire ? Tu ne représentes rien. Le président ne reçoit que des gens qui représentent quelque chose.

Soufflée, Ingrid s'apprête à répliquer, mais « Dominique » reprend de plus belle :

— Les Indiens d'Amazonie représentent quelque chose : ils luttent contre la déforestation, il est légitime de les recevoir. Mais toi, pourquoi te recevrait-il ? Tu n'es rien, tu ne représentes rien d'autre que toi-même. Tu ne représentes rien.

Un silence glacial tombe. Les convives regardent leur assiette, mal à l'aise. Ingrid, furieuse, marque un temps d'arrêt. Puis, calmement, regardant Villepin droit dans les yeux, elle dit :

— Tu verras si je ne représente rien. Lorsque je serai présidente de la République colombienne, il ne faudra pas venir me demander quelque chose.

Un temps. Elle reprend :

— Désormais, je ne veux plus entendre parler de toi.

Le dîner s'achève sur cette passe d'armes.

Que s'est-il passé ? Pourquoi une telle brutalité de langage ? Pourquoi cette cruauté de Villepin, cette intransigeance d'Ingrid ? Conflit politique ? Brouille entre amis ? Querelle d'« amoureux » ? Ce dîner mondain transformé en champ de bataille est la dernière occasion qu'ait Ingrid Betancourt de voir son ami « Dominique » avant le 6 juillet 2008.

Homme de cœur aux colères aussi violentes que le sont ses manifestations d'amour, Dominique de Villepin oublie toute rancœur lorsque Ingrid est enlevée par les FARC. Personnalisant à outrance la gestion du dossier dont il hérite le 8 mai 2002, en qualité de ministre des Affaires étrangères, il va s'impliquer corps et âme dans le « dossier Betancourt ». L'un de ses premiers déplacements à l'étranger sera d'ailleurs pour la Colombie. Il s'y rend le 29 novembre 2002, pour treize folles heures qui resteront dans les annales diplomatiques de Bogotá... À peine arrivé à l'aéroport El Dorado, à 1 h 30 du matin, Dominique de Villepin rejoint la résidence de l'ambassadeur où vit son ami Daniel Parfait, dont la maîtresse n'est autre qu'Astrid Betancourt. Au lieu d'aller se coucher, le ministre préfère s'installer au bureau de son ami pour composer lui même, selon son habitude, le discours qu'il doit prononcer le lendemain devant l'amphithéâtre de la bibliothèque Luis Ángel Arango, en présence de plus de mille invités et de la presse internationale. Ce fin lettré, amoureux de la langue française, passe toute la nuit à écrire, raturer et réécrire.

L'aube se lève quand Dominique de Villepin met le point final à son discours de 4 328 mots. Le temps de prendre une douche, le voici en route pour le palais présidentiel, où il doit rencontrer Álvaro Uribe. Dès la fin de l'entretien, il prend la direction de l'amphithéâtre, où il prononce un discours au lyrisme grandiloquent, boursouflé comme un poème de Saint-John Perse[1]. L'émotion est palpable. L'excitation monte, la voix se casse sur un sanglot à peine retenu lorsqu'il évoque Ingrid Betancourt : « Ce matin, je pense à tous les otages, je pense à chacune de leurs familles, je pense… (*pause*)… à celle qui fut mon élève, à celle… (*deuxième pause*)… qui est mon amie, je pense… (*troisième pause*)… à Ingrid Betancourt. » Transporté, le ministre achève rapidement et vient serrer dans ses bras Yolanda et Astrid, sous les yeux de la foule médusée.

Homme de contrastes, Dominique de Villepin est ce jour-là pure compassion et empathie. Son allocution est suivie d'un déjeuner à la résidence de France, au cœur du quartier huppé de la capitale. S'y retrouvent, outre le ministre et son épouse, les « deux » maris d'Ingrid, Daniel Parfait, son épouse Nicole et son amie Astrid Betancourt, accompagnée de sa mère, Yolanda. Tout à son enthousiasme, qu'échauffent sans doute les vins fins, Dominique ne se domine plus. Il ne laissera pas Ingrid aux mains des FARC, s'exclame-t-il, et s'il le faut, il ira lui-même la chercher dans la jungle ! Visiblement agacée depuis l'envolée lyrique du matin, sa femme le

1. Ce discours est consultable sur www.doc.diplomatie.gouv.fr

coupe et lui assène qu'elle ne le laissera pas partir aussi facilement ! Étrange déjeuner...

Visiblement épuisé, Dominique de Villepin ne consacre ensuite qu'un quart d'heure aux familles des autres otages, avant de retrouver sa forme pour accorder un très long entretien à la presse française. Mais il est déjà temps de reprendre le chemin de l'aéroport pour rentrer à Paris...

Ingrid Betancourt, à qui sa mère aura relaté la visite éclair et le discours énergique de son « ami », s'en souvient-elle près de six ans plus tard, lorsqu'elle étreint son « ami » dans un restaurant du VIe arrondissement, non loin du lieu de leur première rencontre, un quart de siècle plus tôt ?

Des rires aux larmes, des éclats de voix aux cris de joie, c'est une histoire d'amitié tumultueuse qui se joue entre Ingrid et Dominique. Histoire emblématique de sept années de *stop and go*, où sans cesse l'intime s'est mêlé au politique, l'amour à la haine, l'irrationnel et le pulsionnel aux calculs machiavéliques.

5

INGRID FOREVER

Des marches blanches à travers la France entière, sous le soleil ou dans le brouillard. De saines colères piquées à la radio ou à la télévision par la famille Betancourt contre l'inertie des pouvoirs politiques. Des Zénith pleins à craquer où s'époumonent des stars de la chanson française. Des pétitions signées par des centaines de *people* et des milliers d'inconnus. Des portraits géants d'Ingrid aux grilles des parcs ou au fronton des mairies. Des milliers de municipalités qui la font citoyenne d'honneur. Des drapeaux plantés sur les plus hauts sommets du monde… Autant d'images du grand kaléidoscope de la mobilisation, fruit de l'engagement d'une famille, puis de milliers d'inconnus et de quelques dizaines de plus connus. Une véritable épopée… Du jamais vu !

Nous partîmes cinq cents ; mais par un prompt renfort
Nous nous vîmes trois mille en arrivant au port,
Tant à nous voir marcher avec un tel visage,
Les plus épouvantés reprenaient leur courage !

La célèbre tirade de Rodrigue, qu'Ingrid connaît bien pour avoir monté *Le Cid* au club théâtre du lycée français de Bogotá, dit l'énergie de la famille et des sympathisants. Elle traduit aussi l'irrésistible montée en puissance des comités de soutien, la courbe asymptotique de leur nombre d'adhérents et leur force d'attraction. Elle suggère enfin l'ambivalence de la mobilisation. Si Rodrigue part en guerre contre les Maures, contre qui famille, amis et sympathisants d'Ingrid vont-ils livrer bataille ? Les FARC ? Le président Álvaro Uribe ? Quel est le but de leur « offensive-mobilisation » : faire du bruit médiatique l'assurance-vie d'Ingrid ? Influencer la stratégie politique des gouvernements colombien et français ?

Sur le front de la mobilisation, on verra des généraux rivaux, des divergences stratégiques au sein de l'état-major. Mais aussi des hussards faisant cavalier seul, des fantassins exaltés ou démotivés et des ennemis changeants. Cette bataille formidable, ce sont les sympathisants et la famille qui l'ont menée. Pour le pire parfois, pour le meilleur avant tout...

ZÉLOTES ET ARMÉES DE L'OMBRE

Partie de citoyens ordinaires, la mobilisation s'est vite organisée en deux groupes distincts. D'un côté, la Fédération internationale des comités Ingrid Betancourt (FICIB), hébergée sur le site http://www.betancourt.info ; de l'autre, le comité de soutien à Ingrid Betancourt et aux otages de Colombie, également appelé comité de Paris ou comité Delloye, en raison de l'influence qu'y exerce l'ex-mari d'Ingrid. Ce comité mène ses actions depuis le site agirpouringrid.com. Derrière ces deux sites parfois rivaux, une foule d'anonymes, des dizaines de milliers de sympathisants de la cause d'Ingrid et de la liberté. Pendant des années, ils vont entretenir la flamme de l'espoir en multipliant les actions et en maintenant une pression permanente sur la classe politique.

À leurs côtés, se sont peu à peu glissées quelques étoiles : artistes célèbres, écrivains, stars de télévision, humoristes... À l'heure du *charity business*, l'énergie insensée de milliers d'anonymes ne suffit pas. Il faut aussi du strass et des paillettes pour intéresser les médias. Il faut du spectaculaire pour amplifier l'action et donner plus de résonance à la mobilisation. Loin de s'en plaindre, la plupart des comités ont compris l'intérêt qu'ils pouvaient en retirer. Grâce à Ingrid Betancourt, des rencontres improbables se sont produites, comme celle du chanteur Renaud et du retraité Luc Capelle, président du comité de Normandie.

Échanger, créer des liens, favoriser les découvertes, partager... Tout simplement redonner foi en l'homme. D'outre-jungle, grâce à son aura et son sens du combat, Ingrid Betancourt a réussi à transporter les foules...

De l'union sacrée à la guerre des clans

4 juillet 2008, 15 h 59. Sous un soleil de plomb, l'A319 de la présidence française vient de se poser sur la base officielle de Villacoublay. L'escalier roulant est positionné. La porte de l'avion s'ouvre. Ingrid en descend d'un pas vif. Elle fond sur le président Sarkozy et son épouse et les étreint tous deux. La République fête son héroïne en lui déroulant toute sa pompe. Sur ce même tarmac, des anonymes l'attendent. Le sourire aux lèvres et la larme – de joie – à l'œil, ils ne la connaissaient jusqu'alors qu'en photos et en mots. Qui sont-ils ? Ni des ministres ni des ambassadeurs. Non plus des journalistes ou des « *beautiful people* ». Ces dizaines de personnes qu'Ingrid serre dans ses bras et remercie sont une infime partie de l'« armée de l'ombre » qui l'a soutenue pendant six années et demie. Ce sont les organes, la peau, les nerfs, le sang de cette « mobilisation » dont les médias avaient fini

par nous faire croire qu'elle était une personne unique. Personne morale, sans aucun doute. La mobilisation, c'est surtout des milliers d'êtres unis dans une même cause. Leur histoire, leur visage sont différents. Depuis 2002, ils ne poursuivaient qu'une seule fin : la libération d'Ingrid Betancourt.

Y sont-ils parvenus ? Si la question se pose, d'autres s'imposent au préalable : qui sont ces femmes et ces hommes qui ont donné leur temps et leur énergie pour une femme qu'ils ne connaissaient pas ? Comment en sont-ils venus à s'engager tous ensemble ? Ont-ils toujours été unis ou, le temps passant et la pression médiatique augmentant, se sont-ils déchirés ?

Enquêter sur la mobilisation, c'est explorer la psyché humaine et tenter de trouver le mécanisme qui déclenche l'engagement, stimule l'espérance et entretient le courage – la foi même, pourrait-on dire. Mots religieux pour dire la fascination qu'exerce la figure charismatique d'Ingrid ? Depuis sa libération, sa piété, ses visites au Sacré-Cœur et à Lourdes ont incité les journalistes à user, parfois avec gêne ou ironie, de ce genre de vocabulaire. Par-delà l'effet de mode ou la caricature, une certitude demeure : on ne soulève pas les foules sans avoir en soi quelque chose d'exceptionnel.

À l'origine, l'affaire était pourtant loin d'être entendue. Quand Ingrid Betancourt est enlevée, la mobilisation pour sa libération part avec trois handicaps. Tout d'abord, elle n'est pas journaliste. Contrairement aux récents otages d'Irak, Florence Aubenas, Christian Chesnot et Georges Malbrunot, elle n'a pas spontanément bénéficié de l'attention des médias. Il a d'abord fallu créer le *buzz* pour que les médias lui consacrent plus qu'un entrefilet ou trente secondes au 20 heures. Ingrid Betancourt n'est pas non plus une humanitaire. Elle ne dispose pas d'une organisation structurée et reconnue susceptible d'alerter les médias et les pouvoirs publics.

Enfin, *last but not least,* elle est colombienne, citoyenne d'un pays qui n'évoque à la plupart des Français qu'un nom – Pablo Escobar – et une spécialité – le trafic de drogue. C'est beaucoup pour une seule femme ! Et pourtant, la mobilisation en faveur d'Ingrid sera exceptionnelle. Celle dont Fabrice Delloye me confiait avec chaleur qu'elle est « un phare pour la liberté par son sens du combat » n'a pas fini de briller au fond des cœurs qui l'ont aidée...

Le cœur ou la raison ? Je crois à leur alliage parfait. Très vite, la raison de tant de femmes et d'hommes s'est trouvée stimulée pour soutenir le mouvement instinctif de leur cœur. Organiser, convaincre, argumenter, compter... Autant de qualités qu'ils ont dû mettre en œuvre pour rendre leur mobilisation efficace. Les débuts furent loin d'être faciles : devant le choc de l'enlèvement d'une femme que certains admiraient déjà, ils se sont sentis désemparés. Comment agir ? Vers qui se tourner ? Quelles actions mener ? Quelle part de son temps accorder à cette « mission » ? Peu à peu, grâce à la Toile, ils se sont trouvés et constitués en comités. En leur sein, ils ont inventé une nouvelle façon de se mobiliser et d'agir. Conter l'histoire de cette mobilisation, c'est montrer les mutations de notre monde. Où Internet est devenu un formidable outil de socialisation, mais aussi de conception de l'action. Où l'échelle locale peut influencer l'échelle nationale et même internationale.

Les chevaliers d'Ingrid

La plupart des membres – tous remarquables – des comités de soutien que j'ai rencontrés disent avoir été portés par un processus en quatre étapes : connaissance plus ou moins superficielle d'Ingrid, intérêt pour son combat, dégoût profond devant son enlèvement, puis volonté sans faille de s'engager pour elle.

Ainsi d'Hervé Marro. Ce jeune homme de vingt-trois ans à la mise sage de garçon de bonne famille est étudiant à Sciences Po. Il a la diction aisée et la clarté de pensée de ses condisciples. Il est aussi l'un des responsables du comité de Paris. Sa découverte d'Ingrid Betancourt, il la doit à la lecture de *La Rage au cœur*, best-seller autobiographique publié en 2001. Hervé y a découvert des valeurs humanistes qui « transcendent les frontières nationales ». Il avoue être tombé sous le charme d'une femme de combat, « un 4×4 tout-terrain sans marche arrière », dit-il. Il a immédiatement compris qu'« Ingrid », comme il l'appelait spontanément avant même de l'avoir rencontrée « en vrai », est de « ces personnes qui ont su abandonner leur ego pour se mettre au service d'un peuple, d'une cause, comme Mandela ou Gandhi ».

Une admiration pour cette femme, jeune et belle, qui n'hésite pas à donner de grands coups de pied dans la fourmilière de la corruption, au péril de sa vie : c'est aussi ce que Jacques Capelle, président du comité de soutien de Normandie et trésorier de la FICIB, a ressenti en lisant *La Rage au cœur*, puis en découvrant un portrait de son auteur dans l'émission « Des racines et des ailes » en 2001. Il avait alors été « impressionné par sa démarche, sa conviction, sa droiture morale ». À la nouvelle de son enlèvement, il a ressenti un choc : « Comment peut-on s'en prendre à quelqu'un qui s'ouvre aux autres, se donne pour faire progresser les choses ? » Même interrogation du côté de Christine Leclerc, active quadragénaire, membre du comité de Paris. Et même enthousiasme que Jacques Capelle et Hervé Marro à la lecture de *La Rage au cœur*. Avec ce petit plus : la solidarité féminine. « Je me suis tout de suite sentie proche d'elle. On a le même âge, des enfants du même âge. Et avec tous les guillemets possibles, j'ai l'impression d'avoir le même caractère : le dynamisme, l'envie de faire bouger les choses avec sa conviction de femme. »

Pourtant, au-delà de l'identification ou de l'admiration, pas facile de définir un mode d'action quand on est isolé. Le premier réflexe ? Internet. Taper les mots clés « Ingrid Betancourt » dans un moteur de recherche et atterrir sur www.betancourt.info. Derrière ce site web – une référence en la matière – se cache un homme affable et sympathique de soixante-cinq ans, le Belge Armand Burguet. Cet ancien ingénieur IBM, reconverti en consultant en techniques d'information, est un engagé humanitaire. Pas un professionnel certes, mais un passionné chevronné.

Pour lui, tout commence en 1999. Durant la guerre du Kosovo, il met ses compétences d'internaute au service d'enseignants qui veulent parrainer des enfants kosovars et assurer leur éducation, « pour éviter que la jeune génération retombe dans les mêmes travers que la précédente ». Armand Burguet crée alors le site educweb.org, qui milite pour « une utilisation intelligente et citoyenne de l'Internet ». Passe la guerre et reste le site. Plutôt que de le fermer, Burguet continue de l'alimenter en postant des actualités ou des articles consacrés à des faits de société marquants. C'est ainsi qu'à l'occasion de la Journée internationale de la femme, le 8 mars 2001, il place Ingrid Betancourt à la une.

À force d'être consultée régulièrement, la page d'Armand Burguet devient en 2002 la première réponse fournie par Google lorsqu'on tape le nom d'Ingrid Betancourt. Dès le lendemain de l'enlèvement, il est abreuvé de courriers : « Je recevais soixante-dix ou quatre-vingts messages de gens qui me demandaient ce qu'ils pouvaient faire. Je suis devenu leur point de contact. » Il décide alors de mettre en place une plateforme pour fédérer les volontés individuelles de Belgique, de France et d'ailleurs. Si la décision de créer un site est vite prise, Armand Burguet pense qu'il ne vaudra le détour qu'à condition d'en faire une référence, y compris pour la famille de l'otage. Cela ne s'est pas fait tout seul, mais il a pu compter sur la solidarité belge, puisque Sébastien, le fils de Fabrice Delloye, vit en Belgique et l'a mis en contact avec un ami de son père, Philippe Texier, un magistrat parisien qui avait aidé Ingrid à lever des fonds pendant sa campagne. Armand Burguet le convainc de parler de son initiative à Fabrice Delloye, puis obtient de le rencontrer. L'ex-mari d'Ingrid, alors anéanti par l'enlèvement d'Ingrid, ne sait pas comment s'organiser. Il donne son accord à la création du site, sans trop y croire. Ce sera un succès. À telle enseigne que lorsque Hervé Marro, Jacques Capelle, Christine Leclerc et tant d'autres voudront se mobiliser pour Ingrid, ils passeront par le site d'Armand.

Sur ce site, dans une « ambiance à la Woodstock » selon Hervé Marro, on réfléchit collectivement aux actions à mener, sans jamais perdre de vue que les FARC, engagées dans une guerre médiatique avec le gouvernement colombien, sont très sensibles à leur image auprès de la communauté internationale. Ils n'accepteront jamais de passer pour des monstres sanguinaires. Si l'on organise un énorme battage autour d'Ingrid Betancourt, pensent les militants, l'attention sera focalisée sur les guérilleros, qui n'oseront pas commettre l'irréparable... Raisonnement imparable – malgré les effets pervers qu'on lui connaît – et qui s'est révélé exact.

C'est ainsi que les premières actions se mettent en place. Armand Burguet recommande à tous les internautes qui entrent en contact avec lui d'écrire au maire de leur commune pour le convaincre de faire d'Ingrid une citoyenne d'honneur de leur ville. Jacques Capelle suit le conseil à la lettre. « Je suis allé voir le maire de ma commune pour lui parler d'Ingrid. Il a tout de suite été conquis par cette idée et a fait voter une motion de soutien à Ingrid au conseil municipal. » Un succès qui lui donne des idées : en octobre 2002, Jacques Capelle décide d'écrire à tous les maires du canton du Havre, soit cent quatre-vingts communes ! Loin d'avoir les moyens philanthropiques d'un Bill Gates, il active son réseau familial et amical pour que chacun se charge d'un envoi. Son initiative commence à faire du bruit dans le canton. Une interview à un quotidien local fait le reste : il est alors contacté par une personne de la région intéressée par son action. Ensemble, ils créent en juillet 2003 le comité de mobilisation de Normandie. De deux membres à l'origine, le comité en comptera cent quatre-vingts à la veille de la libération d'Ingrid. Dans cette aventure, l'effet « boule de neige » est essentiel...

L'appel d'Armand a été entendu. Deux mille quarante municipalités, françaises, belges, luxembourgeoises, italiennes, espagnoles, irlandaises et colombiennes, petites ou grandes comme Paris ou Bogotá, auront fait à Ingrid l'honneur de la déclarer citoyenne de leur commune. Les plus hautes sphères du pouvoir ne peuvent ignorer le phénomène. Le vice-président de la République colombienne déclarera ainsi, avec son charme coutumier : « Chaque fois qu'une ville en Belgique, en Italie, qu'un petit village français en fait sa citoyenne d'honneur [...], son prix monte. Pour les FARC, Ingrid Betancourt est une marchandise, un sac de pommes de terre. Alors, chaque fois que la pression monte, que le mouvement de solidarité s'étend, le sac de pommes de terre se valorise. Il devient sac d'or, et aujourd'hui c'est un sac de diamant[1]. »

---

1. Éric Raynaud, *Ingrid Betancourt, femme courage*, *op. cit.*, p. 93.

Le poids des mots, le choc des photos

De Baillargues – première commune à avoir fait d'Ingrid sa citoyenne d'honneur – à Bogotá, il n'y a finalement qu'un pas. Le passage du local à l'international s'effectue à la vitesse de la lumière… Mais c'est bien à l'échelle locale que tout se joue. Et même micro-locale, sur les marchés. Dans les comités, on s'y relaie. On distribue des tracts, on organise des signatures de la pétition exigeant la libération d'Ingrid. « Ça n'a pas toujours été simple, tient à préciser Christine Leclerc. On a connu l'indifférence surtout au début, entre 2002 et 2004. » Et, pire que l'indifférence, les réactions négatives. Les adhérents doivent encaisser les « elle est pas française, qu'est-ce qu'on en a à faire ? » et autres « elle s'est mise dedans toute seule, hein ». Pas facile, la vie d'engagé…

« À vrai dire, il y a eu trois phases dans la mobilisation, avance Hervé Marro. La première phase, entre 2002 et 2003, a été celle de la compassion. » Entendre par là l'émotion de ceux qui connaissaient Ingrid pour avoir lu son livre ou l'avoir vue à la télé. Et comprendre que, pour les autres, l'indifférence prévalait. « La deuxième phase a été la compaction. » Par ce joli mot-valise, contraction de compassion et d'action, Hervé Marro désigne l'élargissement de la mobilisation à ceux qui n'en voyaient pas la nécessité. Ce qui les a fait changer d'avis ? « Les otages irakiens. Avec la mobilisation médiatique en leur faveur, l'opinion publique a compris qu'il fallait se mobiliser pour que ça bouge réellement. Si on se bouge, ça marche. » Enfin, voici venu le « temps de l'action ». Pour cela, « la preuve de vie de 2007 a été un formidable accélérateur ». « Les gens se sont vraiment rendu compte qu'elle était en danger s'ils ne se mobilisaient pas pour faire pression. » Hervé rapporte qu'avant la vidéo montrant Ingrid maigre et épuisée et la publication de sa lettre, la pétition en sa faveur avait recueilli 200 000 signatures en cinq ans. Trois mois après la diffusion de ces documents, ce chiffre grimpait à plus de 500 000 ! Le poids des mots, le choc des photos…

Une fois canalisée en comités, la mobilisation a été de tous les instants. Elle a su surtout frapper fort en diversifiant les actions et en multipliant les symboles. Comme lorsque des drapeaux demandant la libération d'Ingrid sont plantés sur les plus hauts sommets du monde : l'Aconcagua (6 962 mètres) en janvier 2004, le mont Elbrouz (5 942 mètres) en septembre 2004, et même tout en haut des 8 850 mètres de l'Everest en 2005 !

Plus modestement les marches organisées dans plus de trente villes françaises, à chaque commémoration de l'enlèvement, ont aussi contribué à maintenir la pression sur la classe politique : il s'agissait de montrer qu'on n'oubliait pas l'otage de la jungle.

Tout aussi modestes mais efficaces, les rencontres avec l'opinion publique, l'organisation de conférences, la tournée des écoles… Avec toujours le même objectif : faire connaître la Colombie, Ingrid et le problème des otages. « Pour que les gens s'intéressent à une cause humanitaire comme celle-là, il faut qu'ils soient émus. Et pour être émus, il faut qu'ils apprennent à découvrir un nouvel univers », m'explique Fabrice Delloye, qui s'en est toujours tenu à une ligne simple : « Qu'une mobilisation prenne, c'est une question de dosage entre la compassion, l'émotion et l'action. » Une vision qu'il estime être la bonne. « Aujourd'hui, les gens connaissent la Colombie, ils savent prononcer le nom d'Uribe avec le bon accent, ils ont appris à découvrir un pays dans sa complexité. Ils ont intégré les données historiques et géographiques du problème. » Un beau succès pour des militants qui n'étaient pas forcément experts en géopolitique avant l'enlèvement. « C'est simple, quand Ingrid a été enlevée, je ne savais pas placer Bogotá sur un planisphère », s'amuse Hervé Marro, aujourd'hui l'un des meilleurs connaisseurs du dossier colombien.

Cette passion pour la géostratégie n'a-t-elle pas eu des effets pervers ? Lorsqu'on maîtrise un dossier sur le bout des doigts, on peut être tenté – à juste titre – d'apporter son grain de sel. Or si plusieurs dizaines de personnes se mettent à donner leur avis sur la conduite à tenir avec les FARC, le gouvernement colombien ou la politique française, les divergences de vues s'accroissent. Avec le risque de se brouiller entre comités et de brouiller la qualité du message adressé à l'opinion publique… Ce phénomène pourrait-il expliquer les bisbilles entre comités ? Nous y reviendrons.

Le nombre des actions menées – plus interminable encore que la liste des conquêtes de Don Juan – ne laisse pas de m'émerveiller : ces femmes et ces hommes avaient-ils tant de temps à consacrer à autrui ? N'ont-ils jamais connu le découragement ? « Question temps, oui, c'est vrai que j'ai parfois eu un emploi du temps abracadabrant, mais j'ai toujours réussi à gérer », rigole Christine Leclerc en pensant aux reproches que lui adressait parfois son mari. Optimiste et pleine d'entrain, elle m'assure ne s'être jamais découragée. Tout juste concède-t-elle avoir été abattue un court instant après la vidéo de 2007. Son secret pour reprendre espoir ? « Les liens humains. Toutes ces rencontres formidables que j'ai faites dans le comité. On s'est créé notre univers. On s'est créé une Second Life, comme on dit sur Internet. » Armand Burguet, lui, ne cache pas avoir connu des passes difficiles. Il évoque de nombreux moments d'abattement : « Toutes ces occasions de libération manquées, les revirements des politiques, un certain désenchantement devant le comportement de certains. » Mais lui aussi préfère garder dans son cœur « toutes ces rencontres extraordinaires, comme celle de Yolanda Pulecio », la maman d'Ingrid qu'il admire profondément.

Cette foi en eux-mêmes et en leur action est impressionnante. Leur engagement en faveur d'une femme dont ils partagent certes les idéaux, mais qu'ils ne connaissent pas en chair et en os, est bluffant. Si je ne remets pas en cause la sincérité de la mobilisation, je m'interroge cependant sur son pouvoir réel. Il ne fait aucun doute que cette mobilisation a préservé Ingrid d'une trop grande violence des FARC. Elle a aussi contribué à faire de la question des otages colombiens un dossier important dans les relations internationales, alors que c'était loin d'être le cas après l'enlèvement. Petit caillou dans la chaussure des politiques, l'engagement en faveur d'Ingrid les a obligés à prendre le problème à bras-le-corps. Mais cette mobilisation l'a aussi privée de toute libération unilatérale de la part des FARC – son prix médiatique étant trop élevé pour qu'ils acceptent d'y renoncer. Et c'est finalement l'action du président Uribe – à l'égard duquel l'ensemble des comités s'est montré plus que critique – qui a sauvé Ingrid de l'enfer de la jungle. Il ne faut pourtant rien regretter car cette mobilisation, dont elle était tenue informée, notamment par sa mère et sa sœur, lui a fait chaud au cœur. Cela fait partie des choses qui lui ont permis de tenir. Elle a prié pour tous ces gens, tous ces inconnus qu'elle a dit à plusieurs reprises « porter dans son cœur ».

Mais si le cœur d'Ingrid Betancourt leur porte un amour pur, la pureté n'a pas toujours été de mise dans les comités. Très vite, des dissensions sont apparues en leur sein, jusqu'à provoquer des disputes par médias interposés, et même des ruptures…

Du rififi dans les clans

18 avril 2008. *Le Journal du dimanche* publie une interview d'Hervé Marro. Le jeune homme y est présenté comme le « porte-parole du comité de soutien à Ingrid Betancourt et aux otages de Colombie ». Hervé Marro tente d'apporter des éclaircissements sur le rôle joué par la sénatrice colombienne Piedad Córdoba. Il se livre aussi à une attaque en règle du gouvernement colombien et finit par rappeler son inquiétude quant à l'état de santé de l'otage. Rien de nouveau sous le soleil.

Quelques jours plus tard, cependant, un courriel rédigé par Olivier Roubi, vice-président de la FICIB, est adressé aux rédactions des grands journaux nationaux. C'est une cinglante mise au point : « Nous ne voulons plus cacher la vérité : il y a d'un côté le comité Delloye, seul, et de l'autre la FICIB. » Olivier Roubi s'étonne que le distinguo entre les deux comités n'ait pas été établi par le *JDD*[1]. Derrière ce rectificatif, c'est à une véritable catharsis que se livre le vice-président de la FICIB. Entre les deux comités, rien ne va plus et la liste des griefs ne cesse alors de s'allonger. Le comité de Paris accuse la FICIB de parasiter ses actions en organisant des contre-événements, et réciproquement. La FICIB

1. Conscient de sa maladresse, *Le Journal du dimanche* tentera de se rattraper en présentant Hervé Marro non comme un « porte-parole du comité de soutien à Ingrid Betancourt », mais comme le « porte-parole du comité *parisien* de soutien à Ingrid Betancourt ». L'édition en ligne ajoutera même une note d'explication : « Précisons que le comité "Agir pour Ingrid" n'appartient pas à la Fédération internationale de comités Ingrid Betancourt (FICIB), association indépendante regroupant soixante-cinq comités qui mènent des actions pour la libération d'Ingrid Betancourt et des autres otages de Colombie. » (www.lejdd.fr/cmc/international/200816/betancourt-ou-est-la-verite_111617.html)

soupçonne notamment le comité de Paris de raffoler des coups médiatiques et de rechercher les projecteurs. Au comité de Paris, au contraire, on se gausse du goût de la FICIB pour les chanteurs populaires. La FICIB reproche alors au porte-parole du « comité Delloye » de parler à tort et à travers et de ne pas savoir utiliser le conditionnel quand il décrit l'état de santé d'Ingrid ou l'avancée des négociations. Le comité de Paris accuse à l'inverse la FICIB de ne pas assez parler…

En quelques mois, le climat devient délétère. La goutte d'eau qui va faire déborder le vase, c'est le concert organisé au Zénith de Paris, le 18 novembre 2007. C'est en tout cas ce qu'on explique du côté de la FICIB. Une quinzaine de jours avant cette date, raconte Armand Burguet, Piedad Córdoba est à Caracas pour préparer la venue à Paris du président vénézuélien. Satisfaite de la tournure que prennent les événements, elle appelle Yolanda Pulecio à Bogotá pour lui suggérer de remotiver les sympathisants d'Ingrid en organisant un grand concert. Armand Burguet, qui se trouve alors chez Yolanda, trouve l'idée excellente. Il active son réseau et, en douze jours, monte un concert avec Renaud en *guest star*.

Le comité de Paris, qui avait prévu une marche ce jour-là, digère mal l'idée de voir son action sabotée, mais s'incline devant ce qu'il considère comme un affront. En guise de protestation, Fabrice Delloye refuse toutefois de monter sur la scène du Zénith. Piquée au vif, la FICIB raille Hervé Marro, accusé d'avoir eu moins de scrupules en déboulant dans la zone VIP, flanqué d'un représentant de la mairie de Paris, pour « faire le mariole avec les artistes », *dixit* l'un des dirigeants du comité… Faux, répond-on côté parisien, où l'on préfère tout de même botter en touche en racontant un autre tour pendable que la FICIB leur aurait joué. « Nous avons voulu faire venir Eladio Perez en France. Ça nous semblait important. On s'était arrangé pour le loger au Mercure Paris, qui est quand même un bel hôtel, quand on a appris que sa visite était ajournée d'un mois. » Pourquoi ? D'après Christine Leclerc, parce que la FICIB a décidé d'inviter Perez en son nom… et au Fouquet's ! Cris d'orfraie à la FICIB, qui accuse en retour le comité de Paris d'avoir systématiquement tenu Yolanda Pulecio et Astrid Betancourt à l'écart des conférences de presse et des manifestations…

La liste des couacs serait longue à dresser. L'un se détache toutefois. La pomme de discorde remonterait à la « charte éthique » rédigée en 2002 par la FICIB. Ce texte, censé coordonner les relations entre tous les comités en leur donnant un cadre d'action, n'a pas été ratifié par le comité de Paris. Pour quelles raisons ? Des divergences fondamentales sur au moins deux points : les liens avec la famille et l'engagement politique. Selon la charte, les associations se font obligation de se tenir à l'écart des « intérêts personnels de toute famille d'otage ». Or, martèlent Hervé Marro et Christine Leclerc, « se tenir éloigné de la famille Betancourt, pour nous c'est non » !

La charte prévoit en outre que les comités de soutien s'abstiennent de toute forme d'action politique – un article inspiré, selon toute vraisemblance, par les divergences politiques au sein de la famille. Yolanda Pulecio et Astrid Betancourt n'auraient pas apprécié certains commentaires dépréciatifs à l'égard du gouvernement français et de Dominique de Villepin, laissant au vice-président de la FICIB le soin de rectifier le tir. Téléguidé ou pas, Olivier Roubi met les pieds dans le plat. Il ne mâche pas ses mots à l'encontre du comité de Paris : « Ils ont systématiquement tapé sur la tête du gouvernement français. Ils expliquaient que le gouvernement ne faisait rien pour Ingrid, s'énerve-t-il. C'est complètement faux, la France est mobilisée depuis 2002. Une cellule de crise existe depuis cette date, des gens travaillent sur le dossier 24 heures sur 24. » De tels propos, selon lui, sont donc « intolérables[1] ».

Du côté de « Paris », on persiste et signe. L'élection de Nicolas Sarkozy n'a-t-elle pas entraîné un changement de style et un suivi plus sérieux du dossier ? Qui croire dans ce brouhaha ? Celui qui crie le plus fort, ou celui qui parle en dernier ? Faut-il seulement prendre parti dans cette guerre des clans ? « J'ai coutume de dire que la vérité est au milieu du gué », me suggère Jacques Capelle, avec sa bonne bouille et son bon sens normand. Manière de reconnaître une partie de ses torts, tout en blâmant l'autre ? Dans ce genre de conflit, qui ressemble étrangement à une querelle de famille, chacun porte une part de responsabilité. Mais comment en est-on arrivé au clash, à cette « situation dingue, au bord de l'explosion, qui fait perdre de vue l'objectif premier des otages », ainsi que la résume Jacques Capelle ?

Les principaux intéressés avancent deux types d'explications. La première : le pouvoir, c'est bien connu, monte à la tête. Il faut se représenter des anonymes, gens honorables et sans histoire, qui se sont retrouvés devant micros et caméras sans y avoir été préparés. Or, passé l'angoisse initiale, certains y ont pris goût. Ils ont aimé entendre leur portable sonner cent fois par jour, être sollicités par les médias du monde entier et découvrir les joies d'un « agenda de ministre ». Être reçu dans les ambassades ou sous les ors de la République, quand on ne s'y attendait pas et si l'on n'a pas les pieds sur terre, peut vite monter à la tête. *A fortiori* si l'on est une forte personnalité. « Les conflits de personnes sont

---

1. Propos recueillis par Nicolas Moscovici, « La bataille des comités Betancourt », *Le Journal du dimanche*, 13 mai 2008.

inévitables, mais c'est dommage », conclut Christine Leclerc. Il est tout aussi naturel, poursuit-elle, que s'imposent les fortes têtes qui aiment organiser et commenter leur action. Malgré les dissensions qui s'ensuivent, pense-t-elle, c'est aussi ce qui a assuré le succès de la mobilisation.

L'engagement serait-il une addiction ? Il est symptomatique que Christine Leclerc, sans qu'il soit besoin de lui poser la question, évoque spontanément le syndrome « post-libération » : « Je suis sereine, même si je sais que ça va faire bizarre. C'est incontestable qu'il va y avoir un vide soudain dans ma vie. » Sans le soutien de son comité, aurait-elle trouvé la force de courir le Rallye des Gazelles – équivalent du Dakar pour les femmes –, une photo géante d'Ingrid collée sur son capot ? Pas sûr... Et Hervé Marro ? Se serait-il montré aussi brillant étudiant si la lutte pour la libération d'Ingrid Betancourt ne lui avait fourni des travaux pratiques ? Quand je l'ai rencontré, il imaginait déjà ce que deviendrait la mobilisation « après » la libération d'Ingrid : « On pourrait très bien imaginer qu'elle poursuive notre combat pour ceux qui sont restés dans la jungle. Notre site serait rebaptisé agir*avec*ingrid.com au lieu d'agir*pour*ingrid.com. » En réalité, seul le comité a changé de nom, le 17 juillet 2008. S'il est si difficile de raccrocher quand on a pris goût à l'action, il devait l'être tout autant de la partager et d'accepter des compromis parfois contraires à sa propre vision de la mobilisation...

Les questions de personnes, de pouvoir et de médiatisation n'expliquent pourtant pas tout. Parmi les comités, il se murmurait – à demi-mot – que les conflits au sein de la famille n'étaient pas pour rien dans ces luttes d'influence. Le différend FICIB/comité de Paris se serait superposé à une opposition entre Astrid et Yolanda d'un côté, Fabrice Delloye et ses enfants de l'autre. « C'est de notoriété publique aujourd'hui », déclare, sous couvert de l'anonymat, un ancien proche d'Ingrid Betancourt. La raison de cette brouille ? Des divergences de vues sur la meilleure stratégie de mobilisation et des appréciations contrastées sur l'action de la France. Reste une question : la libération d'Ingrid a-t-elle mis un point d'arrêt aux conflits entre comités et entre membres de la famille ? Affaire à suivre...

Sous les sunlights des tropiques

Mais retrouvons une dernière fois nos sympathisants, dont certains, bien connus du grand public, se préparent en coulisse. Exercices vocaux. Respiration. Ils montent sur scène. Acclamations. Avec eux, Ingrid et la tragédie colombienne sont désormais sous les feux de la rampe.

Trois années dans la jungle
Ligotée, bâillonnée
Entourée de ces dingues
Ces doux illuminés
[...]
Nous t'attendons Ingrid
Et nous pensons à toi
Et nous ne serons libres
Que lorsque tu le seras.

Ces belles paroles, c'est le chanteur Renaud qui les a écrites. « Dans la jungle » devient dès sa sortie, en 2006, l'hymne de la mobilisation en faveur d'Ingrid Betancourt. Un chanteur populaire investi dans une cause humanitaire : une incongruité pour l'opinion publique ? Non, car cela fait déjà quelques années que les Français sont habitués à voir s'enrôler des célébrités. Et ce depuis le célèbre 20 heures d'Emmanuelle Béart, en 1996. Devant des millions de téléspectateurs, l'actrice s'était émue du sort des sans-papiers de l'église Saint-Bernard. Si l'opinion publique s'est accoutumée à l'engagement des stars, elle reste toutefois partagée entre fascination et répulsion. Versatile, elle apprécie leur dévouement, puis elle le moque : il est si facile de s'indigner quand on est riche et célèbre ! La mobilisation des *people* en faveur d'Ingrid Betancourt n'a pas échappé à la règle. Plus grave, elle a provoqué quelques troubles au sein des comités de soutien.

Touché par l'enlèvement d'Ingrid Betancourt, Renaud a mis sa popularité au service de la cause. Lors du premier concert organisé au Zénith de Caen en février 2007, le chanteur expliquait sa démarche au quotidien *L'Humanité* : « Au moment où l'on célèbre malheureusement le cinquième anniversaire de l'enlèvement d'Ingrid, c'est une manière de dire qu'il ne faut pas baisser les bras, ne pas céder au désespoir et à la résignation. Nous devons continuer à nous battre, et plus particulièrement en ce jour symbolique, pour non seulement bousculer la classe politique française, mais également pour internationaliser la solidarité. Oui, en ce jour symbolique, nous devons internationaliser la solidarité[1]. » Les raisons de son engagement ne sont donc guère différentes de celles des « inconnus » des comités. Lui aussi est tombé sous le charme de cette femme courageuse, « honnête, intègre et combative », qui « a lutté sans avoir une goutte de sang sur les mains, de la manière la plus belle qui soit. C'est-à-dire par les armes de la parole et des mots, par le biais de la politique, de la diplomatie, du débat, du militantisme non violent à travers les élections. » Un vrai panégyrique.

Homme de cœur, Renaud décide de s'engager. Il profite de sa nouvelle tournée, baptisée « Rouge sang »,

1. « En ce jour symbolique, nous devons internationaliser la solidarité », *L'Humanité*, 23 février 2007.

pour parler d'Ingrid Betancourt et transformer certaines dates en concerts de soutien. Pour quels bénéfices ? Eh bien… pour les bénéfices, justement ! Les comités de soutien ont besoin de fonds pour survivre et rester visibles. Encaisser la somme des billets vendus, c'est une manne non négligeable qui permet de poursuivre le combat. Le nerf de la guerre… Autre bénéfice, non moins palpable : les retombées médiatiques. Renaud en concert pour Ingrid, c'est l'assurance d'un article dans un quotidien ou d'un reportage au JT, quand les médias commencent à se lasser des marches symboliques et des pétitions.

Toujours plus haut, toujours plus fort ! Y a-t-il une limite ? Certains, notamment dans l'entourage d'Armand Burguet, déplorent que non. Le *people* est une arme à double tranchant. Indéniablement efficace pour amplifier le « bruit médiatique », son utilisation à outrance peut aussi lasser, voire agacer une partie de l'opinion publique. Dans certains comités, qui préfèrent le système D du bénévolat, la « pipolisation » et ses gros moyens font grincer quelques dents. « À quatre ou cinq, si l'on est bien organisé et que chacun a une spécificité, on peut faire des merveilles », plaide un militant. Sous-entendu : pas besoin de l'armada des stars. D'autant moins que les bénéfices ne sont pas toujours au rendez-vous. En novembre 2007, un concert de soutien à Paris a laissé un trou de 18 000 euros dans les caisses des comités… « À partir du moment où Ingrid devient un produit de consommation, ce n'est plus la peine », déplore le même militant.

Astrid Betancourt, qui, s'agissant de sa sœur, a toujours préféré le traitement politique au médiatique, partage cet avis. Elle raconte le malaise qu'elle a éprouvé en tombant, dans une Fnac, sur le livre de sa mère, *Ingrid ma fille, mon amour*, rangé parmi les nouveautés sur le tsunami et les livres d'hommes politiques…

Elle réalise alors ce qu'elle ne voyait pas : le nom de sa sœur est devenu une marque, et l'affaire Betancourt un produit de consommation comme un autre. Hypocrite ou sincèrement blessée ? Sans doute les deux, car Astrid sait que la médiatisation est un mal nécessaire, aussi douloureuse puisse-t-elle être. Ingrid fait vendre ? Tant mieux, répondent certains, qui rappellent qu'après son rapt, les FARC juraient de l'assassiner dans un délai d'un an, faute d'un échange de prisonniers... La mobilisation aurait permis de la garder vivante. Mais l'agacement est perceptible.

Malgré ces réserves, d'autres *people* se sont engagés pour Ingrid. Après Renaud, cent artistes et écrivains ont à leur tour signé un manifeste. Réunis le 1er février 2007 sur la scène du théâtre Marigny, à Paris, tous s'engageaient solennellement à tout faire pour obtenir la libération de l'otage franco-colombienne. Parmi eux, des chanteurs, des acteurs, des humoristes, des éditeurs, des penseurs, entres autres vedettes médiatiques. La nouveauté ? À côté des professionnels des droits de l'homme et des grandes causes humanitaires, la présence de personnalités plus discrètes sur ce terrain : Isabelle Adjani, Alain Delon, Régine Deforges, Marek Halter, Cali, Laurent Baffie, mais aussi Charles Aznavour, Nathalie Baye, Nicole Garcia, France Gall, Jane Birkin ou Carla Bruni, la future épouse du président de la République... La liste est longue et impressionnante : tout ce que le bottin mondain compte d'important a répondu présent. Leur motivation et leur message ? Similaires aux inconnus des comités – peut-être un tantinet mieux tournés, belle plume oblige... Sur leur élégant site en rouge et noir, www.sos-betancourt.com, on peut lire le message de présentation suivant : « Avant d'être enlevée, Ingrid Betancourt a combattu inlassablement la corruption, la violence et les narcotrafiquants. Elle a mis sa vie et sa liberté en péril pour refuser l'inacceptable et défendre les sans-voix. Voilà pourquoi elle est, pour nous toutes et tous, artistes, écrivains, femmes et hommes de cœur, un symbole. Un symbole de lutte pour la paix, la liberté et la justice… »

En revanche, côté initiatives, les *people* n'innovent pas vraiment. Participation à la marche blanche, organisation d'une conférence et d'un concert lyrique, interventions aux côtés de la famille ou encore concerts dédiés à Ingrid. Après Renaud, c'est au tour de Jacques Higelin, Cali et trente autres artistes de se mobiliser pour elle à l'Élysée-Montmartre, lors de la Fête de la musique 2007. Sans oublier l'organisation de grandes campagnes d'affichage et la diffusion de spots publicitaires à la télé.

L'ensemble de ces actions permet de tenir les médias en haleine et de relancer sans cesse la mobilisation. Car, dans ce combat, le pire ennemi est le temps. Six ans, cela suffit pour oublier. Six ans, c'est assez pour lasser. D'où, à partir de 2007, cette surenchère dans la mobilisation : concerts de stars, pétitions de *people*, publication des *Lettres à maman par-delà l'enfer* préfacées par Elie Wiesel, prix Nobel de la Paix, etc. Mélanie Delloye-Betancourt parle alors de « course contre la montre », mais c'est un peu avec l'énergie du désespoir que le clan Delloye multiplie les partenariats avec les *people*. Le but est d'ailleurs atteint : en « unités de bruit médiatique » (UBM), le nouvel indice de la TNS Sofrès, le nom d'Ingrid Betancourt figure en bonne place dans un « secteur » pourtant fort concurrentiel…

Cette année-là, la mobilisation produit des alliances contre nature : le divertissement rejoint l'engagement, l'angoisse sur l'état de santé d'Ingrid le dispute à la joie festive de la musique… Plutôt que d'en blâmer la famille, c'est à l'air du temps qu'il faudrait s'en prendre. Même si, derrière les comités de soutien, qu'ils soient animés par de parfaits inconnus ou par des personnalités, plane l'ombre des Betancourt : la mère, la sœur, les « maris » et les enfants d'Ingrid, toujours à la barre de la mobilisation. Quitte à faire tanguer le navire lorsqu'ils s'opposaient entre eux...

QUELLE FAMILLE !

Depuis 2003 et l'équipée ratée de Manaus, rien ne va plus dans la famille. Si le contact est maintenu entre les Delloye et les Betancourt, c'est essentiellement pour des raisons pratiques. Mais aussi parce que, malgré les divergences, les brouilles et les rancœurs, tous ont un point commun : l'amour d'Ingrid, que chacun exprime à sa manière. Fusionnel pour Yolanda. Exclusif pour Astrid. Combatif pour Mélanie. Tendre pour Lorenzo. Oblatif pour Fabrice et Juanqui. Hélas, amour commun ne rime pas toujours avec solidarité...

Fabrice l'incontournable

Des maris au pluriel, ou un ex-mari et un mari actuel ? Si la question se pose, c'est que Fabrice Delloye, omniprésent dans les médias et plus connu que Juan Carlos Lecompte, n'a pas ménagé les déclarations enthousiastes, voire enflammées, au sujet de son ex-femme. À l'inverse, l'actuel mari d'Ingrid, malgré ses témoignages d'amour répétés, semble peu à peu s'être estompé de notre horizon médiatique. À mieux y regarder, il n'y a ni « ex » ni « actuel », mais deux maris au sens étymologique du terme, c'est-à-dire deux « mâles » qui ont combattu pour qu'Ingrid revienne. Deux hommes qui partagent pour elle un amour sans concession. C'est le moteur de leur mobilisation. Et de leur vie, peut-être...

Lorsque Ingrid est enlevée par les FARC, Fabrice Delloye vit avec ses enfants en Nouvelle-Zélande, où il est en poste à l'ambassade de France. Cela fait plusieurs années qu'il a divorcé, mais il continue à s'entendre très bien avec la mère de ses enfants. Mieux : il n'a « jamais cessé de l'aimer » et n'en revient pas de l'ironie du sort : « Je n'ai jamais autant vécu avec elle que depuis son enlèvement », me confiait-il en mars 2008. Depuis février 2002, sa vie a pris un nouveau tournant, « entièrement orientée autour d'Ingrid ». Question de morale : Fabrice s'efforce de perpétuer le combat « admirable » de son ex-femme, dont il admire l'altruisme. Elle est, dit-il, un « phare » pour la liberté. Dès le premier jour, il a senti la nécessité de l'aider. Un appel qui s'est d'abord traduit par sa mise en disponibilité du ministère des Affaires étrangères, afin de se consacrer pleinement à ses enfants et à la mobilisation. Et il n'a pas ménagé ses efforts ! À l'origine du comité de Paris, on l'a vu sur tous les fronts. Omniprésent dans les médias, il œuvre en coulisse en activant son réseau de diplomates, grâce à son épais carnet d'adresses. Et quand, malgré ses contacts, les choses n'avancent pas autant qu'il le voudrait, Fabrice s'agace de la réserve de ses pairs et leur retenue. Il sait pourtant qu'un diplomate pèse et soupèse chacun de ses mots. Mais l'amour d'Ingrid est plus fort que tout.

D'un caractère entier, presque pulsionnel, Fabrice Delloye s'emporte facilement. Surtout lorsqu'il a une idée bien arrêtée. Pour toucher les gens, pense-t-il, il faut de l'émotion. Et pour forcer les gouvernements à agir, il faut de la pression. Partisan d'opérations spectaculaires ou *people*, il n'hésite pas non plus à provoquer en prononçant des phrases définitives sur Uribe, qu'il qualifie d'« ignoble », ou sur l'« insensibilité » du peuple colombien. En juin 2007, il va jusqu'à déclarer au *Parisien* : « Si les preuves de vie ne nous sont pas apportées rapidement par les FARC, alors nous serons réduits à penser qu'Ingrid est décédée. Il n'y aurait plus de justifications à la croire vivante. » Choc. Les FARC sont acculées. Elles ne peuvent plus s'entêter dans leur stratégie du silence et doivent fournir une preuve de vie.

Énergique, instinctif : comment s'étonner que Fabrice Delloye se montre enchanté de l'arrivée de Nicolas Sarkozy à l'Élysée ? Il y est d'ailleurs très vite reçu et ne cesse de répéter que « le changement est notable » depuis son élection. Il émettra toutefois des réserves, notamment sur l'insuffisante pression française exercée sur les États-Unis, premier allié de la Colombie, et se permettra même de donner des conseils au nouvel élu. Mais pour qui se prend-il ? grognent certains. Réponse : pour un homme qui donne des idées, bouscule, dérange, mais ouvre des pistes de réflexion et oblige les politiques à innover et ne jamais baisser les bras. Sa meilleure idée reste le Pacte pour la libération d'Ingrid, imaginé avec sa fille Mélanie, sur le modèle du Pacte écologique de Nicolas Hulot. Proposé à la signature de tous les candidats à l'élection présidentielle, le texte requiert un engagement total de la diplomatie française en vue de faire libérer Ingrid. Ce sera un succès, preuve que Fabrice Delloye sait aussi se montrer plus pondéré en montant ce type d'opérations constructives.

Si Fabrice Delloye en est arrivé à tirer tous azimuts, c'est, prétend-il, à cause du changement d'attitude de Villepin et de l'inertie de Philippe Douste-Blazy au Quai d'Orsay. Difficile de rester ami avec tout le monde, dans un climat aussi électrique… Après six ans d'engagement, le passif est lourd. L'homme s'est brouillé avec une partie de son ex-belle-famille, mais aussi avec plusieurs diplomates français, qu'il a taxés d'incompétence. Quant au coût financier de sa constante mobilisation, il n'est pas négligeable. En disponibilité du Quai,

Fabrice Delloye n'a joui d'aucun revenu pendant plus de cinq ans. Difficile, quand on a deux enfants à élever. Une situation devenue assez préoccupante, avant la libération d'Ingrid, pour qu'il accepte un nouveau poste au Guatemala. Mais que ne ferait-on par amour ? Car cette abnégation, comment l'expliquer autrement que par son amour inconditionnel pour une femme qui, selon ses propres mots, « sera toujours prioritaire » ?

Juanqui, l'homme solitaire

« Une priorité. » Voilà ce qu'Ingrid Betancourt a été pour son second mari, Juan Carlos Lecompte. De lui, on sait peu de choses. Les médias ne se sont guère intéressés à lui, comme si sa qualité de Colombien pur sucre, né à Cartagena de Indias, nous le rendait moins attachant. Ou comme s'il était le vilain petit canard de la couvée. D'ailleurs, Yolanda et Astrid « ne l'ont jamais tout à fait intégré », formule Romain Lévy, un proche de Fabrice Delloye. Juan Carlos lui-même raconte volontiers sa mise au ban par sa belle-mère et sa belle-sœur. Un ostracisme dont il a souffert, écrit-il, comme de « n'avoir pu [*s'*]intégrer totalement dans la famille d'Ingrid ». Et de confier : « Je n'ai jamais eu l'impression que les siens m'avaient attribué la place que j'aurais dû occuper[1]. » Il est vrai qu'un publicitaire sportif, un peu « glandeur » sur les bords, n'avait rien pour plaire au conservateur Gabriel Betancourt et à Yolanda Pulecio, qui ne s'est jamais totalement départie de ses préjugés de classe. Quant aux enfants, ils le connaissent peu et vivaient déjà avec leur père quand leur mère a décidé de refaire sa vie.

1. Juan Carlos Lecompte, *Au nom d'Ingrid*, *op. cit.* p. 128.

Pourtant, le témoignage livré par « Juanqui » dans *Au nom d'Ingrid* est bouleversant. Il y raconte à la fois sa mobilisation et sa vie privée. À commencer par la difficulté d'être le mari d'un fantôme, commune à tous ces époux d'otages que les Colombiens considèrent comme des « demi-veufs[1] ». Difficile d'être plus explicite. Pourtant, malgré le regard des autres et la pression de ses amis pour tenter de retrouver goût à la vie – y compris en partageant les nuits d'une nouvelle femme –, Juanqui est resté fidèle à Ingrid. Pour commencer, il est resté dans le duplex de Bogotá où tous deux vivaient avant son enlèvement. « J'essaie de faire en sorte que tout demeure tel qu'elle l'a laissé », confie-t-il[2]. Emmanuel Voguet, l'ancien conseiller en communication d'Ingrid, a eu l'occasion de visiter ce « musée d'Ingrid », ainsi qu'il le nomme poétiquement. Juan Carlos n'a pas déplacé une seule de ses affaires. Tout y est. Tout y respire l'absente et l'attente du retour...

Malgré la solitude qui lui pèse, ce publicitaire n'en finit pas de faire la promotion de celle qui « a toujours été une personne plus publique que privée » et dont « la passion a été depuis toujours l'arène politique[3] ». En spécialiste de la communication, il a su, au fil des années, multiplier les actions, principalement en Colombie. Se battre pour Ingrid, c'était d'abord faire en sorte que son parti survive, malgré sa disparition de la scène publique. Il s'est démené pour qu'Oxígeno Verde continue d'exister. Quitte à employer les grands moyens. Lorsque, en juin 2003, le parti est menacé de dissolution par le vote d'une loi au Congrès, Juanqui s'efforce de négocier avec des arguments rationnels, plaide pour la représentativité dans la vie politique et

1. *Ibid.*, p. 277.
2. *Ibid.*, p. 22.
3. *Ibid.*, p. 128.

défend le droit des petits partis à exister. En juin 2004, sentant qu'il va perdre le combat, il décide de jeter ses dernières forces dans la bataille et de tenter un coup d'éclat. Avec une bande de copains, il monte une opération « emmerdement » du Congrès... au propre comme au figuré ! Des tonnes de crottin de cheval sont déversées sur les marches et jetées contre les colonnes du vénérable édifice. Le scandale est énorme. Les médias nationaux et internationaux relaient ce *happening*. Juanqui est arrêté, mais il gagne la partie : le Conseil électoral rejette la loi de dissolution. Succès provisoire : dès 2006, plus un candidat aux élections ne concourt sous les couleurs d'Ingrid...

De l'audace, toujours de l'audace ! Juan Carlos, qui n'est pas un créatif pour rien, déborde d'idées. Lui qui conçut avec Ingrid les campagnes « préservatif » et « Viagra » ne recule devant rien. Il sait mêler les actions conventionnelles à des initiatives plus originales. Si, dès juin 2002, lui revient l'idée de faire imprimer des milliers de T-shirts à l'effigie d'Ingrid, il s'essaie aussi à l'action spectaculaire. Le 9 décembre 2003, il occupe la cathédrale de Bogotá avec des mères et des épouses d'otages. Après trois jours et deux nuits d'occupation, il est reçu en délégation par le président Uribe. Et pour commémorer les deux ans de captivité d'Ingrid, il suspend sur un mur de quatre-vingts mètres de long et de trois mètres de hauteur de grandes toiles sur lesquelles sont inscrits les noms de toutes les villes du monde dont Ingrid est alors citoyenne d'honneur. C'est encore lui qui a l'idée – géniale – de jouer de la loi colombienne, qui n'empêche pas un otage de se présenter à une élection, pour maintenir la candidature d'Ingrid à la présidentielle. Quand bien même elle recueille moins de 1 % des voix, c'est la première fois qu'un candidat à la charge suprême est absent du scrutin. L'opinion publique colombienne s'en souviendra.

La mobilisation 100 % colombienne de Juan Carlos semble avoir eu un effet que les médias français ont minoré. Il a incarné le lien d'Ingrid avec la Colombie. Quand Astrid et Yolanda – sans parler de Fabrice et des enfants – privilégiaient la mobilisation européenne en faisant le calcul de la pression internationale, Juanqui rappelait que les FARC sont d'abord un problème colombien ; que c'est en Colombie que la question des otages doit être réglée ; et que c'est aussi dans son pays qu'il convenait de rendre Ingrid populaire…

En plus de ses initiatives politiques, Juan Carlos Lecompte a également su jouer la carte familiale. Grâce à l'argent rapporté par son livre, il a loué un avion pour survoler la jungle amazonienne et larguer des milliers de photos de Mélanie et Lorenzo, afin que leur mère puisse voir comme ils avaient grandi… On ne peut cependant se déprendre d'un malaise à la lecture de ce beau texte, souvent déchirant. Un peu comme si Juanqui agissait sans espoir, par pure obligation morale et fidélité à un souvenir. Car il ne cache rien de sa douleur : « Comme les pharaons, dont la suite encore vivante partageait le tombeau, j'avais l'impression d'être spirituellement enterré au côté d'Ingrid[1]. » L'image est frappante. Juan Carlos, simple suivant d'une Ingrid déjà morte ? « J'étais le mari d'Ingrid. Au terme de deux ans, j'ai eu envie de redevenir Juan Carlos Lecompte[2] », écrit-il un peu plus loin. Esclave d'une reine un peu despote ?

Le poids du silence et de la solitude, l'érosion des sentiments sous l'effet de l'absence prolongée : Juanqui dit tout de l'ambivalence de l'amour. Avec honnêteté, et peu d'égards pour le politiquement correct. Lucide,

---

1. *Ibid.*, p. 274.
2. *Ibid.*

il écrit : « J'ignore si Ingrid sera amoureuse de moi – et moi d'elle – quand on la relâchera[1]. » Alors qu'une séparation officielle semble désormais imminente, ces mots sonnent comme un constat désabusé. À en croire l'entourage d'Ingrid Betancourt, les dés étaient pipés. Un proche raconte qu'après l'enlèvement de sa sœur Astrid aurait déclaré : « Je vais la débarrasser de ce mec qui n'a rien à faire avec elle. » À chacun de ses passages à l'antenne de Radio Caracol, elle aurait tout fait pour persuader Ingrid que Juanqui la trompait et n'occupait plus le duplex de Bogotá. Peu à peu, ce travail de sape a produit son effet et pénétré les esprits : la lettre d'Ingrid d'octobre 2007 en témoignera, dont un passage ambigu, aussi court que retenu, est consacré à Juanqui. À tel point que Fabrice Delloye n'est plus à l'abri d'un lapsus, m'affirmant que, lorsque Ingrid sera libérée, « l'homme qu'elle aimera » devra compter avec la place incroyable que sa mère a prise dans sa vie. Sous-entendu : un autre que Juanqui...

Mélanie, l'héritière ?

En enlevant Ingrid Betancourt, les FARC l'arrachent à deux adolescents de treize et seize ans, Lorenzo et Mélanie. Pendant plus de six ans, ils vont se battre. Dans l'espoir, chaque matin, de son retour. Leur obstination et leur sens du combat leur ont gagné le respect et l'admiration de tous. Dans un style différent, ils incarnent chacun un visage de la jeunesse française. Ce sont deux jeunes adultes qui ont réussi à préserver un semblant de vie privée, tout en s'engageant sur la scène publique. Leur charisme a impressionné. Serait-ce le début d'une dynastie ?

---

1. *Ibid.*, p. 280.

Avant d'être une dynastie, les Betancourt et Delloye-Betancourt forment une famille. Or, dans cette famille, les femmes sont les plus fortes. C'est même un « véritable matriarcat », m'assure Fabrice Delloye. Si, toute petite, Ingrid a baigné dans la politique grâce à son père, c'est à sa mère qu'elle doit sa vocation. Dans cette famille, la transmission des valeurs de courage et d'altruisme est capitale dans la relation mère-fille. Ingrid n'y a pas dérogé avec son aînée, Mélanie.

Cette élégante jeune femme de vingt-trois ans, avec ses longs cheveux bruns et ses yeux noirs, est le portrait de sa mère. Ses traits sont volontaires, presque durs. Son regard affiche une détermination farouche, mais semble dérober ses pensées intimes. Sa force est d'avoir su incarner sa mère auprès du grand public. D'avoir donné une présence à l'absente. La ressemblance est en effet frappante. Et elle n'est pas seulement physique. Très tôt, Mélanie a su s'imposer dans les médias, comme sa mère avant elle. Par la justesse de ses propos, la clarté de son expression, mais aussi par une humilité qui a pu faire défaut à Ingrid Betancourt.

Une partie de la France avait en mémoire l'image d'une jeune adolescente préoccupée par la vie de sa sénatrice de mère dans « Des racines et des ailes ». On y devinait la gravité de la jeune fille, consciente de son devoir. Ceux qui ne la connaissaient pas encore l'ont découverte lors du journal de 20 heures de TF1, interviewée par Patrick Poivre d'Arvor. Très vite, les médias ont compris qu'ils tenaient là une « bonne cliente ». Et c'est tout naturellement que la France s'est habituée à son visage. Comme un passage de relais symbolique entre la mère et la fille.

Cette similitude se retrouve jusque dans leur garde-robe et leur allure, chic et décontractée à la fois. Même aisance à passer du jean et des bottes à la robe et aux talons, avec charme et simplicité. On se souvient d'Ingrid, sur la photo prise par Alain Keler juste avant son enlèvement, en jean, bottes et T-shirt jaune. Comme en négatif, on se rappellera Mélanie en jean, bottes noires et T-shirt violet à l'anniversaire des cinq ans de captivité de sa mère. On revoit Ingrid en élégant tailleur-pantalon noir ou, plus récemment, en belle robe parme et châle blanc cassé pour sa remise de la Légion d'honneur. Et l'on se souvient aussitôt de Mélanie en chic et sobre ensemble gris imprimé, avec un petit gilet de laine noir, sur le perron de l'Élysée après l'élection de Nicolas Sarkozy.

Si Mélanie a l'élégance de sa mère, elle en a aussi hérité l'intelligence. Élève brillante, elle étudie le cinéma à New York après avoir obtenu une licence de philosophie à la Sorbonne. « Ingrid avait coutume de dire que Mélanie c'était elle en mieux », m'affirme Fabrice Delloye, qui ne tarit pas d'éloge sur sa fille et vante sa « sagesse naturelle », sa « vision juste des événements ». Il insiste aussi sur le « côté créatif » de cette passionnée du septième art.

Et il lui en aura fallu, de l'inventivité, pour entretenir la flamme de la mobilisation ! Malgré ses navettes entre Paris, New York et Robin – son charmant petit copain –, Mélanie se bat. Elle est omniprésente dans les médias, passe avec aisance mais sans plaisir d'un plateau de télévision à un studio radio où elle martèle son message : il faut libérer sa mère ; un accord humanitaire est possible ; la tragédie des otages peut être dénouée. Elle sait aussi donner à ce message la forme de symboles. À Paris, elle débaptise (provisoirement) la place de la Colombie pour la renommer « place des Otages ». Elle est à l'initiative de la publication des *Lettres à maman par-delà l'enfer*. Avec un souci constant : soutenir sa mère dans l'adversité et nous la rendre proche. Elle aussi sait bien qu'il faut jouer la carte de l'émotion.

Son intelligence tactique se double d'un vrai sens politique. Elle connaît le dossier *al dedillo*[1], comme on dit en Colombie. Un certain Dominique de Villepin en fera d'ailleurs les frais. La scène se passe à RTL, le mardi 20 février 2007. Mélanie est l'invitée de Marc-Olivier Fogiel. Elle ne sait pas que le Premier ministre doit être interviewé juste avant elle. Elle s'énerve, refuse de croiser celui dont elle critique l'action diplomatique. C'est Villepin qui lui adresse spontanément la parole, en direct, pour rappeler que « la France œuvre dans des conditions difficiles, mais avec détermination sur le dossier Ingrid Betancourt, face à des partenaires qui ne sont pas toujours au rendez-vous ». Mélanie attend poliment la fin de la tirade. Silence. Concentration. Attaque ! « La détermination fait partie de votre ligne de conduite. Malheureusement, je ne trouve pas que vous ayez été déterminé par rapport à ce qui concerne ma mère [...], vous n'avez pas utilisé tous les moyens qui sont à votre disposition. Si la France n'a pas un pouvoir énorme en Colombie, alors OK, qu'elle accepte sa position avec humilité. Il faudrait que le cas de maman [...] devienne une priorité dans les relations franco-américaines. Ce qui n'est pas le cas. » Dominique de Villepin tente de reprendre le dessus, non sans langue de bois. Il est sonné. La colère de Mélanie n'aura pas été un coup d'épée dans l'eau : elle oblige le Quai d'Orsay à se défendre en relançant le suivi du dossier... Ce jour-là, Mélanie fait honneur à son « prix RTL de femme de l'année », décerné un an plus tôt...

On ne peut qu'être frappé de cette manière de dire les choses. Même – surtout ? – celles qui déplaisent. « Ça passe ou ça casse », devise de la famille ? Est-ce Ingrid qui lui a transmis le goût de la vérité, ce jour de 1994 où, invitée du journal télé le plus regardé

1. « Sur le bout des doigts. »

de Colombie, elle a donné en direct cinq noms d'élus corrompus ?

Mélanie marchera-t-elle dans les pas de sa mère ? Après sa libération, elle confiait son désir de « redevenir une enfant ». Fini les plateaux télé et autres expositions médiatiques. Cette jeune femme grandie trop vite veut simplement redevenir anonyme. Pour combien de temps ?

Lolly, le petit prince de sa mère

Si Mélanie est le décalque de sa mère, Lorenzo est le sosie de son père. Même carrure d'athlète qui ne sait pas quoi faire de sa carcasse. De bonnes joues rebondies, de beaux cheveux bruns ondulés, un regard sombre et intense. Juvénile – encore poupin même –, Lorenzo s'est affiné au fil des années. Et c'est en 2007 qu'il s'est imposé dans les médias. Ce n'est pas un hasard si fleurissent depuis quelques mois des groupes tels que « Lorenzo Betancourt is the sexiest guy on earth[1] » sur le réseau communautaire Facebook, très prisé des jeunes. Car Lorenzo plaît. Par son charme naturel. Par sa belle voix soyeuse de jeune adulte lisant une lettre à sa « *mamita linda mi corazón*[2] ». Par son apparente décontraction surtout. Son père confie qu'il est comme lui au même âge : un garçon intelligent mais paresseux, qui réussit facilement ce qu'il entreprend et obtient ce qu'il veut par son charme.

« Lolly » a-t-il joui d'un statut privilégié ? « Ingrid lui passait tout, alors qu'elle se montrait plus autoritaire avec Mélanie », rapporte Juan Carlos Lecompte[3]. Petit

1. « Lorenzo est le garçon le plus sexy au monde. »
2. « Ma belle maman chérie. »
3. *Au nom d'Ingrid, op. cit.*, p. 74.

prince de sa mère, ou différence d'âge avec sa sœur ? Certainement un peu les deux. Ce qui n'empêche pas Lorenzo de réussir ses études aussi bien que sa sœur. Après une bonne moyenne au bac, il prépare aujourd'hui une double licence en droit et sciences économiques et sociales. Dans sa lettre d'octobre 2007, Ingrid lui dit toute sa fierté et l'encourage à passer le concours d'entrée à Sciences Po, comme elle le fit en son temps.

Malgré cette réussite, c'est l'image d'un garçon « à la cool » que l'on retient. D'autant plus que, du fait de son jeune âge au moment de l'enlèvement, c'est sa sœur qui a occupé le devant de la scène. Lorenzo s'est longtemps contenté d'apparaître un peu en retrait. Mais il était de toutes les actions et n'a jamais perdu le fil de la mobilisation. Garçon courageux, il a ému la France entière en 2007, après la révélation de la preuve de vie d'octobre. Par l'enregistrement de sa lettre sur RFI ou sur les plateaux de TF1 et France 2, l'opinion publique l'a alors découvert. Et elle est tombée sous le charme – ce qui n'a pas peu concouru à relancer la mobilisation. Calme, clair, émouvant, « Lolly » a impressionné les médias, comme sa sœur avant lui. Un orateur est né en 2007. Et à mieux considérer son parcours universitaire, on ne peut que s'interroger : et si c'était lui, l'héritier ?

Les enfants d'Ingrid Betancourt ont été un précieux levier de mobilisation. Atouts cœur, ils ont aussi joué un rôle plus stratégique. De la définition d'actions à mener à leur vision d'un règlement politique du dossier, ils ont marqué les comités. Au risque de compliquer les relations au sein de la famille…

Une famille déchirée et décomposée ?

Ce 3 juillet 2008, dans l'avion qui conduit les familles Delloye et Betancourt en Colombie, règne une atmosphère étrange. L'euphorie le dispute à la rancœur, à peine dissimulée. Astrid Betancourt et Fabrice Delloye s'évitent. Quand ils se parlent, c'est pour s'échanger des banalités ou se proposer du café, sourire en coin. Le reste du temps, sans mot dire, ils échangent des regards noirs. Mélanie et Lorenzo, quant à eux, ne tiennent pas en place. Les onze heures de vol leur paraissent une éternité et l'animosité entre leur père et leur tante est électrique. Eux-mêmes estiment avoir des motifs de griefs à l'encontre d'Astrid. Maintenant que leur maman est de retour, ils se sont toutefois juré de ne rien lui dire des coulisses parfois peu reluisantes de sa libération. Ils ne lui montreront pas les e-mails d'une dureté d'acier qu'Astrid leur aurait envoyés – à Mélanie, notamment, après son passage fracassant sur RTL et sa descente en piqué aux frais de Dominique de Villepin, un crime de lèse-majesté ! Ce qui ne signifie pas qu'ils comptent tout effacer... Ils attendent le jour où, si besoin, il aura coulé suffisamment d'eau sous les ponts pour tout dévoiler. Pour le moment, la joie les rend magnanimes. Ils affichent une « zen attitude » inébranlable. S'ils ont cessé d'être acteurs, ils ne peuvent pour autant refuser d'être spectateurs. Et quel spectacle déchirant que cette famille brisée où calculs et arrière-pensées tiennent parfois lieu de conduite ! Qui blâmer, si blâme il y avait à prononcer ? Plusieurs voix s'élèvent pour pointer la responsabilité d'Astrid... Je n'ai quant à moi jamais été à l'aise dans l'habit du procureur, estimant que tout ce que fait l'être humain s'instruit à charge et à décharge.

En guise d'introduction au portrait d'Astrid, je passe rapidement sur ce que me rapportait un proche de la famille, qui tient à son anonymat. Il m'a détaillé avec soin la technique de la sœur d'Ingrid pour être au centre de toutes les photos officielles depuis la libération de sa sœur. Elle commencerait par envoyer son jeune fils Stanislas se faufiler jusque dans les bras de sa tante. Puis elle glisserait discrètement à l'oreille de ses voisins : « Est-ce que je peux me rapprocher de mon fils, s'il te plaît ? » Répété deux ou trois fois, ce sésame lui permettrait de toujours figurer au premier plan, à côté de la vedette du moment : sa sœur, Dominique de Villepin ou encore Nicolas Sarkozy. Anecdote révélatrice de la personnalité d'Astrid, qui expliquerait, selon ce même témoin, les déchirements de la famille. Mais n'exagérons rien, car toutes ces habiletés prêtent plutôt à sourire. Qui n'en a eu ? Pendant les presque sept ans de captivité de sa sœur, Astrid a voulu tout prendre en charge. Signe évident de l'amour qu'elle porte à sa sœur, mais aussi de sa personnalité. Être au cœur des négociations, des secrets et de l'action, telle est son souci majeur, parfois jusqu'à l'obsession. C'est cela qui l'a poussée à brocarder son ex-beau-frère et ses neveux. Comme si, face à l'adversité, elle avait voulu recréer la cellule familiale idéale de la mère et de ses deux filles, ce qui peut parfaitement se comprendre. C'est donc à l'enfance, à coup sûr, qu'il faut remonter pour comprendre le comportement d'Astrid...

Fabrice Delloye raconte que, enfant, Astrid était jalouse du lien de complicité unissant Ingrid à son père. Pourquoi pas ? Ce petit secret, il n'a pu l'apprendre que de la bouche d'Ingrid elle-même. Toujours dans l'ombre, elle qui est pourtant l'aînée de quelques mois. Moins immédiatement belle ? Ce n'est nullement évident. Moins brillante ? Astrid l'est à sa façon, car elle est dotée d'une intelligence subtile. Elle aurait été, toujours selon Fabrice, moins aimée de Gabriel. Peut-être, mais qui sait ce que cache un cœur de père ? Frustrée, découragée, toujours selon Delloye, elle aurait préféré le « registre de la plainte permanente » au combat. Elle rejoint d'ailleurs sa mère à Paris dès sa majorité. Après des études à Sciences Po, elle exerce comme avocate à

Bogotá. La vie n'y est pas paisible pour autant. Moins, en tout cas, que la vie d'épouse de diplomate que coule sa sœur. Après la jalousie, l'aigreur ? Je n'en sais rien. Mais, objectivement, la vie d'Astrid n'est pas rose. Après un mariage désastreux, elle se retrouve seule à élever ses deux enfants avec peu de ressources. Emmanuel Voguet raconte que, dans les premiers temps de la captivité d'Ingrid, il devait systématiquement rappeler Astrid en Colombie car elle n'avait pas les moyens de payer des communications internationales. Il décrit une femme désemparée, insatisfaite, se démenant entre la couche du petit dernier et le bain de l'aînée pour boucler des fins de mois difficiles…

Une rencontre va tout changer. Et cette rencontre est liée à l'enlèvement de sa sœur. Tragique ironie. Au moment où le malheur frappe sa famille, Astrid découvre un nouveau bonheur… Amenée à fréquenter assidûment l'ambassade de France à Bogotá, elle tombe en effet sous le charme de l'ambassadeur, Daniel Parfait, plus âgé qu'elle. C'est un homme fin, cultivé, aux manières agréables et plus âgé qu'elle. Philosophe de formation, il est aussi énarque. Sa femme est alors malade. Il ne reste pas insensible au charme d'Astrid qui, très vite, devient sa maîtresse, puis son épouse. Astrid renoue avec la vie qu'elle a connue petite fille : le faste des dîners mondains, les ors des quartiers chic, un sentiment d'exclusivité. Se sentir quelqu'un d'important. Dès lors, par amour pour sa sœur, mais aussi enhardie par le pouvoir qu'elle détient, Astrid se mêle de tout, donne son avis sur tout et veille à l'imposer. Les premières années, elle peut compter sur son ami Dominique de Villepin. Mais après le fiasco de Manaus, Astrid est seule à lui conserver sa confiance. Elle ne supporte pas les attaques de Fabrice et des enfants et ne se gêne pas pour le leur dire ou le leur écrire. Ni pour en informer la FICIB, qui lui est dévouée. D'où les coups d'éclat entre comités. Un comportement corroboré par plusieurs témoignages. Des sources concordantes soulignent qu'il n'a pas été sans causer de blessures dans la famille.

Aujourd'hui qu'Ingrid est revenue, les plaies ne sont pas cicatrisées. Certaines se rouvrent. Comme s'il ne lui suffisait pas d'avoir triomphé des FARC, Astrid aurait continué à dissuader sa sœur de revoir Juan Carlos Lecompte, son mari. Le soir même de son retour à Bogotá, Ingrid a préféré passer la nuit chez sa mère plutôt que dans son ancien appartement. Dès le 21 juillet, elle est partie se reposer aux Seychelles, sans son mari. Juan Carlos, resté seul en Colombie, répand sa détresse dans les médias et n'exclut pas une séparation. Il accuse certains d'avoir colporté de fausses rumeurs sur sa prétendue liaison avec une Mexicaine. « Juanqui » ne cite personne, mais le « on » qu'il emploie laisse peu de place au doute. Ingrid, en effet, a été informée de ces rumeurs sur Radio Caracol. Or, à part Juan Carlos et – exceptionnellement – les enfants, seules la mère et la sœur d'Ingrid lui laissaient des messages...

Astrid ne se serait pas contentée de mettre Juanqui hors jeu. Elle aurait aussi dressé à Ingrid un portrait peu flatteur de Fabrice. Est-ce à cause de cette néfaste influence qu'Ingrid a « oublié » de remercier son ex-mari à plusieurs reprises depuis son retour en France ? Il n'y a guère que ses neveux qu'Astrid se soit abstenue de dénigrer. Le silence et l'évitement suffisent. La froide réserve entre Mélanie, Lorenzo et leur tante est visible sur toutes les vidéos, y compris celle tournée dans l'avion français arrivant à Bogotá.

Depuis la libération d'Ingrid, Astrid se veut l'intermédiaire entre sa sœur et le reste du monde. Sans doute s'estime-t-elle la mieux armée pour aider Ingrid à réussir son retour... Par exemple, c'est elle qui organise les relations avec les médias. Ce qui lui donne l'occasion de commettre quelques erreurs, comme d'éconduire, ainsi qu'on me l'a raconté, CNN au profit du *Courrier picard.* Et gare à ceux qui le lui feraient observer ! Elle a également confié à un journaliste que, depuis le retour d'Ingrid, son objectif est désormais de « constituer un staff » pour sa sœur. Astrid ne semble accepter de quitter la lumière... que pour diriger elle-même le faisceau du projecteur. L'avenir seul jugera...

Malgré la joie des retrouvailles, on ne peut s'empêcher d'éprouver de la tristesse au spectacle de cette unité familiale cassée par six années de lutte et de tragédie. Mais qu'importe : le soleil d'Ingrid sourit de nouveau au monde !

Épilogue

« J'ai décidé que ma couleur favorite était le bleu de ses yeux avec une touche du mauve clair du paréo dont il m'a fait cadeau, il y a de cela des années, aux Seychelles. Je m'habillerai de mauve clair lorsque je quitterai le vert prison de cette jungle », écrivait-elle à Sébastien, le fils de Fabrice Delloye, qu'elle aime comme s'il était le sien[1].

Après la tempête médiatique qui a suivi sa libération, Ingrid s'est exilée sur son îlot de tranquillité. Les Seychelles. Là où elle a vécu plusieurs années, où elle a enfanté et réconcilié père et mère. Un paradis terrestre, qu'elle a fui pour plonger dans l'enfer de la politique colombienne. Un lieu pour se ressourcer et envisager sereinement l'avenir. Le temps d'une parenthèse avant de négocier un virage important dans sa vie. Une fois de plus. À quoi pense-t-elle sur le sable fin ? À ce bonheur inespéré, il y a un mois encore, d'être entourée de ceux qu'elle aime ? À coup sûr. À ceux qui n'ont pas eu sa chance et qui croupissent encore dans l'humidité étouffante de l'Amazonie ? C'est certain, elle l'a dit et redit. Leur sort est cousu à son être de compassion. Aux lendemains, à la fois riches de promesses et pourtant si fragiles ? Peut-être...

1. *Lettres à maman par-delà l'enfer*, *op. cit.*, p. 30.

Ingrid sait bien que le retour à la vie civile des otages n'est jamais aisé. La Colombie en fait la cruelle expérience depuis trop longtemps. Au sortir de la captivité, il faut franchir bien des paliers avant de jouir pleinement de la liberté retrouvée. Maria Cecilia Jacome, psychologue clinicienne à Bogotá, les connaît tous. Il y a d'abord la « résurrection », cette période de « bonheur intense » pendant laquelle l'otage « parle beaucoup pour raconter son expérience », comme pour se « vider de la douleur vécue[1] ». Roger Auque, qui fut otage à Beyrouth en 1987, ne commente pas autrement les premières semaines de liberté d'Ingrid : « [*Elle*] était coupée du monde extérieur, et passer du monde des morts-vivants au monde normal, c'est un immense moment de bonheur : on se sent boosté, cela vous fait ressentir une certaine ivresse. On a envie de parler, raconter, ce qui est déjà un début de thérapie, une manière de tourner la page[2]. »

Après l'euphorie de ces premiers moments, ajoute Roger Auque, prendre garde au « passage à vide ». Cette baisse de régime succède très vite à une phase où, « après avoir beaucoup parlé, l'ex-séquestré [...] se tait, évite de penser, de ressentir ou de se rappeler ce qu'il a vécu », rapporte Maria Cecilia Jacome. Elle y voit une « fuite », « un des symptômes d'une pathologie post-traumatique[3] ».

Pour les proches, ces traumatismes, qu'ils ne comprennent pas toujours, sont difficiles à vivre. Comment reprendre une vie de couple harmonieuse avec quelqu'un qui n'arrive plus à dormir dans un lit après avoir dormi dix ans dans un hamac ? Ou au côté de celui qui

---

1. Alain Devalpo, *Les Enlèvements en Colombie, la pêche miraculeuse*, *op. cit.*, p. 104.
2. *Le Soir*, 7 juillet 2008.
3. A. Devalpo, *Les Enlèvements en Colombie...*, *op. cit.*, p. 105.

joue avec l'interrupteur toute la journée, après avoir été privé d'électricité pendant huit ans ? Plus simplement, comment ne pas être gêné face à un homme – son mari – qu'on n'a plus vu depuis des années ? Où reprendre le fil de la vie commune ? Certains n'y parviennent pas. À l'instar de l'ex-otage Jorge Gechem qui, quelques mois à peine après sa libération, a annoncé son divorce... Selon Maria Cecilia Jacome, il n'y a pourtant pas de fatalité : « Certains anciens otages parviennent à assimiler l'expérience et à l'intégrer comme faisant partie de leur histoire[1]. » Capables de donner un sens à ce qu'ils ont vécu, ils parviennent à se projeter dans l'avenir... Ingrid sera-t-elle de ceux-là ?

Pendant sa captivité, Ingrid a dû subir, jour après jour, les traitements cruels des FARC. Relatant les conditions de sa détention, elle n'a pas immédiatement évoqué les chaînes ou le périmètre réduit où elle était confinée. En mère, elle a d'abord parlé des photographies de ses enfants que les guérilleros lui ont confisquées. Puis, en fille aimante, du scapulaire de « Papa Miel » qu'elle gardait comme un talisman et que les FARC lui ont également enlevé. Enfin, en femme politique, elle pleure le programme de gouvernement en 190 points qu'elle avait annoté au cours de sa captivité... et qui a été détruit.

C'est peu dire qu'Ingrid a la politique chevillée au corps. Elle qui est restée la même durant ces six années de captivité va-t-elle se lancer de nouveau dans l'arène politique ? Que compte-t-elle faire aujourd'hui qu'elle a recouvré la liberté et jouit d'une popularité internationale ? La question est sur toutes les lèvres, alimentée par les déclarations des politiques et les honneurs qui lui ont été rendus. De Michelle Bachelet, la présidente du Chili, qui l'a proposée pour le prix Nobel de la Paix,

---

1. *Ibid.*

à Nicolas Sarkozy, qui lui a remis la Légion d'honneur, Ingrid Betancourt se trouve à un carrefour de possibles. Quel chemin empruntera-t-elle ? Bogotá, où elle est née ? Paris, où elle vécu les années les plus heureuses de sa vie ? Ou New York, où vit Mélanie ?

Peu d'experts de la Colombie l'imaginent accéder un jour à la charge suprême de son pays. À côté d'un Álvaro Uribe plus populaire que jamais, elle ne fait pas le poids. Pour l'instant... Une pétition en faveur d'un troisième mandat d'Uribe ne vient-elle pas de recueillir cinq millions de signatures en quelques semaines ? Le champ de manœuvre d'Ingrid est encore plus restreint face à Juan Manuel Santos, auréolé du succès de la mission « Jaque », d'autant plus qu'elle ne dispose pas d'une base populaire ou d'un parti politique sur lesquels s'appuyer. Elle qui honnit les conservateurs et a rompu avec le parti libéral n'a pas connu non plus l'émergence du Pôle démocratique de gauche, devenu la deuxième force politique du pays. Certains la verraient bien rejoindre cette nouvelle force, dont elle partage nombre de valeurs. D'autres pensent au contraire qu'elle pourrait recréer un parti indépendant, capable d'arbitrer les débats, comme au temps de l'élection d'Andrés Pastrana. Députée ou sénatrice, peut-être ministre ou commissaire chargée de la question des otages ? C'est ainsi que, dans les cercles du pouvoir colombien, on l'imagine.

Comment, dès lors, expliquer la couverture de l'hebdomadaire colombien *Semana*, « Ingrid présidente », au lendemain de sa libération. L'émotion qu'elle a provoquée dans un pays très croyant, en s'agenouillant sur le tarmac de Catam ? Sa visite à Lourdes ? Sa bonne place dans les sondages d'opinion ? Emmanuel Voguet pense le contraire. « La place de la religion dans ses discours est une manière de séduire la Colombie, confirme-t-il, mais c'est un drame qu'elle se retrouve si rapidement dans un sondage. C'est la preuve qu'elle n'est pas perçue au-dessus de la mêlée mais en plein dedans. Elle est de nouveau vue comme une "politicienne comme les autres". » D'après lui, Ingrid a commis une erreur tactique en évoquant un éventuel retour à la politique colombienne. Elle s'est glissée de nouveau dans l'armure de Jeanne d'Arc, la femme providentielle, seule capable de sauver son pays. Ce qui a le don d'irriter une opinion publique qui n'est pas dupe et a raillé son origine bourgeoise, tout autant que son empressement à regagner la France…

Les Colombiens n'ont pas davantage digéré que, le jour du concert parisien en faveur des otages, Ingrid n'y ait pas assisté depuis Bogotá, le seul endroit où elle aurait dû se trouver, pour participer à la gigantesque marche pour la paix. L'occasion était belle, pourtant, de séduire tout un peuple ! Et le 20 juillet, jour de l'indépendance colombienne ! La famille Betancourt a justifié son absence pour des raisons de sécurité. La vie d'Ingrid était prétendument menacée. L'explication a du mal à passer. Et, en termes d'image, l'effet est dévastateur. Si sa libération a été suivie en direct par des millions de Colombiens, elle ne leur a jamais fait perdre de vue la tragédie de tous les autres otages. En Colombie, Ingrid n'est pas l'arbre qui cache la forêt.

Au milieu des cris de liesse, de nombreux commentaires acerbes se sont fait entendre. On se moque de cette famille Betancourt, qui n'a eu de cesse de louer la France et de critiquer le président Uribe, pourtant à l'origine de la libération d'Ingrid. Quant à son « côté français », comme l'écrit une éditorialiste d'*El Espectador*, il agace prodigieusement… Et si, comble d'ironie, Uribe se « débarrassait » d'Ingrid en lui proposant l'ambassade de Colombie en France ?

Ce « côté français », justement, qu'en est-il ? Y a-t-elle un avenir ? Dans les cercles du pouvoir, on souligne son aura. Sa maîtrise parfaite de quatre langues, sa capacité à concilier l'émotion et la raison esquissent les traits d'un profil international, à la hauteur de grandes responsabilités. L'ONU ? La France serait-elle prête à soutenir sa candidature à un poste de l'organisme ? Le secrétariat général en 2011, en remplacement de Ban Ki-Moon, dont l'action manque de « glamour » et d'efficacité ? Ou un poste d'ambassadeur à l'Unesco, comme son père avant elle ? Mais rester à Paris s'occuper d'éducation et de culture lui irait aussi comme un gant…

À moins que Nicolas Sarkozy, adepte de l'ouverture et des coups d'éclat politiques, ne profite d'un remaniement ministériel pour lui ouvrir les portes du gouvernement. Improbable ? Pas si sûr. Ils s'entendent bien et Ingrid n'apparaît nullement impressionnée par la furie médiatique qu'elle a déclenchée. Bras dessus, bras dessous sur le perron de l'Élysée, on dirait que c'est elle qui raccompagne son invité…

Ingrid a laissé entendre à plusieurs reprises qu'elle n'était pas opposée à un retour à la vie politique colombienne. Ce n'est pas sa priorité, mais, si besoin était, elle se tiendrait à la disposition de son pays, comme un bon petit soldat. Lionel Duroy, son ami et son biographe, a confié au *Journal du dimanche* qu'il croyait à son retour sur la scène colombienne : « À mes yeux, sa volonté de faire de la politique est inébranlable. Retourner en politique donnera un sens à ses années de détention. Sinon, elles n'auront été que six années de souffrances vaines[1]. »

Quant à un éventuel engagement politique en « douce France », Ingrid n'en dit mot. Elle préfère évoquer d'autres projets. Écrire, a-t-elle confié. Pourquoi pas une pièce de théâtre sur le pouvoir, à la portée de cette passionnée des tragédies politiques d'Eschyle ?

---

1. *Le Journal du dimanche*, 6 juillet 2008.

Rien ne lui est fermé, vu son brio intellectuel. Ingrid a également confié à *La Dépêche du Midi* qu'elle souhaitait rencontrer le pape Benoît XVI pour parler « de la place des femmes dans l'Église, mais surtout du pardon et de l'excommunication[1] ». Deux sujets passés de mode au sein de l'Église romaine, bien que Jésus ait pardonné à ceux qui l'ont trahi. En termes de pardon, Ingrid sait de quoi elle parle. Depuis son retour à la liberté, elle répète inlassablement qu'elle n'éprouve aucune haine envers ses geôliers, en dépit des souffrances endurées. Sur l'aéroport de Catam, elle disait « respecter la vie des autres, même si ce sont vos ennemis ». Elle promettait aussi de poursuivre la lutte, pour tous ceux qui demeuraient dans la jungle...

Ingrid porte-parole des « sans-voix », ces otages restés aux mains des FARC ? Ce pourrait être sa priorité. Cela expliquerait aussi qu'avant de partir se reposer en famille aux Seychelles elle ait assisté au « concert pour la Liberté » au côté du chanteur colombien Juanes, donné au Trocadéro. Ce n'est pas non plus un hasard si elle a dédié sa Légion d'honneur – en espagnol – aux otages de la guérilla... Ingrid connaît bien les FARC et sait que leurs jours sont comptés. Avec des effectifs en baisse, un budget en berne et des arrestations, y compris hors du territoire colombien[2], la guérilla n'aura bientôt plus d'autre choix que de négocier le sort de ses otages. Ingrid pourrait peut-être jouer un rôle important dans ce processus...

---

1. *La Dépêche du Midi*, 9 juillet 2008.
2. Deux semaines après la libération d'Ingrid Betancourt, la police espagnole a arrêté la responsable des FARC en Espagne, en possession de fortes sommes d'argent. Interrogé sur cette arrestation par la radio RCN à Bogotá, l'un des chefs de l'armée colombienne a prédit « le début d'une série d'arrestations qui auront lieu en Europe ».

Astrid Betancourt, en annonçant qu'elle est en train de constituer un « staff » pour sa sœur, semble confirmer le retour prochain d'Ingrid au premier rang. Elle en a les moyens. Reste à savoir si l'opinion publique est prête à l'accepter… Sa surexposition médiatique en a crispé certains, en Colombie comme en France. Son art de concilier les extrêmes aussi : captive six ans dans la jungle, mais rayonnante à sa descente d'avion ; maman submergée d'émotion au moment de retrouver ses enfants, mais parfaitement calme et « pro » pour répondre aux journalistes l'instant d'après ; résistante aux dures conditions de la jungle, mais heureuse de retrouver le confort d'un palace parisien. Et puis tant de beauté, de charisme, d'intelligence… c'est trop pour certains !

Ingrid saura-t-elle jouer de cette image à double tranchant ? Saura-t-elle faire les bons choix en s'entourant des bonnes personnes ? Les querelles familiales hypothèquent-elles déjà son avenir ? Autant de questions en suspens… Gageons qu'elle saura y répondre plus vite qu'on ne le croit. Femme de courage et de foi, femme toujours libre, Ingrid a toutes les cartes en main pour écrire la suite de son destin…

BIBLIOGRAPHIE

Enquêtes sur Ingrid Betancourt

CAROFF Delphine, *Ingrid Betancourt ou la médiatisation de la tragédie colombienne*, Paris, L'Harmattan, 2004.

CORONADO Sergio, *Ingrid*, Paris, Fayard, 2008.

REYNAUD Éric, *Ingrid Betancourt, femme courage*, Paris, Alphée, 2008.

THOMET Jacques, *Ingrid Betancourt, histoire de cœur ou raison d'État ?*, Paris, Hugo&cie, 2006.

Témoignages

BETANCOURT Ingrid, *La Rage au cœur*, Paris, XO, 2001.

BETANCOURT Ingrid, DELLOYE-BETANCOURT Mélanie et Lorenzo, *Lettres à maman par-delà l'Enfer*, Paris, Le Seuil, 2007.

DROUHAUD Pascal, *FARC, confessions d'un guérillero*, Paris, Choiseul, 2008.

GAVIRIA CORREA Guillermo, *Diario de un gobernador secuestrado*, Bogotá, Revista número Ediciones, 2005.

KOURLIANDSKY Jean-Jacques, *Par-delà les apparences*, Paris, Toute Latitude, 2008.

LAMPREA Adair, *Parce qu'ils l'ont trahie*, Paris, Hachette Littératures, 2008.

LECOMPTE Juan Carlos, *Au nom d'Ingrid*, Paris, Gallimard, « Folio Document », 2007.

PEREZ Luis Eladio, *7 años secuestrado por las FARC*, Bogotá, Aguilar, 2008.

PEYRARD Michel, « Ingrid Betancourt, l'amour de la vie », *Paris-Match*, n° 3086, juillet 2008.
PINCHAO John, *Évadé de l'enfer*, Paris, Florent Massot, 2008.
PULECIO Yolanda, *Ingrid, ma fille, mon amour*, Paris, Robert Laffont, 2006.
RODRIGUEZ María Carolina, *Diario de mi cautiverio*, Bogotá, Editorial Norma, 2008.

Sources télévisuelles

WILNER Frédéric, « Colombie : une femme contre la corruption », *in* « Des racines et des ailes », Paris, France 3, diffusé le 7 mars 2001.
COMITI Paul, GAYTAN Thierry, AICHOUBA Alexandre, « Sur les traces d'Ingrid Betancourt », *in* « Envoyé spécial », Paris, France 2, diffusé le 25 mai 2002.

Sites de presse colombienne

www.eltiempo.com
www.elespectador.com
www.elmundo.com

Sites de presse française

www.lemonde.fr
www.lexpress.presse.fr
archives.nouvelobs.com
www.permanent.lenouvelobs.com
www.liberation.fr
www.lefigaro.fr

Sites de presse espagnole

www.elpais.es
www.elmundo.es
www.abc.es

Sites consacrés à Ingrid Betancourt

www.ingridbetancourt.com
(site du comité de soutien français)

www.educweb.org
(site d'informations sur son enlèvement)
www.sos-betancourt.com
(site du comité de soutien des cent artistes et écrivains pour Ingrid Betancourt)

Ouvrages généraux sur l'Amérique latine et la Colombie

DABÈNE Olivier, *L'Amérique latine au XXe siècle*, Paris, Armand Colin, 1999.
DEVALPO Alain, *La Pêche miraculeuse*, Paris, Syros/Amnesty international, 2006.
GANDOLFI Alain, *Les Luttes armées en Amérique latine*, Paris, PUF, 1996.
MINAUDIER Jean-Pierre, *Histoire de la Colombie de la conquête à nos jours*, Paris, L'Harmattan, 1997.

Table

REMERCIEMENTS

Comment, à l'issue de cette enquête passionnante et difficile, assez remercier tous ceux grâce à qui elle a pu voir le jour, amis, membres de la famille Betencourt, journalistes, spécialistes de la Colombie, militants des comités, politiques, universitaires, mais aussi tous ceux qui, de près ou de loin, se sont passionnés pour cette étrange et fascinante affaire et m'ont apporté leur concours ?

Je les cite dans le désordre, espérant de tout cœur ne pas faire de jaloux : Marie Nagy, Christian Chesnot, Alain Keler, Daniel Parfait, Philippe Étienne, S.E. Luis Guillermo Angel, Eduardo Mckenzie, Nicanor Restrepo, Armand Burguet, S.E. Luis Guillermo Angel Correa, Me Francis Chouraqui, Emmanuel Voguet, Anne Colombe de la Taille, Luis Guillermo Perez, Jacques Thomet, Hervé Marro, Fabrice Delloye, Matthieu de Nanteuil, le père Henri Ramirez Soler, Jacques Capelle, Laurence Bolorinos, Martine Gauffeny, Alain Abellard, Alain le Grand, Astrid Florez, Ivan Cepeda, Hernando Calvo Ospina, Thierry Oberlé, Laure Moline, Romain Lévy, Murielle Derouet, Christine Leclerc, Nathalie La Balme, Astrid Betencourt…

Que ceux que j'aurais pu oublier veuillent bien me le pardonner.

J'ai contracté une dette toute particulière à l'égard de mes documentalistes, qui ont su faire preuve de rapidité, d'intelligence, de sagacité et d'intuition et m'ont permis de pénétrer les arcanes d'une affaire particulièrement complexe : Robert Chaouad et Alvaro Luna en France, Liliana Buitrago à

Bogotá ; sans eux, sans doute ne serais-je jamais parvenu à boucler cette enquête.

Enfin, qu'il me soit permis d'exprimer toute ma reconnaissance et mon amitié à mes collaborateurs Élizabeth Flory et Clément Boisseau, irremplaçables d'un bout à l'autre de cette histoire ; sans eux, sans leur intelligence, leur talent et leur ténacité, je serais à coup sûr resté au milieu du gué.

Cet ouvrage a été composé
par Atlant'Communication
aux Sables-d'Olonne (Vendée)

Impression réalisée sur CAMERON par

La Flèche (Sarthe)
en août 2008
pour le compte des Éditions de l'Archipel
département éditorial
de la S.A.R.L. Écriture-Communication

Imprimé en France
N° d'impression : 49023
Dépôt légal : septembre 2008